La otra chica negra

ZAKIYA DALILA HARRIS

La otra chica negra

Traducción de Eva Gonzáles

● UMBRIEL

Argentina • Chile • Colombia • España
Estados Unidos • México • Perú • Uruguay

Título original: *The Other Black girl*
Editor original: AtriaBooks
Traductor: Eva Gonzáles

1.ª edición: enero 2022

The Other Black Girl © 2021 *by* Zakiya Dalila Harris
All Rights Reserved
© de la traducción 2021 *by* Eva Gonzáles
© 2021 *by* Ediciones Urano, S.A.U.
Plaza de los Reyes Magos, 8, piso 1.º C y D – 28007 Madrid
www.umbrieleditores.com

ISBN: 978-84-16517-58-9
E-ISBN: 978-84-18480-82-9
Depósito legal: B-18.252-2021

Fotocomposición: Ediciones Urano, S.A.U.
Impreso por: Rotativas de Estella – Polígono Industrial San Miguel Parcelas E7-E8
31132 Villatuerta (Navarra)

Impreso en España – *Printed in Spain*

Para mi familia… presente y pasada.

«La historia negra es horror negro».
Tananarive Due, *Horror Noire: A History of Black Horror*

Prólogo

Diciembre de 1983
Terminal Grand Central
Manhattan, centro

Deja de pensar en eso ya. Déjalo estar.

Pero mis uñas encontraron mi cuero cabelludo de todos modos y lo rastrillaron de delante hacia atrás y hacia delante de nuevo. Mi recompensa fue un momento de dulce alivio, seguido por la habitual inundación de dolor seco y abrasador.

Para. Para.

Ya había aprendido que, cuanto más me rascaba, la sensación más se parecía a la quemazón en el cuero cabelludo tras una mala permanente... tras una mala permanente, que te piquen cincuenta avispas y después te bañen en whisky. Mi pequeña oportunidad de alivio solo llegaría luego de que el tren comenzara a moverse, cuando por fin pudiera cerrar los ojos y ponerme cómoda en la creciente distancia entre Nueva York y yo. Aun así, seguí rascándome innecesariamente cuando mi atención cambió a otra sorprendente preocupación: todavía no nos estábamos moviendo.

Mis ojos volaron hasta la franja de andén visible a través de las puertas abiertas, mientras mi mente se movía más rápido de lo que yo me había movido por la terminal Grand Central apenas unos minutos antes. *¿Y si alguien me ha seguido hasta aquí?*

Lenta, cuidadosamente, me levanté para comprobarlo. En el lado izquierdo del vagón vi a una joven madre morena con su bebé, envueltos en abrigos rojos a juego con pinta de picar y solapas de terciopelo negro. A la derecha había un hombre canoso y grasiento con la frente aplastada contra el cristal de la ventanilla, roncando tan fuerte que casi podía sentir la vibración en el vagón. Seguíamos siendo los cuatro que entramos cuando subí al tren hace cinco minutos.

Bien.

Exhalé y volví a sentarme sobre mis manos, deseando que la oleada de ligero alivio que había inundado mi cerebro llegara también hasta mi corazón. Pero este último órgano no había recibido la circular todavía, y un repentino destello de sombra al pasar junto a la puerta abierta activó mi cerebro de nuevo.

¿Alguien me habrá visto subiendo al taxi?

¿Qué demonios estoy haciendo?

¿Qué demonios están haciendo?

Niego con la cabeza y cruzo las piernas; mis medias se rozan como dos trozos de lija negra y la punta redonda de mis tacones demasiado apretados araña la parte de abajo del asiento de adelante. Odiaba estas medias, estos zapatos y este chaquetón que me había puesto a oscuras; odiaba lo rígido que tenía todo el cuerpo: frío, entumecido, como si me hubiera metido en un tanque lleno de agua helada.

Pero lo arreglaría más tarde. Lo que más me preocupaba eran las cosas que no podía nombrar. Las cosas que me estaban provocando zumbidos y quemazón, así como la necesidad de huir, no solo de casa, sino de los constreñidos límites de mi propia piel.

Se oyó una campanada seguida de una voz. Una voz masculina. Tardé un instante en darme cuenta de que la sombra que había visto pasar junto a la puerta pertenecía al revisor. El hombre estaba en la parte de atrás del vagón, avanzando hacia el frente.

—Señor —estaba diciendo, en un educado intento por hacer que cesaran los ronquidos del hombre, para poder ver su billete—. Señor.

Busqué con nerviosismo en mi bolso en bandolera. Sabía que tenía suficiente dinero encima; antes de marcharme de mi apartamento, me aseguré de llevarme los ahorros que guardo en el interior de unas medias rotas de lunares, ocultas en el fondo de mi cajón de los calcetines. Pero ahora estaba aquí, a punto de marcharme, y todavía no sabía adónde iba a ir. Por eso había tenido que charlar un poco con el hermano que conducía el taxi (mostrarle algunos dientes en el retrovisor, como solía hacer antes de que la gente reconociera mi nombre, y preguntarle si conocía algún sitio al norte de Nueva York que fuera especialmente agradable para los nuestros), aunque mi mente seguía demasiado concentrada en lo que me había obligado a huir. En lo que le había oído decir por teléfono.

Imani me ha prometido que esta no escuece.

Descrucé las piernas mientras pensaba durante cuánto tiempo conseguiría desaparecer. A juzgar por cómo estaban arrastrando mi nombre por los periódicos, no sería difícil que alguien creyera que había querido «tomarme un respiro» de la atención pública. Pero ¿cuánto tiempo me dejarían en paz? ¿Cuánto tiempo serían amables con Trace antes de exigirle respuestas? No iban a dejar que me largara *tan* fácilmente. No después de lo que yo había hecho.

Había puesto muchas carreras profesionales en peligro. Un escritor negro al que había idolatrado durante gran parte de mi juventud me deslizó una nota bajo la puerta de madrugada: *¿No podías dejarlo pasar sin más?*

Más quemazón. Más dolor abrasador. Me estaba rascando el cuello de nuevo, agradecida por cualquier distracción de aquellas palabras, cuando una mano me agarró el hombro. Dejé escapar un pequeño grito y me aparté, antes de darme cuenta de que la mano pertenecía al revisor, que tenía el mismo aspecto asustado que yo.

Nunca, en toda mi vida, me había alegrado tanto de ver a un desconocido blanco.

—No pretendía asustarla —dijo—, pero necesito ver su billete, señora.

—Oh.

Saqué un billete de veinte nuevecito de mi cartera. Cuando volví a mirarlo, estaba apoyado en el asiento al otro lado del pasillo, esperando pacientemente con una ligera sonrisa. Parecía tener veintitantos, como mucho cinco años menos que yo, y su expresión fue agradable cuando me preguntó adónde me dirigía.

—Buena pregunta —le dije, justo cuando los ronquidos comenzaron de nuevo un par de filas detrás—. ¿Cuál es la parada más al norte de este tren?

La sonrisa del revisor se amplió con curiosidad mientras se movía para aceptar el billete.

—Poughkeepsie, señora —me explicó—. Está a unas dos horas al norte, y le costará cuatro con setenta y cinco llegar hasta allí.

—De acuerdo. En realidad, espera... Puede que tenga los setenta y cinco...

Busqué en mi cartera para desenterrar un par de monedas. Solo después de entregarme el billete y el cambio, golpeó el aire ante él y dijo, con un destello en la mirada:

—¡Ahora! Ya lo tengo. Sé dónde la he visto.

Tragué saliva y negué con la cabeza una vez. *No, no, no.*

—He leído sobre usted esta misma mañana —me dijo, señalando algo que llevaba en el bolsillo trasero. Un periódico enrollado. El brillo de sus ojos se apagó, y cuando volvió a hablar lo hizo con lentitud, como si estuviera decidiendo si merecía la pena malgastar las palabras—. Yo era un gran admirador suyo. Me sorprendió *muchísimo* descubrir lo que pensaba *en realidad.*

Mirad a otra parte. Eso fue lo que ordené a mis ojos que hicieran. Pero, en lugar de apartar la mirada, en lugar de decirle a aquel hombre: «Déjame en paz, no sé de qué estás hablando», hice algo que lo sorprendió y que me sorprendió incluso más a mí.

Lo miré a los ojos. Y sonreí.

—Oh, cielos. Te refieres a esa bruja de las noticias, ¿verdad? —grazné—. Vaya, me ha pasado lo mismo de camino aquí. El taxista ha cometido el *mismo* error. ¿Te lo puedes creer? ¡Dos veces en el mismo día! Menos mal que me voy de la ciudad.

Cuando el último sonido estridente e inhumano abandonó mis labios (risa, se suponía que era), parte de su brillo anterior regresó a los ojos del revisor.

Se acercó, evaluándome quizá durante demasiado tiempo. Pero mantuve una gran sonrisa, descarada e inofensiva, como hacía cada mañana la abu Jo cuando atravesaba la ciudad para limpiar las casas de los blancos.

—Ah. Ahora sí. Los ojos —decidió el revisor, al final—. Es usted demasiado joven para ser ella. —Se giró para marcharse—. Bueno, que tenga un buen día, señora. Y siento mucho la confusión.

Mientras se dirigía al siguiente vagón, oí que se reía.

—Sí que es una bruja —murmuró.

Exhalé un breve suspiro. Había sido fácil; *demasiado* fácil. Pero no podría seguir así por mucho tiempo. Sonó otro timbre. Un momento después, las puertas del tren se cerraron.

Aliviada, eché una mirada más a la puerta y el repentino movimiento hizo que me encogiera de dolor. Los picores no solo habían regresado; eran insoportables. Implacables. Levanté la mano de nuevo para rascarme (*para, para*), pero el picor solo se trasladó a un sitio nuevo y tuve que morderme el labio para no gritar. Si empezaba a rascarme, nunca pararía. Estaría rascándome hasta el final del trayecto. Y, cuando llegara al final, eso no sería todo. Seguiría rascándome. Y probablemente también seguiría huyendo.

Gemí y me deslicé en mi asiento para apoyar la cabeza en la ventanilla. Estaba tan caliente y húmeda como la piel bajo el cuello de mi camisa, pero mientras el tren tomaba velocidad y un tramo de túnel conducía sin pausa al siguiente, cerré los ojos de todos modos. Fingiría, al menos durante aquel trayecto en tren, que todo iba bien. Que aún no era demasiado tarde.

—

PARTE I

1

23 de julio de 2018
Wagner Books
Manhattan, centro

La primera señal fue el olor a manteca de cacao.

Cuando este rodeó la pared de su cubículo, Nella estaba demasiado ocupada acomodando una por una un montón de páginas en su escritorio, para que el manuscrito estuviera perfectamente alineado. Estaba tan concentrada en terminar esta tarea (Vera Parini necesitaba que todo estuviera alineado, siempre) que tuvo el descaro de ignorar el olor. Solo cuando subió por sus fosas nasales y se aferró a una parte profunda de su cerebro, dejó de hacer lo que estaba haciendo y levantó la cabeza con repentino interés.

No fue solo el aroma lo que hizo que se detuviera. Nella Rogers estaba acostumbrada a que todo tipo de olores no deseados reptaran hasta su cubículo; y normalmente eran horribles. Como solo era asistente editorial en Wagner Books no tenía despacho privado, y por tanto no había paredes ni ventanas. Ella y el resto de los asistentes estaban a la merced de los huevos duros y de las ventosidades ambulantes; y a menudo seguían sufriendo las consecuencias casi una hora después.

Adaptarse a tanta proximidad había sido tan difícil para Nella durante sus primeras semanas en Wagner que había aprendido a respirar por la boca incluso cuando no era necesario, como cuando estaba decidiendo entre distintas clases de granola en el supermercado o cuando tenía relaciones sexuales con su novio Owen. Después de unos tres meses de entrenamiento fracasado, se había rendido y había comprado un difusor de aroma de lavanda, con las palabras SOLO RESPIRA garabateadas en cursiva dorada. Su hogar era la esquina más alejada de su escritorio, encima de la primera edición de *Kindred* que Owen le había regalado poco después de que comenzaran a salir.

Nella miró las letras doradas y frunció el ceño. ¿Podría haber sido el difusor de lavanda lo que había olido? Inhaló de nuevo estirando el cuello hacia arriba, hasta que lo único que pudo ver fueron las placas grises y blancas del techo. No. Había tenido razón; era manteca de cacao, sin duda. Y no cualquier manteca de cacao. Era Brown Buttah, su marca favorita de manteca para el cabello.

Nella miró a su alrededor. Cuando estuvo segura de que no había nadie, metió la mano en su espeso cabello negro y se acercó un mechón a la nariz tanto como pudo. Se había dejado crecer una orgullosa melena afro en los últimos tres años, pero el mechón todavía quedaba insatisfactoriamente cerca de su nariz y de su mejilla. No obstante, fue suficiente para que supiera que el olor a Brown Buttah no provenía de su cabello. El aroma que le llegaba estaba recién aplicado, al menos en la última hora, o eso suponía.

Eso podía significar dos cosas: una de sus compañeras blancas había comenzado a usar Brown Buttah, o bien, lo que era más probable, ya que estaba bastante segura de que ninguna de ellas habría tropezado por accidente con el pasillo del cuidado para el cabello natural, *había otra chica negra en la decimotercera planta.*

Su corazón revoloteó y sintió una especie de sofoco. ¿Había ocurrido por fin? ¿Por fin había tenido éxito su campaña para incluir más diversidad en Wagner?

Las sonoras carcajadas de Maisy Glendower interrumpieron en seco sus pensamientos. Se trataba de una nerviosa editora que apreciaba la moderación solo cuando era otro el que la practicaba. Nella escudriñó el rebuzno, prestando atención a la voz susurrada que había hecho reír a Maisy. ¿Pertenecía a una persona de tono más oscuro?

—¡Ey, chica, ey!

Sorprendida, Nella levantó la vista de su escritorio, pero solo era Sophie. Había aparecido sobre la pared del cubículo, con los brazos apoyados en él y los ojos tan grandes y verdes como pepinos.

Nella gimió y apretó el puño bajo su mesa.

—Sophie —murmuró—. Hola.

—¡Eeeey! ¿Qué pasa? ¿Cómo estás? ¿Cómo llevas el martes?

—Estoy bien —dijo Nella, manteniendo la voz baja por si alguna otra pista auditiva flotaba en su dirección. Sophie había domado sus ojos un poco, gracias a Dios, pero seguía mirando a Nella como si hubiera algo que quisiera decir y no pudiera.

Aquello no era inusual en una Flotadora de Cubículos como Sophie. Como Flotadora de Cubículos, no era de las peores. No hacía favoritismos, de modo que tus probabilidades de verla más de una vez a la semana eran escasas. Normalmente estaba demasiado ocupada flotando sobre el cubículo de otro asistente, con su sonrisa perezosa recordándote lo afortunada que eras de que no te hubiera tocado a ti. Por suerte, Sophie trabajaba para Kimberly, una editora que llevaba cuarenta y un años en Wagner Books. Kimberly había editado su primer y último *best-seller* en 1986, pero como este también había sido adaptado para una serie de televisión, una película palomitera, una novela gráfica, una película para adultos, un musical, un pódcast, una miniserie y otra película palomitera (esta vez en 4D), le habían pasado por alto el resto de no *best-sellers* que siguieron. Las ganancias no eran moco de pavo.

Ahora que se acercaba al final de su larga carrera, Kimberly pasaba la mayor parte de su tiempo fuera de la oficina, y Nella sospechaba que Sophie pasaba la mayor parte de su tiempo esperando a que Kimberly tuviera la deferencia de jubilarse para poder ocupar su lugar. En un año, o quizá menos, Sophie se había dado cuenta de que su jefa no iba a irse a ninguna parte a menos que alguien se lo ordenara, y nadie lo haría nunca. Pero por ahora aguantaba estoicamente, como habían hecho el resto de sus predecesores.

—Kim sigue fuera —le explicó Sophie, aunque Nella no le había preguntado—. Ayer, por teléfono, sonaba fatal.

—¿Qué se está haciendo *esta* vez?

Sophie se pellizcó la carne entre la barbilla y la clavícula y se la retorció.

—Ah. Esa es crucial.

Sophie puso los ojos en blanco.

—Sí. Seguramente se ha dejado más en esa operación de lo que nosotras ganamos en un mes aquí. Por cierto, ¿has visto? —ladeó la cabeza en la dirección de la voz de Maisy.

—¿Si he visto qué?

—Creo que Maisy tiene otra candidata. —Sophie ladeó la cabeza de nuevo, esta vez añadiendo un sugerente movimiento de cejas—. Y no lo sé con seguridad, pero parece que podría ser... Ya sabes.

Nella intentó seguir sonriendo.

—No, no lo sé —dijo con candidez—. ¿Podría ser qué?

Sophie bajó la voz.

—Creo que es... *negra*.

—No es necesario que susurres la palabra «negra» —la reprendió Nella, aunque sabía por qué lo hacía Sophie: el sonido, como los olores, también pasaba de cubículo a cubículo—. La última vez que lo comprobé, era una palabra socialmente aceptada. Incluso *yo* la uso a veces.

Sophie ignoró el chiste o no se sintió cómoda riéndose de él. Se inclinó y susurró:

—Esto es genial para ti, ¿verdad? Otra chica negra en Wagner. ¡Debes estar entusiasmada!

Nella mantuvo el contacto visual, y se sintió apagada por la intensidad de su compañera. Sí, *sería* genial tener otra chica negra trabajando en Wagner, pero todavía no sabía si hacer una secuencia de *Electric Slide* para celebrarlo. Creería en que los peces gordos de Wagner habían pensado por fin en entrevistar a gente más diversa solo cuando lo viera. A lo largo de los últimos dos años habían entrevistado o contratado a Personas Muy Concretas que habían salido de una Caja Muy Concreta.

Nella levantó la vista de su ordenador para mirar a Sophie, que justamente era una de esas Personas Muy Concretas y que seguía charlando. En el transcurso de los siguientes minutos, Sophie se subió al tren de la conciencia social y dejó claro que no tenía intención de bajarse pronto de él.

—Me recuerda a ese artículo anónimo del *BookCenter* sobre ser negro en un entorno laboral blanco que te envié la semana pasada, el que habría jurado que tú *habías* escrito, porque sonaba muy *tú*. ¿Lo recuerdas?

—Sí, me acuerdo… Y, por enésima vez, yo no escribí ese artículo —le recordó Nella—, aunque sin duda me siento identificada con muchas de las cosas que narra.

—Quizá Richard lo vio y decidió hacer algo sobre nuestra falta de diversidad. Quiero decir, ese sería un buen paso. ¿Recuerdas lo difícil que era conseguir que la gente hablara de diversidad? Esas reuniones eran un coñazo.

Llamarlas «reuniones» parecía innecesario, pero Nella no estaba de humor para bajar esa pendiente resbaladiza. Tenía cosas mucho más importantes que hacer. Como librarse de Sophie.

Levantó su teléfono, dejó escapar un pequeño gemido y dijo:

—¡Vaya! ¿Ya son las diez y cuarto? Tengo que hacer una llamada muy importante.

—Oh. Mierda. —Sophie parecía visiblemente decepcionada—. De acuerdo.

—Lo siento. Pero ¡te informaré más tarde!

Nella no le informaría más tarde, pero había descubierto que terminar las interacciones demasiado largas con esa promesa hacía mucho más fácil la despedida.

Sophie sonrió.

—Sin problema. ¡Nos vemos, chica! —dijo, y se marchó tan rápidamente como había llegado.

Nella suspiró y miró a su alrededor; recordó el montón de documentos que todavía no le había entregado a su jefa. En general, la velocidad con la que uno podía llevar algo del punto A al punto B no debería influir en su reconocimiento como asistente editorial, pero esto no funcionaba así con Vera, una de las editoras más importantes de Wagner y para la que trabajaba desde hacía dos años. Últimamente las cosas entre ellas habían sido *extrañas*, a falta de una palabra mejor.

Su reunión anual, un par de días antes, había terminado con una nota menos que sabrosa. Cuando Nella le pidió un ascenso, Vera listó al menos una docena de quejas sorpresa sobre su labor como asistente, y la última fue la más perturbadora de todas: «Ojalá pusieras en las tareas más básicas la mitad del esfuerzo que dedicas a esas reuniones extracurriculares sobre diversidad».

La palabra «extracurriculares» la había golpeado con fuerza, como un trozo de metralla. El equipo de baloncesto de la empresa, el club de prensa... *esas* eran actividades extracurriculares. Sus esfuerzos por organizar un comité para la diversidad no lo eran. Pero había sonreído y dado las gracias a su jefa, que comenzó a trabajar en Wagner años antes de que Nella hubiera nacido, y se guardó ese fragmento de información en el bolsillo trasero para custodiarlo mejor. Allí era adonde creía que tendrían que permanecer sus sueños de dejar volar en libertad su bandera de chica negra.

El aroma del Brown Buttah golpeó su nariz de nuevo, acompañado esta vez de algunos sonidos delatores: primero, la practicada broma de Maisy sobre el demencial trazado de la planta de Wagner («Tiene casi tanto sentido como la ciencia de *Regreso al futuro*»), y después una carcajada, profunda y un poco ronca pero tan melosa como la manteca de cacao. Genuina, Nella lo sabía, a pesar de su brevedad.

—... imposible. Te lo juro, ¡descubres dónde se sienta una persona y jamás vuelves a encontrarla una segunda vez! —Maisy se rio de nuevo y elevó el tono de voz mientras conducía a su acompañante a su despacho.

Al darse cuenta de que tendrían que pasar junto a su cubículo, Nella levantó la mirada. A través de la pequeña rendija en su módulo divisorio, vio una franja de rizos oscuros y el destello de una mano marrón.

Había otra persona negra en su planta. Y teniendo en cuenta el rollo que le estaba soltando Maisy, aquella persona negra estaba allí para una entrevista.

Lo que significaba que, en las siguientes semanas, una persona negra probablemente se sentaría en el cubículo enfrente del suyo.

Respiraría su mismo aire. La ayudaría a esquivar a todas las Sophies de Wagner.

Nella quería elevar un puño de victoria, al estilo de las Olimpíadas de 1968. En lugar de eso, tomó nota mental de enviar un mensaje a Malaika con las últimas noticias de Wagner tan pronto como pudiera.

—Espero que no hayas hecho un viaje demasiado largo —estaba diciendo Maisy—. Tomaste el tren de Harlem, ¿verdad?

—En realidad estoy viviendo en Clinton Hill —respondió la chica negra—, pero nací y me crie en One Thirthy-Fifth, y viví en ACP durante un tiempo.

Nella se sentó más erguida. Las palabras de la chica, que sonaban más cálidas y roncas que la risa que había escapado con facilidad de su boca, evocaban un estilo Harlem que ella siempre había deseado poseer. También notó (con veneración y no poca envidia) lo segura que sonaba, sobre todo cuando recordó su nerviosismo en la entrevista con Vera.

Los pasos sonaban a apenas unos centímetros. Nella se dio cuenta de que podría echar un buen vistazo a la recién llegada si se movía hasta el extremo derecho de su cubículo, así que lo hizo: fingió que hojeaba el manuscrito que Vera estaba esperando mientras mantenía un ojo en la franja de pasillo que conducía al despacho de Maisy. Casi de inmediato, Maisy y su posible asistente con rastas se adentraron en su periferia, y la imagen completa apareció ante sus ojos.

La chica tenía el rostro ancho y simétrico, los ojos de color almendra perfectamente ubicados entre una nariz como la de Lena Horne, y una frente generosa. Su piel era un tono o dos más oscura que la de Nella, castaña, en algún sitio entre la nuez pecana y el marrón oscuro. Y sus rastas (todas tan gruesas como la pajita de un té de burbujas y tan largas como sus brazos) comenzaban igualmente marrones para volverse rubio miel mientras pasaban junto a sus orejas. Se las había recogido y amontonado sobre la cabeza en un moño; el resto de las rastas colgaban sueltas alrededor de su nuca.

Y después estaba el traje de pantalón de la chica: un conjunto de aspecto profesional compuesto por una chaqueta amarillo mostaza con un solo botón y un pantalón amplio a juego que le quedaba un par de centímetros por encima del tobillo. Bajo eso, un par de botines de tacón alto de charol rojo con los que Nella se habría roto el cuello solo intentando ponérselos.

Era todo muy Erykah-conoce-a-Issa, otro detalle que Nella estaba archivando para Malaika, cuando oyó que Maisy le pedía que le explicara qué significaba «ACP». Y se alegró de ello, porque Nella tampoco lo sabía.

—Oh, lo siento… Es Adam Clayton Powell Jr. Boulevard —dijo la chica—, pero resulta bastante largo.

—¡Oh! Por supuesto. Sí que es largo, sí. Harlem es un vecindario genial. Su historia es muy rica. Wagner celebró un evento en el Schomburg a principios de año… En febrero, creo que fue, para uno de nuestros autores. Fue muy bien recibido.

Nella contuvo un resoplido. Maisy no había asistido al mencionado evento; aún más, Nella apostaría su segundo nombre a que el Museo de Historia Natural era lo más al norte que Maisy había estado nunca en Manhattan. Maisy era una mujer bastante agradable (siempre le daba charla cuando se encontraban en el baño), pero tenía una visión muy limitada de la ciudad. Solo la mención de Williamsburg, a pesar de su tienda Apple, del Whole Foods y de la devastadora selección de boutiques de diseñador, provocaba que Maisy retrocediera como si alguien acabara de pedirle que le mostrara el interior de su vagina. *Seguramente*, aquella chica con rastas debía notar que Maisy no tenía ni idea de la «cultura» de Harlem.

Nella habría deseado ver la expresión en la cara de la chica negra, pero ya había comenzado a entrar en el despacho de Maisy y tuvo que conformarse con la ligera risita que escuchó. Fue sutil, pero en los milisegundos que pasaron antes de que Maisy cerrara su puerta, Nella detectó diversión en el final de aquella risa… Un tipo exasperado de diversión que preguntaba, sin hacerlo: «Tú no sueles pasar mucho tiempo con gente negra, ¿verdad?».

Nella cruzó los dedos. La chica probablemente no lo necesitaba, pero le deseó suerte de todos modos.

2

Nella se aclaró la garganta y pasó el pulgar izquierdo por el borde del manuscrito, y después por su parte inferior. Sabía que se cortaría si movía el dedo más rápido, tanto como para sangrar, pero también sabía que con ese riesgo tendría la posibilidad de una recompensa (una excusa para huir y conseguir algunos valiosos minutos en el cuarto de baño), y esa posibilidad era tentadora.

—¿Y bien? —Vera apoyó ambos codos sobre su mesa y estiró la cabeza hacia delante, un tic que justificaba sus reuniones bisemanales con su quiropráctico—. Dime qué opinas.

—Bueno… Hay mucho de qué hablar. ¿Por dónde empiezo?

Era una pregunta que Nella había pasado una irracional cantidad de tiempo intentando responder. De ninguna manera podía empezar por la verdad: que le había resultado difícil terminar *Agujas y alfileres* sin atravesar la cocina en calcetines, abrir una ventana y lanzar las páginas a la Cuarta Avenida para que el tráfico las hiciera trizas. Que, a medianoche, se tomó un respiro para hacer una lista de todas las cosas que no le gustaban, y que después rompió la lista y quemó sus trozos con una vela Yankee. Que había grabado un vídeo de diez segundos con los fragmentos quemados y se lo había enviado a Malaika, quien le contestó, todo en mayúsculas: GENIAL. AHORA VETE A LA CAMA, BICHO RARO.

Nella quizá se merecía *un poco* esa regañina. El libro no era del todo horrible. Hacía un buen trabajo expresando los horrores de la epidemia de opioides nacional y contenía algunas escenas especialmente conmovedoras llenas de diálogos conmovedores. Una familia de diez al final se enfrentaba a secretos que llevaban mucho tiempo enterrados; un bebé escapaba ileso de una precaria situación. El nudo de la novela parecía estar en el lugar adecuado.

El problema era lo que uno de sus personajes, Shartricia Daniels, no era.

Nella nunca podría confirmarlo, pero tenía la sensación de que el primer borrador de Colin Franklin había sido exclusivamente sobre frustrados personajes blancos que vivían sus frustrantes vidas blancas en una frustrante ciudad de provincias. Después de leer ese borrador, alguien (un amigo, su agente o quizás incluso la propia Vera) debió sugerirle que añadiera un poco de color.

Bueno, Nella no era tonta. Entendía que los personajes de color estaban de moda y que había cierta vigilancia para denunciar cualquier cosa que careciera de una adecuada representación. Nella no era quien lo demandaba, pero merodeaba por las redes sociales para apoyar a los que lo hacían. Leía artículos de opinión a diario y había retuiteado que los Oscar eran demasiado blancos para celebrarse de noche; después del famoso incidente del niño negro con la sudadera del mono, se tomó un respiro de seis meses sin comprar en H&M... Mucho tiempo para alguien a quien le encantaba comprar básicos baratos durante el verano. Podía ver los puntos en común de la subhumanidad que corría entre las meteduras de pata de las grandes empresas y los continuos asesinatos policiales de gente negra.

Y, por supuesto, no estaba sola. Siempre podía contar con Internet para protestar sobre la última moda. Quizá la voz más sonora de todas fuera la de Jesse Watson, un sincero blackactivista nacionalmente conocido a quien Nella y Malaika y más de un millón de otras personas seguían en YouTube. La sola mención de su nombre, que descansaba con bastante comodidad en el extremo más alejado del espectro del activismo social, a menudo enturbiaba la atmósfera durante la cena más rápido que unos dedos manchados de Cheetos, y su enérgica manera de hablar sugería que esto era exactamente lo que quería.

A veces, Nella creía que Jesse se pasaba un *poco* en sus vídeos de YouTube, como cuando grabó un discurso de noventa minutos sobre por qué la gente negra debía dejar de hablar del Tiempo GC. Pero en otros casos tenía tanto sentido que dolía, como su publicación sobre por qué los «blancos bienintencionados» eran a veces mucho peores que los blancos con tatuajes de corazones racistas. Así que, mientras pensaba por qué recelaba tanto de *Agujas y alfileres*, también pensó en lo que Jesse había dicho sobre la gente blanca que se aparta de su camino para hablar de diversidad: «Un incremento de la conciencia y la sensibilidad cultural conlleva una gran responsabilidad. Si no tenemos cuidado, la "diversidad" podría convertirse en un artículo que la gente tachará de una lista y nada más, en algo superficial e impreciso, con una sola dimensión».

Shartricia tenía menos de una dimensión. Era más plana que las páginas en las que aparecía. Su creador blanco la había imaginado con diecinueve años y embarazada de su quinto hijo, cuyo padre era un hombre llamado LaDarnell o un hombre llamado DeMontraine (Shartricia no podía confirmarlo porque ambos habían huido de la ciudad tan pronto como se enteraron). Maldecía y se quejaba en todas sus escenas, aislándose del lector tanto como de su familia y de sus amigos adictos a otras sustancias que no eran el opio (de los que tenía algunos). Después estaba el giro inesperado: «Shartricia» era el intento de su madre, analfabeta y adicta al crack, de homenajear el vestido verde chartreuse que llevaba en el club cuando rompió aguas.

Vale, quizá Nella había encontrado este último detalle tan problemático *como* adorable. Pero todo lo demás sobre el personaje de Shartricia era repulsivo; sobre todo su voz, que se describía como un cruce entre una esclava liberada y un desafortunado personaje de Tyler Perry. Aun así, a pesar de todas las ideas que giraban en su mente, no sabía cómo expresárselas a la mujer blanca que estaba sentada ante ella, preguntándole su opinión. A la mujer blanca que resultaba ser su jefa *y* la editora de Colin.

—Creo que este libro es muy... oportuno —dijo Nella, optando por la palabra de moda que a todo el mundo en Wagner le gustaba oír.

«Oportuno» significaba que lo cubrirían en la NPR y en *Buenos días, América*. Significaba que hablarían de él, que era lo que Colin Franklin siempre intentaba conseguir con su larga lista de libros fusilados de los titulares, incluyendo el de la segunda esposa asesina, el del tiroteo escolar y el de la sexy asesina en serie.

Vera asintió con entusiasmo y su flequillo castaño claro se agitó sobre sus brillantes ojos grises.

—Oportuno. Tienes razón. Colin se niega a apartar la mirada de las partes más duras de la epidemia de los opioides. —Apuntó una o dos palabras en el bloc de notas amarillas que tenía debajo del codo y después se golpeó la mejilla con el bolígrafo, como Nella la había visto hacer en incontables reuniones—. ¿Y crees que hay algo en la novela que no llegue exactamente a donde debería llegar?

Nella examinó con cuidado la expresión de Vera, buscando en ella lo que quería que le dijera. La última vez que había criticado un libro que a su jefa le gustaba (seis meses antes), Vera bajó la cabeza y le dijo que su opinión había sido certera. Pero después, cuando llegó el momento de entregar las páginas marcadas al autor, se dio cuenta de que sus comentarios sobre el final del libro se habían perdido por el camino. Hojeó el primer capítulo y tampoco vio ninguna de sus sugerencias.

En el momento no le había molestado demasiado. Había planeado sacar el tema en la siguiente reunión. Pero esa charla había sido un fracaso y ahora Nella no sabía cuál era su verdadero propósito como asistente. Si Vera no confiaba en su opinión, nunca llegaría a ser algo más que una asistente; si no llegaba a ser algo más que una asistente, nunca llegaría a ser editora. Era un sueño que había alimentado durante diez años, desde que decidió unirse al periódico durante su primer año de instituto. Le encantaba deslizar palabras y párrafos en un juego de tetris literario. El acto de editar la relajaba y, aunque sería la primera en admitir que sentía una inclinación hacia los escritores negros que buscaban un espacio para contar historias negras, alegremente editaría casi cualquier cosa que apareciera en su camino. La perspectiva de vivir de la edición la excitaba, y la idea de tener influencia en lo que la gente leía y, quizá, en lo que la gente escribiría en el futuro… eso era monumental.

No mucho después de que Vera dijera que las reuniones para la diversidad eran «extracurriculares», aplastando así las esperanzas de Nella de conseguir un ascenso, la joven se reunió con Malaika en su restaurante mexicano favorito. Las enchiladas normalmente le curaban las heridas, pero se pasó un minuto y medio mirando su plato antes de plantear la pregunta que Malaika y ella siempre se hacían cuando las menospreciaban:

«¿Crees que es un asunto racial? Todo esto del no ascenso».

«Quizá».

Malaika levantó el frasco de salsa picante de chile habanero, que estaba casi vacío, y lo sacudió sobre su plato por tercera vez, golpeando la parte de abajo para poner hasta la última gota en su guarnición de guacamole. Después, insatisfecha, se inclinó y tomó un frasco de la mesa contigua. La pareja blanca sentada allí se mostró confundida, pero no dijeron nada (no lo estaban usando, de todos modos), e incluso le ofrecieron un animado *de nada* cuando ella les dio las gracias y se lo devolvió.

Aquel gesto resumía más o menos el carácter atrevido de la persona con la que Nella había trabado amistad un par de veranos antes, en un bar de karaoke en el Village. Se conocieron cuando ella le pidió a Malaika que tomara un micrófono para ayudarla a cantar el rap de «Shoop», ya que a la Pepa original de Nella le había sentado mal uno de los muchos Bloody Marys que había tomado para almorzar. Habían sido las mejores amigas desde entonces, siempre comparando sus decepcionantes experiencias en las aplicaciones de citas y sus rutinas para el cuidado del cabello natural (como los de Nella, los rizos de Malaika también eran 4C, aunque ella lo llevaba natural desde el día uno y por tanto tenía una melena afro que rivalizaba con la de Pam Grier en su apogeo).

No obstante, sus notas más vitales llegaban tras comparar sus Experiencias de Mujeres Negras. Procedían de orígenes muy distintos: Nella se había criado en un barrio en su mayoría blanco de New Haven mientras que Malaika había crecido en Atlanta, rodeada de un caos de gente negra. Pero no habían tenido problemas para encontrar cosas en común. Nella creía que aquello tenía algo que ver con el hecho de que ambas se habían criado con las comedias de negros de los noventa y las sesiones improvisadas.

Además, Malaika había sido un poco Oreo durante gran parte de su vida, razón por la cual dio un bocado a su torta y dijo, en su mejor imitación del doctor Phil:

«Puede que Vera te vea como a una competidora. Puede que crea que aceptarte del todo validará de alguna manera su miedo secreto a que todas las mujeres de menos de treinta años estén allí para quitarle el trabajo. Quizás esté... celosa».

Ante aquello, Nella la había mirado con escepticismo.

«Está claro que no la conoces. Y tampoco a mí. Voy a trabajar con zapatillas Keds. *Keds*. Y ni siquiera de las elegantes. Las básicas».

Malaika lo había descartado.

«Bueno, allá tú, pero... Oye, deja que te pregunte una cosa. ¿Alguna asistente ha sido ascendida habiendo estado en Wagner menos tiempo que tú?».

«No», había tenido que admitir. «Supongo que casi todos los editores tienen algo en contra de los ascensos... Incluso para los asistentes blancos».

«Bueno, pues ahí lo tienes».

«Entonces... ¿*No* creemos que esto tenga algo que ver con la raza?». Nella todavía no estaba convencida.

«Joder, sí. Ese también es un factor. Está protegiendo lo que es suyo y lo hará durante tanto tiempo como pueda... Ya sabes, como los blancos que solo quieren reproducirse con otros blancos para evitar la población mestiza que sin duda gobernará el país en 2045. Pero esto es lo que me digo siempre que Igor me da la coña en el trabajo sobre pequeñas cosas que en *realidad* no importan, como su biografía de Twitter. Chica... Y esto te lo digo a *ti*, Nell, no a mí. *Tú* eres una doble amenaza. ¿Me entiendes? No solo eres negra: eres negra y joven. Y si ella es lista, y debe serlo ya que lleva trabajando allí... ¿Cuánto? ¿Treinta años?»,

Malaika hizo una pausa y solo continuó después de que Nella se lo confirmara con un asentimiento. «Si es lista, sabe que las chicas como tú...», le mostró una sonrisa leve y tonta, «y como *yo* somos el futuro».

Nella había apreciado aquel sentimiento lo suficiente como para reírse y brindar con Malaika, como había hecho muchas veces antes. Allí, en aquel restaurante indistinguible escondido en una de las calles con menos tráfico del Lower East Side, su conversación fue como una batamanta, cálida y peluda. Pero, ahora, bajo la brillante luz del enorme despacho de Vera con vistas a Central Park, horas después de haber luchado con la lectura de la extraña representación que un hombre blanco había concebido de una adicta al opio embarazada y negra, comenzaba a sentir escalofríos. Y la fuente parecía ser su jefa.

—¿Hay algo que no llegue adonde debería? —repitió Nella—. Bueno, uhm... Los personajes son bastante sólidos, pero hay uno o dos que creo que no terminan de funcionar.

—De acuerdo. Cuéntame más —insistió Vera, frunciendo el ceño con fuerza.

Nella no quería contarle más, pero si había algo que a Vera no le gustaba, era la gente que temía hablar. Sobre todo las mujeres. Esa fue en parte la razón por la que la contrató, según le contó una vez en una fiesta de Navidad, después de haber tomado demasiado ponche. Cuando se conocieron, los gustos literarios de Nella le parecieron «crudos, descarados y únicos», lo que era bastante curioso porque, después de la primera entrevista, había estado segura de que la había cagado.

Nervios... Nella había estado muy nerviosa. Le preocupaba la logística: que el transporte público se retrasara, o perderse, o que la carrera de un centímetro que tenía en la entrepierna de las medias no le permitiera ponérselas más. Pero también le preocupaba que entre Vera y ella no hubiera química. Nunca había estado en un despacho en Manhattan. No sabía qué esperar, excepto lo que había visto en las series de televisión y en las películas, y aparte de ella, le preocupaba mucho que todas las cosas que había visto (una severa jerarquía, homogeneidad y rigidez) fueran ciertas. Nella se había acostumbrado a trabajar detrás de una barra o de un mostrador de café, expuesta a todo tipo de gente con todo tipo de ocupaciones. En esos trabajos le permitían vestirse como quería, pero no creía que fuera posible presentarse ante Vera con una camiseta de Black Lives Matter.

Así que, la mañana de su entrevista, Nella se pasó de cauta: unos zapatos planos y sin florituras que le habían costado veinte dólares en Payles y que, si era necesario, le permitirían correr detrás del autobús. En sus piernas oscuras llevaba su par favorito de viejas medias negras, debajo de su vestido azul más conservador; al hombro, una bolsa que había pillado en el puesto del *Nation* en la Feria del Libro de Brooklyn el año anterior, solo para darse un toque de personalidad.

Afortunadamente, los dioses del transporte público fueron buenos con ella. Su tren llegó exactamente cuando el letrero decía que lo haría, y mientras la llevaba desde Bay Ridge hasta Manhattan, se sintió bastante cómoda como para perderse en el blog de un asistente editorial que llevaba años siguiendo. Cuarenta minutos después se encontró de nuevo en la calle, a apenas una manzana de distancia de Wagner. Estaba esperando a que el semáforo cambiara, dándose una palmadita mental en la espalda por llegar casi quince minutos antes y estar lista para la entrevista, cuando bajó la mirada y estuvo a punto de gritar. La carrera de sus medias había viajado por su pierna hasta su tobillo.

Aquello fue suficiente. La confianza que le habían dado el buen tiempo y el tren puntual se esfumó. «Tienes que ser el doble de buena, ¿recuerdas?», se dijo a sí misma. No podía recordar quién había sido el primero en decírselo, o si alguna vez se lo habían dicho directamente, pero eso no evitaba que se dijera una y otra vez que tener la piel marrón implicaba que tenía que ser el doble de buena que la chica de piel blanca, y que aquella carrera gigante en la media la dejaría sin posibilidades.

El mantra «el doble de buena» no se marchó; no cuando llegó al mostrador del vestíbulo y olvidó el apellido de Vera; ni cuando fue a darle un abrazo y Vera se decidió por un apretón de manos; y sin duda no cuando usó la palabra «literalmente» tres veces en dos frases. Por lo tanto, cuando Vera la llamó una semana después para decirle que creía que sería la incorporación perfecta al equipo editorial de Wagner, se había quedado perpleja. Tenía que existir otra candidata con las medias intactas y un uso racional de la palabra «literalmente». O seguramente un graduado blanco de una de las mejores universidades, con potencial para hacer grandes cosas.

Pero Wagner la quería a *ella*, y eso la alegró tanto que se puso a bailar twerking en pijama tan pronto como colgó. Luego, dejó sus tres trabajos en la hostelería en Brooklyn en rápida sucesión; menos de dos semanas después tenía nueva jefa, una nueva mesa y citas concertadas con el oftalmólogo, para un chequeo médico y para una muy necesaria limpieza dental. Adiós automedicación durante los resfriados que le duraban meses con Emergen-C y vitaminas de los Picapiedra. Hola, sanidad privada.

Ahora, Nella examinó el pequeño jardín zen que había sobre el escritorio de Vera, justo debajo de la ventana. Su jefa nunca dejaba que nadie lo tocara, pero a veces, cuando tenía un día especialmente duro, Nella entraba sin que nadie la viera y movía las piedrecitas de un lado a otro durante un minuto o dos. Pensar en ello aquietó su mente, como lo hacía el recuerdo de su celebración en pijama después de recibir la llamada de Vera. A Nella no le parecía que tener como referente a Amiri Baraka o a Diana Gordon resultara «crudo, descarado y único», pero al parecer a Vera le había cuadrado cuando no era nada más que una desconocida con una carrera en las medias y una universidad pública en su currículo. ¿Por qué no recurrir a eso de nuevo? ¿Por qué no invocar a la chica «cruda, descarada (y negra)» de su entrevista?

Además... Si *ella* no le decía nada sobre Shartricia, ¿quién en Wagner iba a hacerlo?

—Me encantaría saber qué personaje concreto crees que necesita más trabajo —dijo Vera, mirando la puerta y a ella de nuevo—. Yo también he visto algunas cosas aquí y allá.

Nella se irguió en su silla.

—¡Genial! De acuerdo. Bueno, este es mi problema principal. —Tomó aliento—. Si te soy totalmente sincera, creo que...

Pero el valor que había reunido para empezar se desvaneció cuando Vera miró la puerta por segunda vez. Sus ojos se quedaron allí la tercera vez, destellando con interés. Aquello fue suficiente para acallar el murmullo de Nella. Ella también se giró.

El diminuto puño de Maisy estaba a punto de llamar a la puerta de Vera.

—Lo siento, señoras —dijo, aunque no parecía sentirlo—. Hay alguien a quien me gustaría que ambas conocierais.

Entró en el despacho de Vera, alisándose la ceñida falda burdeos. Nella se alegró al ver que la chica negra a la que Maisy había fichado dos semanas antes aparecía junto a la puerta con toda su gloria rastafari

—Esta es Hazel-May McCall, mi brillante nueva asistente.

—Mis padres eran demasiado ambiciosos —dijo la chica nueva con calidez—. Vosotras podéis llamarme Hazel. No, por favor; ¡no os levantéis! —añadió, corriendo en vano hacia Vera antes de que diera un paso más lejos de su mesa de madera. A continuación, estrechó la mano de Nella y apretó tanto que los largos pendientes de ambas chicas se agitaron violentamente.

Cara a cara, Nella descubrió que Hazel era cinco centímetros, o quizá diez, más alta que ella. Aquel día llevaba las rastas sueltas; estas brotaban con brío de su cuero cabelludo y caían por la espalda de su americana azul celeste. De repente, Nella fue consciente de su arrugada camiseta gris con cuello de pico debajo de un jersey gris incluso más arrugado. De sus Keds, sucios y básicos.

—¡Bienvenida a Wagner! ¡He oído cosas maravillosas de ti! —Vera asintió en dirección a Maisy—. Estás trabajando para una grande.

Maisy agitó una mano como diciendo: *Oh, para.*

—Sí, lo sé —dijo Hazel—. ¡Gracias! Es un honor para mí estar en Wagner. Casi no puedo creer que sea verdad.

—Y nosotras estamos entusiasmadas por *tenerte*. ¿De dónde vienes?

Nella hizo una ligera mueca, avergonzada por su jefa y preocupada por si asustaban a Hazel tan pronto. *Esa* pregunta. Oh, a la gente del mundo editorial le *encantaba* esa pregunta. El primero que se lo había preguntado había sido Josh, el director de Ventas de Wagner, junto a la cafetera Keurig. Nella no había sabido a qué se refería, así que le mencionó su ciudad natal en Connecticut, de la que le contó casi todos los detalles excepto sus coordenadas geográficas. Solo lo entendió cuando Josh le dijo, con cierta impaciencia:

—Ah, interesante. ¿Y cuál fue tu último trabajo editorial?

Nella había mirado la cara de Zora Neale Hurston, impresa en el lateral de la taza de café que su madre le había regalado, y había contestado:

—En ningún sitio. Trabajaba en hostelería —le aclaró, y ese fue el final del interrogatorio.

Pero Hazel proporcionó el prerrequisito apropiado: una pequeña revista de Boston.

—Viví allí dos años y decidí regresar aquí hace unos meses. Me gusta demasiado Nueva York y quería poner en marcha de nuevo la organización benéfica que inicié en Harlem.

Maisy asintió con notable orgullo. Mientras, a Nella le sorprendió que Hazel omitiera la otra razón por la que se había marchado de Boston: porque era una ciudad de mierda y racista.

—¡Boston! Una gran ciudad universitaria —remarcó Vera.

—Lo sé —dijo Hazel—. Pero muy tranquila, a pesar de ello. Y fría. Y echaba mucho de menos la energía de Nueva York.

Arrugó la frente, como si un recuerdo corporativo especialmente desagradable hubiera regresado a ella en aquel momento. Nella la observó con curiosidad; llevaba una pequeña tachuela dorada sobre la ceja izquierda, tan diminuta que solo podía verse con ciertas expresiones faciales, como aquella. ¿Había recibido Hazel correos electrónicos desagradables sobre sus rastas, provenientes del departamento de Recursos Humanos de su antiguo trabajo? *La gente ha empezado a quejarse por el* hedor *que sale de tu cubículo*, quizá se leería en ellos. O tal vez algo sobre que los piercings en la ceja no eran muy profesionales. Nella había estado en Boston solo un puñado de veces, pero había leído lo suficiente para saber que Hazel probablemente no lo había tenido fácil.

Ya podía imaginársela contándole todo aquello después del trabajo, compartiendo historias con un gin con zumo, cuando Vera añadió:

—Sí, en realidad hace bastante frío. Creemos que aquí nieva, pero lo de *allí* arriba es un animal completamente distinto. Maisy lo sabe todo sobre Boston, ¿verdad, Maze?

—¡Ah, eso es verdad! —exclamó Hazel, de buenas maneras. No le había molestado que su uso de la palabra «fría» se hubiera malentendido—. ¿No me dijiste que habías nacido y te habías criado en Boston?

—Desde los pañales hasta que deserté —trinó Maisy—. Y mi primer trabajo también fue en Boston. Siempre será mi hogar —se llevó una mano al corazón—, pero está claro que no es para todo el mundo. La restauración es terrible. Vera, ¿recuerdas aquella horrible cena de entrega de premios en Cambridge?

Con la introducción de aquel recuerdo, Vera y ella se marcharon unos tres minutos durante los que repasaron cada plato, sin ahorrarse ningún detalle extravagante.

Nella puso una pequeña sonrisa en su rostro, como para no tener problemas, y se preparó para intercambiar una mirada cómplice con Hazel mientras esperaban a que la conversación se recondujera. Pero, cuando la miró, Hazel no parecía aburrida. En realidad, estaba sonriendo y asintiendo, y diciendo *Oh, Dios mío* junto a Vera y a Maisy. En cierto momento, contribuyó con un chiste propio e incluso le dio un codazo a Maisy.

Nella frunció el ceño, un poco decepcionada porque su mirada no hubiera sido correspondida. También estaba sorprendida. No podía recordar cuándo se atrevió a tocar a su jefa por primera vez, pero sin duda no había sido el primer día, ni siquiera el primer mes.

—En cualquier caso, ¿qué estaba diciendo? —preguntó Maisy al final—. Hazel, Nella será una fuente increíble de respuestas para todas tus preguntas. Deberías preguntárselo todo a ella.

—La llamamos «la susurradora de autores» —añadió Vera, aunque no la habían llamado así ni un solo día de su vida—. Siempre que una diva se está volviendo loca, Nella hace uso de su encanto y todo sale bien.

—Bueno, no es para tanto. —Nella chasqueó la lengua. Después de todo, la falsa humildad era la tónica en Wagner—. No sé nada de eso. Pero, sí, pregúntame lo que quieras. Estoy justo al otro lado del pasillo.

Hazel se echó las rastas sobre el hombro con una sonrisa descarada.

—¡Cuidado con lo que dices! Probablemente te molestaré continuamente. Conozco las revistas, pero los libros son un auténtico misterio para mí.

¿Acababa la chica nueva de admitir eso delante de su jefa? *Menudos cojones*, pensó Nella, recordando lo mucho que había minimizado ella su inexperiencia en publicaciones cuando comenzó. Pero le encontró una explicación casi de inmediato: *los asistentes en puestos básicos son mucho más apreciados por sus jefes cuando creen que son tabulas rasas.*

—No será ninguna molestia —le dijo—. ¡En serio!

Hazel ladeó la cabeza como si estuvieran tirando de ella con una cuerda invisible, como si se alegrara *tanto* de saber que Nella estaba en su bando que no pudiera mantener la cabeza recta.

—Me alegro *mucho* de oír eso.

Maisy inclinó la cabeza, agradecida.

—¡Genial! Y, Vera, antes de irnos: ¿sabes si Bridget está aquí hoy? Me encantaría pasar por su despacho y presentarle a Hazel antes de que nos vayamos a almorzar.

—He oído a Stevie al otro lado de la pared antes, así que…

Ambas mujeres hicieron una mueca.

—Ah. Me arriesgaré. Os dejamos seguir. ¡Disculpad de nuevo por la interrupción!

—Por Dios, Maze, ¡no te preocupes! —Vera se despidió de ella con la mano y volvió a sentarse en su silla, regresando al par de notas garabateadas sobre la última novela de Colin Franklin—. Y, Hazel… Una vez más, es un *placer* conocerte. Estamos encantadas de tenerte a bordo.

—¡Sí! ¡Bienvenida! —añadió Nella alegremente. Después de un par de despedidas con la mano, cuatro se convirtieron en dos de nuevo.

Nella volvió a sentarse, sintiéndose más preparada que nunca para ahondar en su opinión sobre Shartricia. Conocer a Hazel había dispersado su aprensión y renovado su sensación de propósito. Pero cuando comenzó a hablar, notó que el desconcierto había apresado el rostro de su jefa. Después de un par de segundos en silencio, Vera soltó su bolígrafo y dijo, un poco malhumorada:

—Jesús. Cada vez que hablo con Maisy me apetece tomarme un descanso. Es *agotadora*.

Nella se encogió de hombros. Siempre la sorprendía que su jefa la tratara como a una confidente.

—Bueno, ¿por dónde íbamos?

—Colin Franklin. *Agujas y alfileres.*

—Sí. Sí, y tú decías...

Interrumpieron a Vera de nuevo, esta vez Stevie Nicks. Bridget, una editora asociada con debilidad por la cantante, estaba sin duda en la oficina aquel día, y al parecer de tan buen humor que abrió la puerta cuando Maisy llamó. Nella y Vera escucharon mientras Maisy gritaba el nombre de su nueva asistente y Hazel lo repetía aún más alto. Nella cerró la puerta de Vera mientras Maisy gritaba el nombre de Hazel por tercera vez, añadiendo, amablemente: «¡Estamos todos locos!».

Vera suspiró.

—Gracias. *Argh*. Alguien tendría que hacer algo al respecto —se quejó, aunque ambas sabían muy bien que la última persona que había pedido a Bridget que bajara la música había sufrido un duro par de meses con Recursos Humanos, porque Bridget era la nieta de uno de los primeros autores de Wagner, que a su vez era amigo de golf de Richard. Eso explicaba que tuviera su propio despacho a pesar de su estatus relativamente reciente, una decisión de Richard que había enfadado mucho a los trabajadores de todos los niveles.

Nella volvió a sentarse y enderezó los hombros. Esperó una cantidad de tiempo adecuada antes de decir con firmeza:

—Bueno. *Agujas y alfileres*. Voy a ser sincera: uno de los personajes no...

—Mira, Nella... —Vera se frotó la sien y exhaló—. Creo que Colin vendrá pronto a la oficina, quizá la semana que viene. ¿Qué te parece si compartes tu opinión con nosotros entonces? De ese modo podríamos tener en cuenta su respuesta a tu crítica cuando preparemos la oferta por la novela.

Nella no estaba segura de qué la enfermaba más, si el hecho de tener que darle su opinión a Colin en persona sin haberlo comentado antes con Vera o el hecho de que Vera pareciera estar ya decidida a comprar aquel libro.

—Uhm... De acuerdo. Solo me pregunto si quizá no deberíamos hablar de ello nosotras... uhm... antes... sobre las... uhm... debilidades, o...

—Sí, sí, se lo diremos a Colin en persona —dijo Vera, cerrando los ojos—. Es que ahora mismo no puedo concentrarme con... con esto. —Señaló la pared a través de la que sonaba la feroz melodía de «Edge of Seventeen»—. Por Dios santo, a veces este sitio es para volverse loca —continuó—. ¿Es cosa mía, o están echándole algo raro al agua?

Vera tenía razón. *Había* algo en el agua de Wagner. Pero parte de la culpa era suya. Suya, y de los peces gordos de Wagner que ganaban buenos sueldos; todos ellos estaban manipulando el agua, haciendo que fuera difícil y a veces imposible que los peces pequeños como Nella sobrevivieran. Acechando bajo muchas de las aparentemente amables reuniones había todo un ecosistema de mezquindad y juegos de poder; de ninguneos y conversaciones a puertas cerradas.

Lo más fascinante era que todos creían que los *demás* estaban locos. Al menos, eso era lo que Yang, la chica que había sido asistente de Maisy cuando Nella comenzó a trabajar en Wagner, le había confiado. Yang había asumido la noble tarea de enseñarle el trabajo editorial básico y de ponerla al día sobre sus nuevos compañeros: a quién tenía que vigilar en las fiestas de Navidad, a quién era mejor evitar en el ascensor, con quién tomar café. Toda la información importante.

Yang había sido una guía de increíble utilidad y, como primera generación de estadounidenses descendientes de inmigrantes chinos, también la única otra persona de color que había trabajado en Wagner. Juntas, hacían chistes sobre lo difícil que debía ser para todo el mundo diferenciarlas y ponían los ojos en blanco ante los constantes paseos de los superiores por su lado de la oficina, con el propósito, según habían medio bromeado, de mostrar la diversidad de la empresa.

Aquello llegó a su fin luego de seis meses, cuando Yang dejó el trabajo para terminar su doctorado. Tres días después del último día de Yang en Wagner, la muerte a disparos de otro hombre negro desarmado (esta vez, un anciano) se hizo viral. Había sido abatido por un agente de policía blanco horas antes del amanecer en la zona rural de Carolina del Norte. Minutos después estaba muerto, y horas después el mundo estaba en llamas. Numerosos informes decían que había intentado subir el volumen a su audífono. Al día siguiente de que Nella viera la furiosa respuesta de Jesse Watson en Twitter, Richard Wagner envió un email a toda la empresa anunciando las próximas jornadas por la diversidad.

El editor jefe de Wagner Books muy rara vez enviaba correos electrónicos a sus empleados; o aparecía en tu mesa inesperadamente o te enviaba una nota escrita a mano en una impecable cursiva. La propia existencia de aquel e-mail era apasionante, y su contenido era tan prometedor que Nella lo había impreso y clavado en su cubículo. La noticia del tiroteo había indignado al país y la había indignado especialmente a ella, no solo porque el hombre tenía problemas auditivos y más de setenta años, sino también porque se parecía un poco a un abuelo al que no había llegado a conocer. Fue consolador saber que todos los empleados de Wagner habían recibido una directiva para comenzar a hablar sobre el mayor elefante de la habitación.

Pero solo había un problema: nadie sabía en realidad cuál era el elefante. O dónde estaba. O si había un elefante, para empezar. La definición de «diversidad» resultaba desconcertante para los colegas de Nella, por lo que Natalie de Recursos Humanos y el moderador británico que la acompañaba como «representante neutral» se pasaron la primera hora de la reunión inicial intentando dirimir de qué se suponía que estaban hablando en realidad.

«¿Nos referimos a *empleados* diversos o a *libros* diversos?», preguntó Alexander, uno de los editores de Wagner más literales. «¿O a *autores* diversos?».

«¿No publicamos el año pasado el libro de aquel escritor negro?», preguntaron otros. Y así todo.

Su confusión era comprensible y Nella hizo lo que pudo por reconducir a todo el mundo hacia la tarea que tenían entre manos con sus propias y «objetivas» observaciones. Pero no se atrevió a decir que quizá los editores no deberían contratar a gente con licenciaturas de universidades de primer nivel o con contactos personales, porque su propio currículo había sido apoyado por un editor amigo de uno de sus profesores en la Universidad de Virginia. Y lo que *de verdad* quería expresar («Sí, el año pasado publicamos a "ese escritor negro", pero ese escritor, junto a las últimas seis personas negras a las que hemos publicado aquí en Wagner, no era un negro americano sino un negro de un país africano, y aunque sin duda es un ejemplo de diversidad, en realidad no lo es del todo») tampoco funcionaría. Solo desataría un montón de matices nuevos con los que ni siquiera Nella se sentía cómoda, y mucho menos con sus jefes blancos.

La segunda hora de la reunión estuvo llena de torpes juegos de rol e incluso más torpes juegos de asociación de palabras, y naturalmente las cosas empeoraron. Cuando Nella ofreció el acrónimo BIPOC (*Black and Indigenous People of Color*, «población afrodescendiente e indígena»), como un término al que asociaba con «diversidad», sus compañeros asintieron... y después ofrecieron sus propios ejemplos de diversidad: zurdos, miopes y disléxicos. Solo cuando alguien dijo las palabras «no millennial», Nella se dio cuenta de que un cambio en el tratamiento de la gente negra tanto dentro como fuera de la esfera literaria sería altamente improbable. Y, justo así, más rápido de lo que se tarda en pronunciar las palabras «¿Y qué pasa con la discriminación por edad?», la moderadora asintió y felicitó a todo el mundo (a las cien personas de la sala, todas blancas excepto Nella) por ser tan *abiertos de mente*.

Aliviados ante la perspectiva de volver a reunirse alrededor del dispensador de agua, sus colegas salieron de la sala de conferencias tan rápido como si aquel hubiera sido un seminario sobre acoso sexual. Y todos parecían mucho más desconcertados al salir que al entrar.

Nella también, pero por razones distintas. Sus compañeros publicaban libros sobre Bitcoin, los conflictos de Oriente Medio y los agujeros negros, pero la mayoría no comprendía por qué era tan importante que la editorial fuera más diversa. No le sorprendió, entonces, que la siguiente reunión de diversidad no obligatoria contara con la mitad de asistentes. La siguiente, aún menos. Cuando se celebró la cuarta reunión, solo acudieron Nella y una ayudante de publicidad de ojos azules cuyo nombre no recordaba, porque ya no estaba en la empresa. Incluso Natalie, de Recursos Humanos, había dejado de acudir debido a «incompatibilidad de horario».

«Quizá deberíamos ofrecer donuts o algo así para conseguir que viniera más gente», había sugerido la asistente de ojos azules con resignación. Con una inusual muestra pública de frustración, Nella tomó el último artículo de opinión que había planeado compartir con los demás y salió de la habitación.

Todavía sentía las mejillas acaloradas cuando recordaba aquella demostración pública de debilidad. Ser la única chica negra no era tan duro la mayor parte del tiempo. Poco a poco había trabado amistad con el resto de los asistentes de Wagner, y la gente de color que trabajaba en recepción y en la mensajería la conocía por su nombre. Pero no era lo mismo que tener una «esposa en el trabajo», alguien que *realmente* la comprendiera. Ansiaba la posibilidad de atravesar el pasillo, vomitar todos sus sentimientos sobre un personaje de ficción racialmente insensible y regresar a su mesa sintiéndose como nueva.

Nella había sacado uno de los contratos de veinte páginas de Colin Franklin de la impresora y estaba hojeándolo, mientras pensaba en cuántas emociones se agitaban en sus entrañas, cuando colisionó con su nueva vecina de cubículo.

—¡Lo siento! —exclamó. Extendió un brazo para tranquilizar a Hazel, aunque era ella la que necesitaba tranquilizarse.

Hazel levantó las cejas, con confusión o juzgándola, y se colocó una mano en la cadera.

—Caramba, chica, ¿adónde vas tan rápido?

Sí, efectivamente: estaba juzgándola. Lo sabía por la sonrisa que tiró de la comisura izquierda de la boca de Hazel.

—Es difícil no correr por aquí como un murciélago recién salido del infierno —dijo Nella, aunque no solía utilizar metáforas tan rebuscadas.

Miró su reloj, intentando recuperarse—. Bueno, eh... ¿Qué tal el almuerzo con Maisy? Habéis estado fuera como... dos horas.

—¿De verdad ha sido tanto? —le preguntó Hazel, mirando en la dirección de la que había venido—. El almuerzo ha sido estupendo. *Maisy* es genial. Hemos ido a un restaurante taiwanés.

—Genial. ¿A Lu Wan?

—Sí. En la Novena.

—Sí, es un favorito por aquí.

—Muy sabroso. En realidad, me habría conformado con lo que fuera —dijo Hazel, deteniéndose junto al cubículo de Nella—. Ahora que he vuelto, ¿crees que podría hacerte una pregunta sobre un e-mail?

—¡Oh, claro!

Nella dejó los contratos sobre el montón de libros de Colin Franklin que Vera le había pedido que tomara de la biblioteca de Wagner para preparar la oferta. Todavía no le había solicitado que le pidiera a Josh las cifras de ventas de *Una bala de tres pistas* y *El terrorista de la puerta de al lado*, pero Nella estaba segura de que lo haría antes de que terminara la semana. Lo que significaba que, en las siguientes dos semanas, Wagner casi seguramente haría una oferta por el siguiente libro de Colin, con Shartricia, madre soltera de cinco hijos y medio, de seis cifras y todo eso.

Nella se estremeció ante aquella última y dolorosa gota. Sentía su alma, que a menudo sonaba muy parecida a Angela Davis, llorando un poco; pero puso su mejor sonrisa de todos modos. Después caminó hasta el cubículo de Hazel para echar un vistazo al e-mail que llenaba su pantalla. Ver que el texto estaba en fuente Papyrus roja fue suficiente para que lo supiera sin leerlo:

—Es Dee, de Producción. *Argh.*

—Sinceramente... No estoy segura de qué significa nada de esto.

Nella no podía culparla: el asunto del correo decía *¿Simpson?* y el texto solo: *¿DÓNDE ESTÁ?*

—Espera un segundo. Creo que Erin dejó una nota sobre esto antes de marcharse... —Nella buscó en el manual que no había tocado desde que Erin, la última asistente de Maisy, había vuelto a trabajar en el bufete de abogados de su padre en Upper West Side cuatro semanas antes. «Aquí nos pagan una mierda», había dicho la chica, guardando su tercera caja de libros. «¿Cómo haces para vivir en *esta* ciudad con este sueldo? No tengo ni idea».

Nella captó la ironía de que aquel comentario viniera de una chica con una estrategia de huida tan conveniente. Pero como el resto de la gente de menos de treinta y cinco años que al final siempre abandonaba Wagner por razones similares, Erin tenía parte de razón. El sueldo era una mierda y sería una mierda durante al menos los primeros cinco años, dependiendo de cuánto pudieras acercarte a Richard Wagner en ese tiempo. Si conseguías llamar su atención, tendrías trabajo durante el resto de tu carrera editorial, pero si no... Si no eras familiar de alguien, como Bridget, o si trabajabas para alguien a quien no le tuviera demasiado aprecio, estabas bastante jodida. Podías trabajar en Wagner tanto tiempo como quisieras, pero seguirías ganando veintitantos por hora.

Nella pasó un dedo por la segunda página del manual de la asistente de Maisy, con cuidado de evitar la gran mancha de grasa en la esquina superior derecha. Se preguntó cuál de las asistentes de Maisy habría dejado aquella marca; sin duda no había sido Yang, que jamás comía nada en su mesa que no fueran uvas verdes y peras rojas, ni Emily, a quien Nella nunca había visto comer, en general. Heather, la que se acababa de graduar en el King's College de Londres y que siempre estaba lista para soltar un «maldito» por aquí y un «joder» por allá, apenas había estado en Wagner el tiempo suficiente como para que pusieran su nombre en el cubículo. Nella suponía que la culpable había sido la propia Erin. Todas aquellas bolsas de Lay's... Todos aquellos crujidos ruidosos.

—Aquí, en el manual de Maisy, figura que Simpson normalmente tarda al menos una semana más de las acordadas para devolver sus correcciones —leyó Nella—, y parece que ahora va tres semanas tarde. ¿No tienes ningún mensaje de él en tu bandeja de entrada?

Hazel buscó en sus e-mails, golpeando el ratón con la larga uña de un pulgar con manicura francesa.

—No, *nada*.

—De acuerdo. Bueno, lo que vas a hacer es decirle a Dee que Maisy hablará con Simpson. Y después vas a escribirle a Simpson. Preséntate, alaba su último libro sobre cúmulos nubosos, y luego, en la última línea, menciona que *crees*, nunca digas nada como si tuvieras la certeza, que podría estar... —Nella examinó el manual una vez más—. Una semana retrasado.

—Pero lleva *tres* semanas de demora.

—Exacto. Pero es mejor que finjas que no es así. Es bueno caminar con cautela cuando empiezas a trabajar aquí; después, con el tiempo, podrás aumentar el nivel. Cuando le caigas bien.

—Pero ¿no tendría más sentido...? No sé. Quizás empezar diciéndole a Simpson el retraso que lleva en realidad. Hacerlo responsable. Es un hombre adulto.

Eso es debatible, pensó Nella.

—Quizá. Pero así es como se ha hecho siempre.

—*Vale* —dijo Hazel, aunque todavía parecía dudar. Estiró el cuello para echar un vistazo al manual—. ¿Y todo *eso* está ahí?

La sonrisa amable que Nella se había pegado a la cara para aquella demostración estaba empezando a flaquear. Ella no había hecho tantas preguntas cuando Katie le dio el relevo, ¿verdad?

—No, no está *todo* ahí. Solo la parte sobre las nubes, y sobre tenerlo en palmitas. Hace un par de años, alguien se cansó de lidiar a ciegas con los autores de Maisy, así que recopiló sus excentricidades en una hoja de cálculo, que está en la parte de atrás. Toma. —Nella le entregó el manual.

Hazel lo aceptó con incertidumbre, elevando sus cejas de arcos perfectos en un ángulo de alarmada perfección.

—Habría que plastificar esto. Y ordenarlo alfabéticamente.

Nella aspiró un poco de aire a través de los dientes de camino a su escritorio.

—Sí, bueno. En eso tienes razón.

—Ajá. —Se sentaron un instante en silencio mientras Hazel lo hojeaba—. Oye, chica. Gracias por esto.

—No es nada. Avísame si surge algo más.

Un repentino e-mail en la pantalla de Nella la distrajo de decir nada más. «¿Podrías imprimir las mejores reseñas de los tres últimos libros de Colin?», le preguntaba Vera. «Tengo una llamada telefónica con su agente en treinta minutos».

—Eres muy amable —dijo Hazel, que había girado su silla para mirarla—. Me alegro mucho de tenerte aquí.

—Eh, no es nada. —Nella intentó mostrar su mejor sonrisa de nuevo, pero la idea de pasar el resto de la tarde recopilando alabanzas para Colin Franklin se lo ponía difícil.

—Me dirás si soy demasiado pesada con las preguntas, ¿verdad?

—Por favor, no te preocupes por eso. A mí me ayudó otra asistente. Es el círculo de la vida. Así es como funciona el sistema entre nosotras. A base de buena voluntad.

Hazel pasó las páginas del manual, murmurando ante algunas indicaciones y negando con la cabeza frente a otras.

—Supongo que has ayudado a un montón de asistentes de Maisy.

—Al menos a cuatro desde que empecé aquí hace dos años. Quizás a más.

—Vaya. —Hazel bajó el manual al mismo tiempo que su voz, para tener una vista despejada de la cara de Nella—. Eso es un *montón* de sustitutos. ¿Hay algo que deba saber sobre Maisy? ¿O sobre Wagner en general?

Nella pensó en ello. Se suponía que los asistentes tenían que informar de los cotilleos a los nuevos, pero el consenso general era dejar que creyeran, al menos durante las primeras semanas, que su jefa era un ser humano bastante normal. Wagner era la editorial más dura en la que trabajar. Cada candidato (incluida Nella) pasaba por cuatro entrevistas con distintos superiores, la última para tomar el té con el editor jefe y fundador de Wagner Books en persona. Si había algo que un asistente recién contratado no quería oír después de trepar todos aquellos muros, era que una jefa loca le esperaba al otro lado.

Pero aquello parecía diferente. ¿Quién era ella para *no* contarle a Hazel la verdad?

Miró la pared de su cubículo y echó una mirada de soslayo al lugar vacío donde había colgado el e-mail de las reuniones sobre diversidad, recordando una historia que su padre le había contado sobre su primer trabajo. Entró en un Burger King y vio a un hermano barriendo el suelo y a otro en la caja registradora. Detrás de la barra, había un hermano preparando los pedidos.

«¿No hay gente blanca a cargo? Parece que habéis montado algo guay aquí», le dijo Bill Rogers al tipo negro de la caja registradora, que resultó ser el hermano (el hermano de verdad), de un compañero de clase de su padre, Gerald Hubbard.

El hermano de Gerald sonrió y le entregó al padre de Nella una solicitud de empleo.

«Prácticamente elegimos nuestro horario», le dijo. «¿Y sabes qué? Has venido justo a tiempo. Va a haber un puesto vacante».

Cinco días después, Bill se encargaba de la caja registradora. Consiguió hacer dos turnos enteros sin problemas. No fue hasta el tercer turno cuando un hombre blanco con traje de vestir y corbata entró y se presentó como el propietario. Por sí solo, eso habría estado bien; Bill no había olvidado que el propietario era blanco, y en aquella época podía lidiar con los blancos tan bien como con los negros. Pero el propietario había resultado ser un Simon Legree de hoy en día. Y ocurrió que el hermano de Gerald estaba terminando su último turno en Burger King cuando le dijo a Bill que iba a quedar un puesto libre.

El padre de Nella siguió trabajando allí tres semanas, que fue lo que tardó en decidir que, si su jefe tenía que llamarlo «chico», lo haría ganando más dinero por ello. Un par de semanas después comenzó a trabajar como ayudante en un hotel elegante al otro lado de la ciudad.

Años después, en un pícnic del vecindario, su padre le preguntó al hermano de Gerald por qué no se lo había advertido.

«No lo sé», le dijo, mordisqueando una costilla que la madre de alguien había pasado toda la mañana cocinando. «A mí me ocurrió lo mismo cuando presenté mi solicitud».

Nella había oído aquella historia muchas veces y siempre sentía lo mismo cuando su padre llegaba al final. Siempre juraba que, si alguna vez se encontraba en una situación similar, no se comportaría de forma tan egoísta como el hermano de Gerald Hubbard. Y ahora allí estaba, por fin en una posición en la que podía ser sincera con alguien que no fuera Malaika sobre cómo era ser negra y trabajar en una oficina de blancos.

Aunque notó que Nella estaba a punto de hablar, Hazel se mordió el labio. Siguió mirándola, ahora con ojos fríos, serenos.

—Vamos, hermana —dijo en voz baja—. Puedes ser sincera conmigo.

La palabra cayó sobre Nella como un bálsamo sobre un nudo de su cuello. Notó cómo se relajaban sus articulaciones y liberó un diminuto soplido a través de sus labios.

—Sinceramente... Tu jefa es muy buena en lo que hace. Todo el que la conoce la respeta, sobre todo porque está dispuesta a editar los libros de ciencia que nadie más quiere tocar. Pero... —Bajó el susurro a un nivel en el que casi había que leer los labios—. Es un poco histriónica. De verdad.

Hazel no reaccionó. Solo asintió.

—Tenía esa sensación —dijo, después de un momento—. Y, dime, ¿qué tal con los negros por aquí?

Nella miró a su alrededor para asegurarse de que no había nadie cerca.

—Te lo diré así —dijo, abriendo los ojos dramáticamente—. En Wagner no «ven» el color.

Hazel no contestó. Por un momento, no estuvo claro si había captado el tono juguetón de la voz de Nella. Quizá ni siquiera la hubiera oído.

Pero entonces la frialdad de sus ojos se entibió y una sonrisa cómplice tomó su rostro.

—Sí, esa era la sensación que tenía. Siempre es bueno saber con quién estás trabajando, ¿verdad?

Sonrió un poco, todo labios pero sin dientes, antes de volver a su mesa y comenzar a escribir.

Nella giró su silla para mirar su monitor y sonrió para sí misma. *Así es, hermana.*

Horas más tarde, Nella frotó con la uña del meñique la capa de condensación que se había reunido en la parte inferior de su vaso y depositó el agua en su ya saturada servilleta.

—¿Te he contado que ella vivió en Boston un par de años? En *Boston.*

Malaika negó con la cabeza.

—¡No jodas! —gritó mientras las notas de apertura de *Juicy* empezaban a flotar a través de los altavoces sobre sus cabezas. El sitio de aquella noche era el 2Big, un bar de Bed-Stuy que solo ponía música de Tupac y Biggie en un intento bastante tardío de *unir dos orillas,* como afirmaban en su página web.

—Y Maisy y Vera no dejaban de hablar y hablar sobre Boston como siempre hacen cuando se juntan. Exagerando cada vez más, como si fuera una ciudad mágica o algo así.

Malaika se encogió de hombros y dio un sorbo a su ron con cola.

—Mágica para alguna gente, puede ser. ¿Cómo la llama Jesse Watson? ¿«La meca del hombre blanco»?

Nella asintió, recordando el vídeo que Jesse había grabado sobre la ciudad apenas un par de meses antes, después de asistir a su primer (y último) partido de los Celtics.

—Dios, voy a echar de menos a ese hombre. Con Jesse en su extraño retiro, ¿cómo voy a ser capaz de distinguir entre una microagresión y una sábana con agujeros para los ojos? —bromeó Malaika, con tristeza—. Por cierto, ¿está más tranquila Vera, ahora que se ha marchado para siempre?

El año anterior, Nella había sugerido que invitaran a Jesse para que formara parte de la antología de Wagner *Cuarenta de menos de cuarenta,* pero Vera chasqueó la lengua ante la idea. Literalmente y con bastante ruido, además. «Entre tú y yo», había susurrado, «algunas personas lo consideran un terrorista emocional… Y yo no puedo decir que no esté de acuerdo».

Nella hizo una mueca, al igual que entonces.

—No creo que esté al tanto de la actualidad negra en Twitter —le dijo—, pero de todos modos eso no importa. No creo que Jesse se haya ido para siempre de *verdad*. Le gusta demasiado ser el centro de atención.

—Verdad.

—Además, apuesto a que dijo que iba a retirarse de Internet para que, cuando regrese con su nuevo proyecto creativo del tamaño de Beyoncé, la expectación sea mucho mayor. La gente como él hace eso todo el tiempo.

Nella lo afirmó como si le diera igual una cosa o la otra, aunque la declaración de Jesse de que iba a tomarse un descanso de las redes sociales, y sobre todo su motivo de querer «trabajar en algunas otras cosas», la había fascinado a ella también. Vera había rechazado su sugerencia para *Cuarenta de menos de cuarenta*, pero no había dicho que no a un libro escrito por Jesse y solo por Jesse. Si encontrara un modo de contactar con él, quizá podría conseguir que escribiera un resumen tan irresistible que Richard y Vera no tendrían más remedio que firmar con él en el acto.

Había tenido intención de contarle esta idea a Malaika antes, quizás incluso de hacer una lluvia de ideas sobre qué tipo de proyecto anunciaría tras su pausa: ¿unas memorias? ¿Un documental? ¿Un álbum de góspel? Pero las noticias de Jesse habían quedado eclipsadas por la llegada de Hazel.

—Como sea, volviendo a esa nueva chica negra —dijo Malaika, leyéndole la mente—. Sea la meca del hombre blanco o no, la pregunta importante que tengo para ti es: ¿crees que te harás amiga de ella?

—¡Claro! —replicó Nella—. Mal, ¡tú *sabes* cuánto tiempo he estado esperando este momento! Y Hazel parece guay. Probablemente demasiado guay para mí, en realidad.

—Imposible.

—Es de Harlem. Lleva el pelo al natural, con rastas largas. Degradadas.

Las rastas degradadas invocaron un *ooooh*, seguido de un brindis de Malaika.

—Vale, puede que sea un poco más guay que tú. Pero ahora —dijo, apartándose cuando Nella intentó agitar el brazo para protestar— un brindis: porque ya no eres La Única.

—Brindo por ello.

Nella golpeó su cerveza casi vacía contra el vaso de Malaika. Después dio el penúltimo sorbo y la soltó, examinando al resto de las personas que habían decidido salir a tomar algo un miércoles por la noche. En su mayoría, parejas de veinteañeras y treintañeras ocupaban los taburetes altos, bebiendo y riéndose, y negando con las cabezas con descarada alegría. Sintió un cálido toque de solidaridad cuando se fijó en la docena de mujeres con sus atuendos de oficina y las bocas llenas de ginebra, zumo y frustraciones de después del trabajo.

Nella pensó en las quejas que había planeado contarle a Malaika, sobre todo en su ansiedad por tener que enfrentarse a lo de Shartricia. No le parecía justo. Solo un par de meses antes, Colin había dejado por fin de escribir mal su nombre en los e-mails, y unas semanas atrás habían tenido un breve momento de conexión tras descubrir que ambos habían crecido en Connecticut. No era que tuvieran algo en común, pero Nella creía que estaban haciendo avances en su relación autor-asistente. ¿Y ahora debía mirarlo a los ojos (a Colin Franklin, un autor galardonado que se tuteaba con Reese Witherspoon) y decirle que tenía problemas con su libro?

Había estado reservándose aquello de Colin para el final mientras escuchaba atentamente las quejas de su amiga sobre Igor Ivanov, el gurú del *fitness* del que había sido asistente personal durante los últimos ocho años. Nella no quería acaparar la conversación, sobre todo teniendo en cuenta cuánto tiempo había pasado quejándose de Shartricia. Así que, en lugar de hablar de Colin cuando Malaika terminó de contarle la última rabieta de Igor sobre sus gemelos, Nella levantó el vaso de nuevo.

—Me gustaría proponer otro brindis: por no ser confundida con la nueva chica negra. Gracias a Dios, lleva rastas —bromeó Nella.

Malaika resopló.

—Oh, brindo por *eso*. —Terminó lo que le quedaba de ron con cola y soltó el vaso sobre la mesa con más fuerza de la necesaria. Tenía aquella expresión en la cara que Nella conocía tan bien, la de *hablar en serio*, con sus enormes ojos marrones sin pestañear y más abiertos de lo normal—. Con rastas o sin rastas... Ya *sabes* que alguno de tus compañeros va a confundirte con la nueva chica negra al menos una vez. Te lo *prometo*.

3

20 de agosto de 2018

Nella bostezó y se rodeó los hombros con los brazos para no agarrar el café antes de que la máquina terminara de verterlo. Aquella cosa llevaba agonizando una semana, más o menos el tiempo que hacía que Jocelyn (la gerente comercial de Wagner y la única empleada que sabía cómo convencer a la refunfuñante Keurig de la cocina para que les ofreciera su dulce néctar) estaba con su familia en Alemania.

Nella la necesitaba de vuelta. Ya. Le dolía la cabeza terriblemente, porque Owen se había reunido con ella y con Malaika en el 2Big la noche anterior. Se marcharon del bar demasiado tarde, aunque los tres sabían que tendrían que levantarse temprano a la mañana siguiente.

Nella estaba intentando recordar a qué hora se metieron Owen y ella en la cama cuando un nuevo olor cubrió el aroma de su café y, por tanto, sus pensamientos. Olfateó la Keurig con curiosidad, incapaz de ubicar al dulce culpable, hasta que miró sobre su hombro. Hazel había entrado en la cocina, con la taza de café en una mano y un Tupperware en la otra. Llevaba un llamativo pañuelo amarillo suficientemente grueso para protegerse del agresivo aire acondicionado del metro, pero bastante ligero como para poder guardarlo en su bolso en el sofocante andén, además de un par de enormes gafas de sol blancas de estrella de cine que se parecían a unas que Nella se había probado la última vez que había ido de compras. Bajo la intensa luz del H&M de Herald Square y con su pequeña cara redonda y sin barbilla, había parecido un chihuahua disfrazado. Pero el llamativo pintalabios rojo de Hazel y sus enormes aros plateados conseguían inclinar la balanza a su favor.

—¡Buenos días, Nell! ¿Qué pasa?

Hazel dejó su taza sobre la enorme mesa de cristal del centro de la cocina. Nella ya había aprendido que así era como Hazel empezaba la mayoría de las conversaciones, por obvia que fuera la respuesta y por mucho que esto dejara muda a Maisy. Y eso ocurría cada vez, Nella se había fijado.

—Nada, esperando mi chute matutino.

La Keurig emitió otro sonido húmedo (más fuerte que dos días antes), como si también quisiera participar en la conversación. Jocelyn tenía que volver de sus vacaciones de inmediato, antes de que en Wagner se lanzaran unos sobre otros con cúteres y grapadoras debido a la privación de cafeína.

—Todavía no lo he probado. ¿Es bueno?

—Eh… Harías mejor sacando agua del canal Gowanus y vertiéndola sobre granos de café que se te hubieran clavado en las suelas de tu par de zapatos más sucio. Pero es gratis, así que…

—Mierda, «gratis» es mi sabor favorito.

Hazel se rio mientras metía su almuerzo en el frigorífico y cerraba la puerta. Buscó en el bolsillo de su chaqueta y sacó una bolsa llena de hierbas. El borrón del movimiento envió otra oleada de dulzura hacia la nariz de Nella, que tuvo que controlarse para no retroceder. Aunque Hazel y ella habían sido compañeras de cubículo durante dos semanas, todavía no se había acostumbrado del todo a la manteca capilar de su nueva compañera. Ni a su perfume. Fuera lo que fuere, Nella estaba segura de que no era Brown Buttah. El Brown Buttah no olía *tan* fuerte.

—Mi novio trabaja en una casa de té. Consigo té con sabor a gratis continuamente.

—Genial.

Nella pensó en preguntarle por la casa de té, pero el café había terminado de salir por fin y se suponía que un nuevo autor de Vera iba a llamarla en menos de cinco minutos para hablar sobre el proceso de corrección.

—Tengo que irme.

—¡De acuerdo! Te veo en unos tres segundos.

—¡Sí! Nos vemos.

Nella levantó su taza de la Keurig. Mientras se giraba para marcharse, Hazel dijo, con más entusiasmo del que Nella le había oído hasta entonces:

—Oh, Dios mío, ¡espera! ¡Me *encanta* tu taza!

—¡Gracias! Es un regalo de mi madre.

Hazel dio un par de pasos hacia la mesa y levantó su taza. Pintado en el lateral con espirales púrpuras, azules y naranjas, había un retrato de Zora Neale Hurston, con un sombrero ladeado y todo.

Nella no estaba segura de por qué no se había dado cuenta antes; era increíble.

—¡Tazas gemelas! Aunque tu Zora es aún más bonita. Esa ilustración es preciosa.

—¡Gracias! Es mi orgullo y mi alegría —exclamó Hazel, caminando hasta el dispensador de agua caliente.

—¿Dónde la has conseguido?

—Fue mi novio, en realidad. La pintó él. Tiene un amigo que trabaja con cerámica y consiguió que me la hiciera por nuestro quinto aniversario. También personalizó el asa. ¿No es genial?

Nella miró desde más cerca las pequeñas muescas para los dedos en el asa, dándose cuenta de que Hazel había mencionado que tenía novio no solo una, sino dos veces en el transcurso de una muy breve interacción. Le resultaba curiosa aquella doble mención, porque era el tipo de detalle que no significaba nada a menos que, por supuesto, se combinara con otras cosas para convertirse en algo.

A los ojos de Nella, aquel «algo» era dependencia. Sintió un poco de orgullo por no haberle mencionado a Owen ni una sola vez a su nueva compañera. Demonios, se sentía incluso un poco engreída. *Su* novio no la definía.

Pero, claro, Owen *había* olvidado tres de tres aniversarios.

Nella volvió a alabar su taza y, mientras Hazel se giraba para supervisar su té, se despidió de ella. Necesitaría cada segundo de los restantes tres minutos para preparar su llamada telefónica.

Había emprendido una sutil huida cuando oyó que Hazel decía algo más.

Se detuvo a mitad de un paso, considerando sus opciones. Estaba bastante lejos como para fingir que no la *había* oído, pero lo había hecho. Había dicho dos palabras, de hecho: *Corazón ardiente*. Kriptonita negra para su corazón de acero adicto al trabajo.

Sus padres le habían regalado su primer libro de Diana Gordon en su decimocuarto cumpleaños, el verano antes de comenzar el instituto. La había atrapado desde el epígrafe. Le encantó leer sobre la obstinada Evie, una adolescente negra que huía de sus conservadores padres en un pequeño pueblo de Nueva Inglaterra, y sobre el rudo y duro miembro de las Panteras Negras del que se enamora por el camino.

Nella había visto partes de sí misma en Evie. Sus padres nunca habían sido de los que ponían la otra mejilla: la habían criado para quejarse cuando algo no estuviera bien y para no dejar nunca que nadie la tratara como si fuera inferior. Pero, de adolescente, Nella nunca había necesitado esas herramientas. Y por eso podía identificarse con el ansia de Evie de *experimentar* la vida de verdad, y con su deseo de dar un bocado al mundo desconocido que existía más allá de su alcance.

Nella no había sido capaz de dejar *Corazón ardiente* durante todo el mes de agosto, y aunque tenía la friolera de quinientas páginas, lo había leído tres veces seguidas. Escribió sobre la novela en su proyecto de lectura de verano en septiembre y, casi ocho años después, se convirtió en la columna vertebral de una tesis que nunca había conseguido publicar. Como *Corazón ardiente* había sido escrito y editado por mujeres negras, ubicaba su impacto social al frente y en el centro, junto a otros dos libros que fueron editados y escritos por individuos de la misma raza; un hito inusual, según Nella había llegado a descubrir.

Todo aquello era, no obstante, demasiado para explicarlo cuando tenía prisa, así que regresó a la cocina, dejó escapar un pequeño suspiro y dijo:

—Lo siento, ¿has dicho algo sobre *Corazón ardiente*?

Hazel miró sobre su hombro.

—Oh, solo me preguntaba si te gusta Diana Gordon. Anoche me topé con un viejo artículo sobre ella escrito por Joan Circatella y me dieron ganas de releer *Corazón ardiente* como... no sé. *Ahora mismo.*

—¿Joan Circatella? ¡Eso es increíble! Me basé mucho en su trabajo para mi tesis universitaria. —Al ver que la curiosidad había nacido en el rostro de su compañera, Nella añadió—: *Para nosotros, por nosotros: el efecto de las miradas negras en las ideas negras.*

—*Chica.* —Hazel abrió los ojos con sorpresa y soltó su taza para aplaudir—. Eso suena fantástico. Mírala, qué modesta ella. Deberías *publicar* esa tesis.

—¡Gracias! —Nella sonrió. Aunque le preocupaba parecer un poco pretenciosa, añadió, sin que Hazel se lo preguntara—: Siempre me ha flipado el hecho de que *Corazón ardiente* fuera escrito y editado por mujeres negras, y eso me inspiró a dar voz a ese elemento en una conversación sobre su impacto social. Y comparé otros dos libros que también fueron escritos por parejas de editores y escritores negros.

Hazel aplaudió de nuevo.

—¡Eso es *brillante*! Molaría ver algo así publicado en *Salon*. Por favor, dime que has hecho algo con ello, hermana. Te lo *suplico*.

—Bueno... Ha sido difícil, ¿sabes? Con Kendra Rae Phillips y todo eso... —Nella se encogió de hombros.

—¿A qué te refieres? Espera... Oh, Dios. ¿Todavía trabaja aquí? —Las rastas de Hazel le abofetearon las mejillas mientras miraba con nerviosismo la cocina.

—No, por supuesto que no —dijo Nella, bajando la voz—. Pero esa es la cuestión. Lleva años desaparecida en combate.

—Oh, vale. Sí, supongo que eso deja un molesto agujero en tu obra. —Hazel tomó su taza de nuevo—. Es una pena que se haya marchado. Este negocio necesita más editores negros, más mentores negros... Más de *todo* negro.

—Lo sé, y... —Nella negó con la cabeza, sintiéndose exhausta. Aquella era una conversación que había deseado desesperadamente tener, pero no justo en ese momento—. Dios, lo siento *muchísimo*. Tengo que contestar esta llamada de teléfono.

Lo dijo en voz baja, pero el *muchísimo* se alargó demasiado y eso indicaba el poco control que tenía de la situación. No obstante, hubo un cambio en la disposición de Hazel. Encorvó los hombros, como si tuviera un peso sobre ellos. Incluso cómo agarraba la taza era distinto: en lugar de dejarla apoyada en la palma de su mano, Hazel apretaba el asa con casi todos los dedos, usando el último para golpear el lateral con su larga uña.

—¡Lo siento! —dijo Nella de nuevo—. No es nada personal. La llamada, quiero decir. Es un autor. Trabajo.

Hazel se encogió de hombros, entornando los ojos.

—Lo pillo. Yo también tendré que hacerlo en algún momento. Supongo.

—Hasta que te hartes. A Maisy no le gusta hablar por teléfono con nadie que no sea Tony.

—¿Su marido?

—Su terapeuta.

Eso le sacó una sonrisa.

—¡Hay tantas cosas que tengo que aprender!

Segura de que había suavizado la situación lo suficiente, Nella intentó marcharse de la cocina una vez más. Hazel la siguió, manteniendo el paso.

Nella le echó una sonrisa incómoda y rápida.

—Oye, ¿qué te parece si almorzamos juntas esta semana, ahora que estás un poco más asentada? —Miró a su alrededor por si alguno de sus compañeros estaba merodeando por los pasillos, aunque los editores no aparecían hasta las diez o así—. Te pondré al día. De manera extraoficial, claro.

—Por supuesto. Me *encantaría*.

—Genial. ¿Lo organizamos para mañana?

—Mañana sería perfecto.

Por fin habían llegado a sus mesas. Nella movió un montón de papeles que había estado postergando las últimas semanas para dejar espacio a su prácticamente intacto café y echó un vistazo al teléfono. Había dos llamadas perdidas: una de Vera y la otra de Colin Franklin, al parecer para confirmar su reunión con Vera la semana siguiente.

Gruñó.

—¿Qué pasa? —le preguntó Hazel—. Mierda, ¿has perdido la llamada que estabas esperando? Por mi culpa, chica.

Cuando Nella levantó la mirada Hazel estaba a su lado, con una perfecta O formada en la boca.

—Uhm. No. No, no la he perdido. Yo... Tengo un montón de cosas en la cabeza ahora mismo. Cosas de autores, ya sabes.

—Ay, pobrecita. Bueno, oye, no olvides esto: yo estoy aquí. Para hablar de Diana, Zora, Maya... de *cualquier* Reina Literaria Negra. Podría seguir y seguir y seguir. Pero también estoy aquí para *ti*. Para hablar de chismes, quejarte, lo que sea. —Hazel le frotó el hombro—. No tenía ninguna compañera negra en Boston, y no esperaba tenerla aquí. Así que esto es... bastante guay.

Una calidez que Nella no había sentido por ninguna de sus vecinas de cubículo desde Yang inundó sus sentidos. Sonrió, y sus ojos se anegaron de... ¿eso eran lágrimas? ¿Qué demonios?

—Igualmente, Hazel —dijo—. Gracias.

—¡De *nada*!

Nella se giró para buscar su teléfono, rejuvenecida y deseosa de empezar a trabajar. Pero algo la detuvo.

Era Hazel, a quien todavía podía sentir cerniéndose sobre ella.

—Entonces, ¿estás bien? ¿Todo guay?

La voz de Hazel había bajado un par de octavas, quedándose en un registro que normalmente se reservaba para las madres consolando a sus hijos. Sus ojos parecían vacíos, desprovistos de cualquier cosa más que de una ávida ausencia.

Nella la miró, desconcertada. Todavía tenía el teléfono en el hueco del cuello, pero el tono de llamada estaba haciendo ese *pi-pi-pi* que hacía cuando lo dejas descolgado demasiado tiempo.

—Sí. Estoy bien. Hablaremos en el almuerzo —susurró, señalando lo que la rodeaba con la barbilla—. Podría haber oídos indiscretos, ¿sabes?

Hazel asintió y sonrió, y su expresión vacía desapareció con un parpadeo.

—Oh, lo sé.

4

21 de agosto de 2018

El almuerzo con Hazel fue en Nico's, un antro independiente que servía comida de la calidad de Au Bon Pain en un ambiente parecido al de Pret A Manger. No era un sitio especialmente bonito, pero Nella lo elegía a menudo porque era barato y porque los peces gordos siempre pedían la comida para llevar. Y como sus superiores no invitaban a los agentes o a los autores a Nico's (en las cenas para ganarse a un cliente la existencia de camareros era totalmente indispensable), la cafetería ofrecía a Nella lo que más quería y necesitaba: un sitio propio donde almorzar, ya que su cubículo en la oficina era el campo de batalla de los demás y de ella misma.

Hazel terminó de pagar primero y, para deleite de Nella, eligió una mesa soleada junto a una enorme ventana con vistas a la concurrida y bulliciosa Séptima Avenida. Nella se unió a ella; dejó su sándwich y su zumo sobre la mesa mientras guardaba su cartera en la desgastada bolsa de lona de Wagner Books.

—Pensé que sería agradable sentarse al sol. Este sitio es chulo, ¿verdad?

—Sin duda. Es bueno conseguir un poco de vitamina D.

—Verdad. —Hazel quitó la tapa de plástico de su ensalada y tocó una nuez con el dedo—. Me alegro mucho de que hayamos quedado por fin. Estuve por preguntarte si querías tomar café, pero joder, tía. La curva de aprendizaje de Wagner es dura. Me siento como si estas últimas semanas me hubiera estado ahogando, y no he conseguido sacar tiempo.

Nella asintió.

—Sí, recuerdo cuán difíciles fueron los primeros meses. Pero ¡lo estás haciendo genial! En serio, de lo contrario lo sabrías. Lo digo de verdad.

Hazel dejó que el cumplido rodara por sus hombros y cayera en el pequeño envase de la salsa para ensalada que estaba teniendo problemas para abrir. Tomó su tenedor y lo apuñaló.

—Bueno, Maisy me ha mencionado que Vera tiene algunos libros importantes entre manos ahora —le dijo—. Debes estar realmente emocionada.

Nella hizo una mueca mientras el sonido de la voz de Colin Franklin leyendo con acento de negra oprimida resonó en sus oídos.

—Sí, podríamos decir que Vera tiene algunos autores bastante importantes.

—Sam Lewis, ¿verdad? Evelyn Kay. Y... ¿Colin Franklin?

—Ajá.

—¿Y cómo es? —le preguntó Hazel, con los ojos muy abiertos—. Debe ser interesante.

—Interesante es... un buen modo de describirlo.

Hazel sonrió, inclinándose sobre la mesa.

—¿Por qué tengo la sensación de que hay algo que no me estás contando?

—Bueno... No es fácil trabajar con él. Aunque se ha relajado un poco.

—Sí, pero hay que tener en cuenta... el punto de partida, ¿verdad?

—Sí. *Exacto*. Pero la cuestión es... —Nella miró a su alrededor para ver si reconocía a alguien que pudiera oírla—. Intento no hablar de los autores de Vera con nadie más. Es una buena regla, en realidad. Algunos editores lo ven como airear los trapos sucios.

—Entiendo.

—Y odio quejarme... porque para empezar fue muy difícil conseguir trabajo en Wagner. Debería estar agradecida.

Hazel soltó su tenedor.

—Oye... ¿De qué se trata? Puedes contármelo. En realidad, yo no tengo parte en esta historia.

Nella ladeó el cuello, con los ojos llenos de preguntas.

—Todavía no, en cualquier caso. Oye, ni siquiera estoy segura de querer *ser* editora de libros —añadió Hazel—. Todavía estoy tanteando el terreno.

—Oh. —Aun así, Nella no estaba convencida—. ¿Me prometes que lo mantendrás entre tú y yo?

—Vamos. Ambas sabemos que tenemos que permanecer unidas. Y, ¿quién sabe? Quizá mi perspectiva externa podría ayudar.

Nella no podía discutir eso. Le contó a Hazel lo de Shartricia y *Agujas y alfileres*. Su disgusto, sus reservas... Soltó todo lo que tenía en la cabeza justo allí, en la mesa entre ellas.

Cuando terminó, Hazel ya se había comido el almuerzo mientras que Nella todavía tenía el sándwich entero.

—Lo siento —dijo, retirando el plástico para poder dar otro bocado—. Es solo que, cada vez que hablo de esto, me siento aún más frustrada. Y me pregunto: ¿me estoy volviendo loca? ¿Estoy exagerando?

—Y una *mierda*. Por lo que me has contado sobre Shartricia, parece que tienes razón al sentirte así. Leí una de las novelas de Franklin en el club de lectura del instituto. *Ilegalmente tuya*, creo que era. El retrato que hace de la mujer mexicana es muy problemático. Me puedo imaginar tus reservas.

Nella hizo una mueca.

—Lo sé. Afortunadamente, no estaba aquí cuando escribió esa.

—¿Y qué tipo de nombre es Shartricia, de todos modos? Por el amor de Dios. ¿Shaniqua no era suficientemente bueno como nombre de la típica niña negra? De todas las opciones posibles, ¿era *ahí* donde realmente sintió la necesidad de ponerse creativo?

—Amén, chica —dijo Nella, chasqueando los dedos. Aquello era exactamente lo que necesitaba oír—. Estoy contigo. Pero por eso es un verdadero asco... porque no puedo llamarle la atención sobre ese punto.

—¿Por qué no?

—Porque va a pensar que estoy diciendo que es racista. Ya sabes cómo se pone la gente blanca cuando cree que la estás llamando «racista».

Nella suspiró, recordando cómo, poco después del episodio de las reuniones de diversidad, oyó por azar a un par de empleados de Wagner charlando en la cocina sobre la idea de verse obligados a contratar a gente que no fuera blanca. «Deberíamos hacerlo», dijo Kevin, de marketing digital, indignado. «*Exactamente* eso. Y después de vernos obligados a contratar a gente sin cualificación, nos sentaremos a observar qué hace Richard cuando las cosas empiecen a joderse. Estoy seguro de que, entonces, cambiará de idea».

Kevin estaba de espaldas a Nella, hablando con otro tipo blanco sin identificar. Pero, aunque la *hubieran* visto, Nella tenía la sensación de que no habrían dicho nada distinto. Era extraño, pero sus compañeros le habían dejado claro muy pronto que en realidad no la veían como a una joven negra, sino como a una joven que resultaba ser negra; como si su licenciatura hubiera deslavado la melanina. A sus ojos, *ella* era la excepción. Ella estaba «cualificada». Una Obama del mundo editorial, por así decirlo.

A veces, eso le parecía una bendición. En realidad, nunca se molestaban en pedirle lecturas sensibles y rara vez le preguntaban por «temas negros», ya fuera porque no querían ofenderla haciéndolo o simplemente porque no les importaba tanto como para preguntar. Pero otras veces le parecía casi humillante, como si al aceptar la oferta de trabajo de Wagner también hubiera cedido su identidad negra.

—Chica, estás dando en el *clavo* —dijo Hazel, golpeando su plato con el tenedor—. Incluso una *insinuación* sutil de que un blanco es racista, se la toman como una bofetada en la cara, sobre todo si es un *hombre* blanco. Preferirían que los llamaras cualquier otra cosa. Y te combaten con uñas y dientes.

—Es prácticamente su versión de la palabra que empieza por N —asintió Nella.

—Lo que es hilarante, porque llevan años insultando a la gente negra, y hemos tenido que seguir adelante. Siempre tuvimos que continuar caminando por la calle sin quejarnos. Durante *siglos* —dijo Hazel, golpeando la mesa con el puño—, nos han insultado. Y nosotros no llevamos ni treinta años llamando «racistas» a los blancos... Quiero decir, en nuestro vocabulario esa palabra no significaba una mierda hasta hace bien poco, e incluso *ahora* alguna gente todavía no lo considera un insulto. Pero, de repente, es el puto fin del mundo para algunos.

Nella se quedó inmóvil, tomada por sorpresa. Todo lo que Hazel decía concordaba con lo que Malaika y ella habían aducido tras enterarse de que habían pillado a este o a aquel político haciendo o diciendo algo racista, pero Nella no había esperado que Hazel fuera *tan* apasionada. Lo había hecho muy bien, participando en la charla sobre Boston de Maisy y Vera cuando se conocieron. Se le daba muy bien guardar las apariencias.

La pareja de coreanos bien vestidos sentados a la mesa contigua tampoco había esperado aquel arrebato. Nella notó que habían dejado de hablar y que estaban mirándolas con curiosidad entre bocados de comida.

Hazel también notó el cambio en la mesa de al lado. Relajó los dedos y exhaló un pequeño *perdón*.

—No. Está bien. En realidad, es bastante refrescante —dijo Nella—. Así que... Gracias.

—Mis padres son muy conocidos en su comunidad por su activismo social —añadió Hazel en voz baja—, y también lo fueron mis abuelos. Mi abuelo, en realidad, murió en una protesta. Lo llevo en la sangre, supongo.

Nella se quedó boquiabierta.

—Oh, ¡vaya! Hazel, lo siento mucho. ¿Cuándo?

—En 1961. Estaba protestando contra una de las nuevas leyes sobre el transporte. «Excesiva fuerza policial». Hazel usó comillas aéreas para estas últimas palabras.

Nella se puso las manos en las mejillas. Una amalgama de grabaciones en blanco y negro del Movimiento por los Derechos Civiles atravesó su cerebro, junto con una furiosa oleada de porras policiales y una banda sonora de lúgubres temas religiosos negros.

—Vaya —repitió, ante la falta de una palabra mejor, aunque había muchas. Se decidió por añadir «lo siento».

Hazel se encogió de hombros.

—Gracias. Pero yo estoy aquí, ¿verdad? No creo que él hubiera pedido perdón por eso.

Nella asintió y masticó su comida. Las dos mujeres se sentaron en silencio tanto tiempo que la pareja coreana se levantó y fue reemplazada por otra ligeramente mayor y de aspecto vagamente europeo. Mientras, el fantasma del abuelo de Hazel se cernió sobre su mesa, retando a Nella a decir algo que portara tanta reverencia como las palabras que su nieta acababa de decir.

Al final, se tragó el último bocado de sándwich y dijo:

—Quizá *debería* decirles algo sobre este libro a Colin y a Vera. Se han hecho sacrificios mayores, ¿verdad?

Hazel la miró. Asintió una vez, con solemnidad.

—La cuestión es: ¿cómo lo hago, sin poner en peligro mi relación con Vera? No creo que ninguno de ellos vaya a entenderlo de verdad. ¿Una chica negra diciéndole a uno de los autores más vendidos de Wagner que su personaje negro está escrito de un modo un poquito racista? Venga ya. Podrían *despedirme*.

—¿Tú crees? —le preguntó Hazel, pensando en ello—. Bueno, quizá. Pero Vera parece demasiado inteligente para hacer eso.

—Es lista, pero no estoy segura de que esté tan… concienciada.

—¿En serio?

—Su familia es rica —dijo Nella.

—La tuya también, ¿no?

Nella ladeó la cabeza, preguntándose cómo lo habría adivinado Hazel. A menudo se enorgullecía de lo distinta que era de sus compañeros de clase de universidad: no solo en apariencia, sino en cómo se movía por el mundo. Aun así, Nella sabía que lo había tenido muy fácil. Sus padres no habían sido ricos, pero de niña no había necesitado nada. Vivían en una casa bonita; se iban de vacaciones dos veces al año. Había asistido a buenos colegios públicos y siempre había dado por sentado que iría a la universidad. También daba por sentado que, si alguna vez *necesitaba* ayuda económica, sus padres se la proporciona-rían.

—Mis padres eran bastante adinerados cuando me tuvieron, su-pongo. Si ser de clase media cuenta como adinerado. Pero no es lo mismo que tener dinero de verdad. Dinero de *generaciones*. Al menos, yo no lo creo.

—Lo siento, no pretendía ofenderte... —Hazel levantó una mano—. Solo supuse que, como trabajas en Wagner y el sueldo es bastante cutre, debías tener ayuda de otro tipo. Eso es todo.

—En realidad, no. Tengo una deuda de la universidad que debo devolver yo sola —dijo Nella, incapaz de enmascarar el tono a la de-fensiva que estaba reptando sobre su voz y provocando que cruzara y descruzara las piernas debajo de la mesa—. Y mis padres no me dan dinero para el alquiler. A menos que tenga una emergencia o algo así.

—Claro. Lo siento —repitió Hazel—. De todos modos, esa no es la cuestión. Lo que quiero decir es: ¿crees que porque Vera tiene dinero es automáticamente incapaz de sentir algún tipo de empatía por la gente negra?

Nella miró a la chica, preguntándose adónde había ido a parar el espíritu de Pantera Negra de su compañera de almuerzo. Había pasado de invocar a su Baraka interior a llamar a su Barack interior, de la con-frontación a la compasión en menos de sesenta segundos. El cambio era desconcertante, y de repente Nella ya no estaba segura de con qué Hazel estaba hablando.

—Puede que Vera no sea incapaz —admitió—, pero supongo que el privilegio del dinero más el privilegio de la piel blanca lo hace mu-cho menos probable.

Hazel se encogió de hombros.

—No lo sé. Sé que soy nueva, pero de todos ellos Vera me pareció la más... No lo sé. ¿Cercana? Al menos, parece mucho más humilde que Maisy.

—Eh. Quizá. Pero siguen existiendo unos límites muy evidentes que evitan que mantengamos una conversación de igual a igual la ma-yor parte del tiempo.

—El hecho de que sea tu jefa... Sí. Eso no puedes cambiarlo. Pero pensé que quizá Vera sería una de las buenas. No lo sé, tal vez sea una locura.

Una de las buenas. Una de las frases más peligrosas que han existido nunca en nuestro idioma, como siempre le gustaba decir a la madre de Nella, y ella había llegado a estar de acuerdo. Podía aceptar la existencia de aliados; de gente que lo había «pillado». Había decidido que Owen era una de esas personas un par de semanas después de conocerse online y empezar a salir. Nada en concreto la había movido en esa dirección. En realidad, no era porque él «no viera la raza» o porque se supiera la letra de «Love and Happiness» de Al Green, porque, respectivamente, lo hacía y no lo hacía (aunque su imitación de las improvisaciones de Al Green era bastante buena). Pero se negaba a llamar «uno de los buenos» incluso a su novio, porque esa coherencia, esa inocencia, era casi imposible en un ser humano.

Nella había esperado que su nueva vecina de cubículo, que procedía de una de las mecas negras más importantes y ricas, opinara lo mismo. ¿No se había pasado Hazel sus últimos años trabajando con blancos en Boston?

Pero, claro, pensó en la cálida bienvenida que Vera le había dado a Hazel en su primer día. Y en lo amable que Vera podía ser cara a cara, cuando estaba dispuesta a bajar la guardia; cuando estaba dispuesta a abrirse solo un poquito. Cabía la posibilidad de que Nella *estuviera* siendo un poquito dura con su jefa. Quizá, por el bien de Hazel, debería relajarse un poco.

—Tienes razón —concedió—. Vera no es Maisy.

Las dos chicas negras se quedaron en silencio de nuevo, mirando a los transeúntes que deambulaban ante la ventana. Era un día especialmente caluroso y estaba claro que muchos turistas que pasaban por allí no sabían qué hacer con aquellos treinta y cinco grados. La propia Nella se arrepentía de no haber mirado la previsión antes de ponerse una blusa de cuello alto aquella mañana; notó la pequeña marca de humedad que todavía tenía en las axilas tras su caminata de tres manzanas cuarenta minutos antes.

Hazel, por otra parte, parecía totalmente cómoda al sol. Iba elegantemente vestida con un top anudado al cuello en rosa pastel, que había revelado solo después de alejarse unos pasos de la oficina, cuando se sintió cómoda como para quitarse su modesto jersey abotonado.

Nella se abanicó un par de veces antes de salir de nuevo al calor.

—Probablemente deberíamos regresar —dijo al final, arrugando la vajilla de papel con una mano.

—Buena idea. Teniendo en cuenta todas las cosas que he estropeado hasta ahora con Maisy, no estoy segura de haberme ganado el derecho a tener almuerzos de una hora —bromeó Hazel—. Oye, una última cosa.

—¿Qué? —Nella estaba ya preparada para caminar hasta la papelera, con la bolsa en el hombro.

—Mi opinión, por si te sirve de algo: esté Vera concienciada o no, creo que deberías decirle algo. Te lo agradecerá. ¿Y no es mejor darle la oportunidad de arreglarlo ahora que esperar a que otra persona de color se lo deje caer? Recuerda cuántos comentarios despertó ese anuncio de Pepsi de Kendall Jenner porque nadie dio su opinión.

Nella lo recordaba, por supuesto. Malaika y ella lo habían diseccionado inmediatamente después de verlo y se preguntaron por la gente negra que había tenido parte en la creación del anuncio. Era muy probable que no hubiera nadie negro tomando decisiones en Pepsi, lo que explicaba aquella idea. Pero ¿y la gente negra que no había estado en la sala de juntas pero que había sido parte del proceso de creación? ¿Esa persona negra que quizás había ayudado a encontrar los exteriores para la grabación, o que había sostenido una cámara o peinado algún cabello? Seguramente *hubo* gente negra cerca; algunos podrían haber visto el anuncio floreciendo desde la semilla de una idea hasta que llegó a ser una campana completa. ¿Le había chocado algo al hipotético cámara negro mientras observaba a Kendall Jenner quitarse la peluca ante la lente? ¿O la industria lo habría machacado tan frecuentemente que ni siquiera había visto algo raro?

Nella y Malaika no consiguieron decidir qué era peor: saberlo y no hacer nada, o no saberlo. Malaika afirmaba que ella se habría quedado callada. Si el sueldo era bueno (y lo sería) no le veía sentido a joder su propio anuncio. Estábamos en el siglo veintiuno, después de todo. Si los blancos no podían navegar solos por las aguas políticamente correctas, era su problema.

Nella había enviado una hilera de emoticones de guiño a Malaika en respuesta a eso, y nada más. Todavía no se había encontrado en una situación así en Wagner, una en la que tuviera que elegir entre girar con la maquinaria o meter un pie en su engranaje.

No hasta ahora.

Hazel estaba estudiando con atención a Nella, sin duda intentando descifrar si debía expresar la aprensión que estaba escrita en su cara. Como no lo hizo, se levantó lentamente de su asiento. Pero antes de tirar su bandeja, se inclinó hacia delante y colocó el puño en la mesa entre ellas. No la golpeó, como antes, pero la fuerza había vuelto a su timbre.

—*Sé* que da miedo. Pero ¿recuerdas tu tesis? Piensa en ello. *Tú* sabes tan bien como yo lo difícil que es para una escritora negra encontrar un editor negro en este negocio. Y lo *especial* que es cuando eso ocurre. ¿De qué otro modo vamos a conseguir que eso vuelva a ocurrir? Tenemos que ponérselo fácil a los negros que decidan trabajar en el mundo editorial tras nosotras, ¿verdad? ¿*Verdad*? —repitió, cuando Nella no separó los labios con la suficiente rapidez.

La joven asintió con fervor.

—¡Sí! Sí. Exacto.

—Tenemos que derribar algunas de esas barreras para ellos —declaró Hazel.

Nella se levantó. Se sentía energizada, liberada. Se sentía lista para iniciar una revuelta… O lista, al menos, para alzar un poco su voz negra.

—¡Tienes mucha razón, Hazel!

—¡Claro que la tengo! Eso es lo que me gusta oír, hermana. —Hazel le dio un abrazo corto antes de agarrar sus cosas—. Oye, ¡esto ha sido muy divertido! ¿Podemos repetirlo pronto?

Nella asintió, y enseguida quiso sonar divertida al decir que, si almorzaban juntas demasiadas veces, sus compañeros blancos empezarían a preocuparse. Pero Hazel estaba ya varios pasos por delante de ella, demasiado lejos para oír su broma, así que se la tragó.

5

28 de agosto de 2018

Nella sostuvo la taza bajo la luz por tercera vez y la giró. Todavía no parecía estar bien, así que la soltó y añadió un pellizco más de azúcar antes de añadir dos gotas y media de leche de almendras.

Estaba pensando si esa media gota era adecuada cuando Shannon, de Publicidad, entró en la cocina con un envase vacío de Pyrex en la mano. Miró a Nella con la misma cautela con la que Nella estaba mirando la taza.

—Estás trabajando demasiado para ser verano —observó Shannon de camino al fregadero—. No estás terminando el libro de ningún autor ahora, ¿verdad?

—Sí, estoy con uno.

—Qué grosero. ¡Es la última semana de agosto! ¿Vera no suele irse a su casa de vacaciones en…? ¿Dónde era?

—Nantucket —dijo Nella, imperturbablemente concentrada—. Pero regresó anoche a la ciudad. Interrumpió sus vacaciones.

Shannon dejó escapar un silbido grave.

—¿Vera hizo *eso*? Espera —dijo de repente, dándose cuenta por fin de que Nella no había levantado la mirada ni una sola vez de su tarea—. ¿Eso de ahí son cubitos de *hielo*?

—Efectivamente.

—¿Lo que significa que esa bebida es para…?

—Sí. Es para Colin Franklin.

El sonido del cristal golpeando el metal por fin rompió la intensa concentración de Nella. Shannon había palidecido y miraba en dirección al grupo de ascensores como si el propio Colin pudiera aparecer de repente.

—Oh. Ostras. *Hoy* es martes —susurró, girando sobre sus talones y caminando en la otra dirección—. Había olvidado por completo que iba a venir. En serio, ¿quién viene la última semana de agosto? Si pregunta...

—Tienes reuniones todo el día.

—Eres la mejor.

—De nada —dijo Nella, envidiándola por no poder utilizar la misma excusa. Con un suspiro, abrió la bolsa zip que Colin le había pedido que guardara a principios de año y vertió su misterioso contenido sobre el café. Necesitaba mantenerse animada, pero era difícil mientras observaba el polvo negro disolviéndose en el líquido y volviéndolo todo de un improcedente tono gris. Esperaban a Colin en cualquier momento y ya podía sentir la presencia de Shartricia acechándola, vigilándola, esperando a ver si Nella iba a salvarla.

Cinco minutos después, Colin y Vera estaban riéndose de algo que había en el teléfono cuando Nella entró en el despacho de Vera. Dejó el café delante de Colin, con sus cubitos de hielo machacados a mano y todo.

—Y arrastró la brocha por toda la alfombra —dijo Vera, secándose una lágrima de sus ojos cargadísimos de máscara—. ¡Es tan mono...!

—¡Qué chuchín más precioso!

Colin unió sus manos y las mantuvo así. Para la reunión de aquel día había elegido su gorra de paje de distintos tejidos, la que tenía espirales de tela vaquera, piel, raso, loneta y encaje. Era la gorra que llevaba siempre que quería poner a girar los engranajes de la escritura, un dato que compartió con Nella el día en que se conocieron; también lo había compartido con sus dos millones de seguidores en Internet. Una vez, por aburrimiento, la había buscado para comprársela a Owen como regalo de broma. Cambió de idea rápidamente cuando descubrió que le costaría setecientos dólares. Unas risas no valían tanto; no con un sueldo de asistente editorial.

Nella no había visto a Colin con la gorra desde que hizo aquel descubrimiento; ahora, miraba el accesorio de diseñador con recelo, como si pudiera levantarse de su cabeza calva para abofetearle la cara. Pero, aunque lo hiciera, no habría servido de nada, porque ni él ni Vera parecían verla allí, sentada en la única silla vacía que quedaba en la habitación, con las manos entrelazadas en su regazo.

Después de algunos minutos, Nella tosió y dijo alegremente:

—¡Qué divertido! ¿Qué ha hecho ahora nuestro pequeño Brenner?

—¡Oh, Nella! Gracias por esto. —Colin tomó su café y le dio un sorbo indulgente. Masticó uno o dos de los cubitos más pequeños antes de guiñarle el ojo—. Perfecto, como siempre.

—Acabo de enseñarle el último vídeo de Brenner. Por fin están pintando el anexo que hemos hecho a nuestra cocina en Nantucket, ¡por *fin*! Y Brenner, por supuesto, lo vio como una oportunidad para volverse viral. —Nella intentó no hacer una mueca ante lo torpes que sonaron aquellas dos últimas palabras mientras Vera salía de Instagram y dejaba su teléfono a un lado—. Bueno. Hora de hablar de *Agujas y alfileres*.

—¡Sí! ¡Por fin! —Colin se levantó y sacó un pequeño cuaderno de espiral verde—. No puedo esperar a oír qué os ha parecido. He mantenido despierta a mi mujer las últimas noches hablando de todas las cosas que podrían estar mal.

—Ay, Colin… Bueno, ¡nos encanta! —exclamó Vera, bajando un puño sobre las páginas—. Es actual, es directo. Es perfecto para conseguir que la gente hable sobre la desagradable epidemia de opioides que está asolando a nuestro país.

Nella asintió con la cabeza y mantuvo la boca cerrada. Una de las cosas que le encantaban de trabajar para Vera era que, aunque no siempre tenía en cuenta todas sus opiniones, le daba tantas oportunidades como podía llevándola a todas las reuniones y avisándole qué agentes eran gilipollas. Trataba a Nella como si fuera competente, lo que era mucho más de lo que otros asistentes podían decir de sus jefes.

Pero lo que Nella más apreciaba (lo que más respetaba e internalizaba) era el don de su jefa de hablar a los autores sobre sus escritos.

Vera tenía un don para la alabanza: podía hacerte creer que la segunda mitad de tu libro merecía un Pulitzer aun después de haberte dicho que había que reescribir la primera mitad por completo.

—Y los personajes son geniales —continuó Vera—. Has implementado todas mis sugerencias a tu primer borrador sobre añadir la diversidad de nuestra comunidad, y creo que eso hará que tu libro llegue a un montón de gente.

Nella se tensó, pero mantuvo el bolígrafo sobre el papel.

—¡Perfecto! Eso era exactamente lo que estaba buscando.

Colin garabateó algunas notas que Nella no podía distinguir. Pero teniendo en cuenta el ansia por agradar de Colin, supuso que dirían algo parecido a: *¡Les gusta! ¡Menos mal, joder!*

Vera y Colin intercambiaron halagos durante otro par de minutos. Cuando esa parte de la reunión terminó y debían empezar con la revisión crítica, Colin se dirigió a Nella inesperadamente, se reajustó la gorra y le dijo:

—Bueno, me encantaría saber qué opinas *tú*. Vera me mencionó que había una o dos cosas que creías que necesitaban un repaso.

Nella se quedó paralizada. Criticar el libro *después* de que su jefa lo hubiera colmado de alabanzas no estaba en el guion. Miró a Vera, pero su jefa estaba impasible, sin ni siquiera un tic en el ojo a la vista.

Miró a Colin de nuevo.

—Bueno, creo que es una gran lectura. Como Vera ha dicho, este tema es muy importante.

—¡Gracias!

—Y hay una fuerza motora *maravillosa* impulsando esta historia —continuó Nella—. La conciencia de la voz de esta ciudad es muy... muy poderosa. Y se alza cada vez más hasta que... de repente la ciudad está *gritando*, ¿sabes? Y al final del libro te quedas pensando: *Guau, ¿cómo es posible que el resto del mundo no se dé cuenta? ¿Cómo es posible que esta ciudad penda de un hilo y que, aun así, mientras tanto, a cientos de kilómetros de distancia, la gente esté cómodamente sentada en sus hogares, preocupada por el café y el aparcamiento y los abusones del recreo?* Como nosotros estamos justo ahora. Es decir, no por los abusones. Aunque quizá nos preocupen los abusones de la oficina.

Vera se rio.

Nella se llevó un puño al pecho.

—Y ese capítulo que tiene lugar en la mesa durante la cena... Es... *guau.*

—Gracias —dijo Colin, sonriendo—. Esa parte fue muy divertida de escribir. La familia del niño que vivía en la casa de al lado cuando yo era pequeño, en Connecticut, era así. Su hermano mayor, su madre y su padre estaban continuamente borrachos. No eran opioides, pero bueno. Y te juro por Dios que se lanzaban comida unos a otros cada vez que se cansaban de oírse. Comida *caliente.* ¿Demasiada política? *Plaf,* espaguetis y albóndigas. ¿Harto de hablar de dinero? *Pum,* salchicha en el ojo.

—¡Qué locura! —Los ojos de Vera destellaron mientras elevaba las manos para estrujar su melena—. ¿Por qué seguías yendo a su casa?

—¡Porque tenían la MTV!

El despacho se deshizo en un arrebato de alegres carcajadas, aunque la causa fuera una familia tremendamente disfuncional cuyo destino no parecía especialmente prometedor.

—Tenemos que contarle esa historia al equipo de publicidad —dijo Vera, mirando a Nella con intención. Nella asintió una vez y después apuntó *espaguetis voladores*—. Quizá podría ser parte de una entrevista o algo así. Como el origen de todo esto.

—Sin duda. Podría trabajar en ello. —Colin miró por la ventana un instante, imaginándose ya bajo un mar de focos mientras volvía a contarle esa historia a McNally Jackson—. Pero, venga, en serio... Puedo aceptar algunas críticas, Nella. Llevo en esto el tiempo suficiente para saber que incluso los mejores escritores pueden perfeccionarse, seguir mejorando.

—¡Siempre! En esto, Nella... Te paso el micrófono metafórico —dijo Vera, fingiendo cerrar una cremallera en sus labios.

Nella hubiera preferido golpearse hasta quedar inconsciente con un micrófono de verdad antes que continuar.

—Bueno, ¡gracias, Vera! Pero me gustaría que tú comenzaras... y *después* yo podría aportar mi visión.

Había esperado que esa tangente sobre la inspiración de Colin la librara de aquello, igual que se había librado la semana anterior, cuando Maisy llevó a Hazel al despacho de Vera frustrando la Conversación Shartricia. Se reprendió por no haber comentado antes sus preocupaciones con Vera. Había tenido la oportunidad en varias ocasiones, pero una llamada telefónica o algo más urgente le había quitado la pelota de la mano antes de que pudiera prepararse para hacerlo. Incluso había hecho un intento desesperado la tarde anterior, cuando Vera estaba guardando sus cosas, pero entonces fue su teléfono el que empezó a sonar.

Era como si los dioses intentaran decirle algo. Y ahora, días después (cuando se encontraba bajo la atenta mirada de dos blancos muy influyentes), se convenció de que aquel algo era: «Es el momento, Reina. Di lo que piensas».

Colin masticó su hielo, expectante; el ruido que hacía al triturarlo era aún audible a través de sus labios cerrados. Sobre su cabeza, Nella vio un titular para un artículo de Buzzfeed imaginario: LA REINA DE LOS SERVICIOS SOCIALES DE COLIN FRANKLIN: ¿DÓNDE ESTABA EL LECTOR SENSIBLE?

—De acuerdo —dijo Nella, agravando la voz—. *Hay* una... *cosa...* a la que creo que podría venirle bien un repaso.

—¡Dispara! —exclamó Colin, animado, aunque su espalda encorvada y sus dedos blancos tras apretar demasiado los nudillos denotaban que estaba totalmente preparado para ser golpeado con un objeto romo y duro, más que por su opinión sincera.

—Shartricia Daniels.

Colin asintió y tomó su bolígrafo de nuevo.

—¡De acuerdo! ¡Genial! Hablemos de ella.

—Gran idea —añadió Vera, aunque no parecía lista para oír lo que Nella tenía que decir—. El otro día me mencionaste que había algo en ella que no terminaba de funcionar para ti.

—Sí —dijo Nella. Necesitó todo lo que pudo encontrar en su interior para no perder el aliento, aunque sabía que, a aquellas alturas, era todo o nada—. Creo que no pudimos terminar esa conversación. Pero sí.

No mires tu regazo, dijo su Angela Davis interior, y después otra Davis alzó la voz. Viola. *Tú eres buena. Tú eres lista. Tú eres importante.*

Nella miró a Colin a los ojos.

—Bueno… Creo que es súper importante que ella esté aquí. Porque es bueno mostrar cómo ha devastado esta epidemia a la gente de color.

—En eso estaba pensando cuando le sugerí que añadiera un poco más de diversidad en su segundo borrador —añadió Vera—. Sobre todo porque los medios subestiman sus problemas muy a menudo. Y los medios ya ignoraron sus penurias en el pasado, sobre todo en los noventa con el crack, a pesar de que la droga afecta a todo tipo de gente. —Miró a Nella con intención—. ¿No? ¿Es a eso a lo que te refieres?

—Sí. Exactamente a eso. Así que… Es genial que haya una representación de una persona negra pasando por esto.

—Es *genial*, Colin —repitió Vera.

Nella miró a su jefa con avidez. El rostro de Vera parecía haberse estirado por los bordes… Sobre todo en las sienes, donde la piel estaba ligeramente púrpura.

Los ojos de Colin se clavaron también en Vera, aunque regresaron con Nella de inmediato.

—Estoy de acuerdo. Realmente quería a un personaje como Shartricia. Cuando hablamos de diversificar este libro y sus personajes, me parecía vital ir más allá de mi zona de confort.

—Para mostrar los diversos puntos de vista de la experiencia —aclaró Vera.

—¡Exacto! —dijo Nella, intentando ignorar cuántas veces habían pronunciado la palabra con D en los últimos minutos—. Pero Shartricia… Tengo que decir… que me parece un poco errada. No me ha parecido especialmente… auténtica.

—Oh. *Oh.* ¿Podrías ser más concreta con Colin? —le ordenó Vera.

—Sí —dijo Colin, como si ella acabara de decirle que había tirado accidentalmente su gorra de paje a las vías del tren—. Por favor, cuéntame más.

—Bueno… Para ser sincera, me pareció que el personaje está basado en la idea de lo que sería una persona negra de Ohio sufriendo debido a la crisis de opioides. Me pareció una colección de figuras retóricas… las menos halagadoras… Y, cuando llegamos al final de la novela, descubrimos que no llega a redimirse. Sigue atrapada.

Vera soltó su bolígrafo y se cruzó de brazos como si dijera: *Te quedas sola en esto.*

Colin también soltó su bolígrafo; estaba frunciendo el ceño y ya no mascaba hielo. Se quitó la gorra, la puso en su regazo y cruzó las piernas, lo que hizo que su bolígrafo cayera sobre la alfombra, justo a medio camino entre su silla y la de Nella. No se movió para recuperarlo.

Nella se levantó y tiró con nerviosismo de uno de sus rizos mientras buscaba algunas palabras de moda que fueran menos críticas y más elocuentes.

—No llegué a conectar con ella. Me pareció un poco plana, creo. Unidimensional. Como una experiencia generalizada, una franja de experiencia concreta que no me pareció totalmente genuina. Me pareció más una caricatura que un personaje de verdad, alguien vivo y real, y creo que muchos lectores negros la encontrarán insatisfactoria. Y, bueno, lo del verde *chartreuse* parece un chiste. Parece que te estás burlando de su madre por no saber cómo se escribe, y sé que eso no es…

—En realidad no sé de qué estás hablando —la interrumpió Colin. Miró a Vera, preocupado, y señaló su manuscrito—. ¿Eso está ahí? ¿Puse eso ahí?

Vera negó con la cabeza, entregando las páginas a Nella.

—Yo tampoco estoy segura de qué está diciendo. Nella, por favor, ¿podrías señalar una escena concreta en la que creas que Colin se está mofando de Shartricia?

Un par de segundos antes, decir la palabra «insatisfactoria» le había parecido muy, muy satisfactorio. Ahora, ya no estaba tan segura.

—Uhm… No recuerdo exactamente en *qué* página aparece lo del nombre. Ni siquiera estoy segura de que se *diga* algo concreto para señalarlo. Es solo una sensación.

—Una *sensación*.

—Sí. ¿Y LaDarnell? ¿DeMontraine? Eso también parecen caricaturas. ¿Y de verdad *necesita* tener siete hijos? —añadió Nella, dándose cuenta de lo trastornada que empezaba a sonar. Pero no podía parar. *¡Arranca la tirita!*, le ordenó Angela con voz furiosa. Había tomado carrerilla y no iba a parar hasta que dijera todo lo que tenía que decir—. Quiero decir, ¿no es esto justo lo que *esperamos* de una mujer negra adicta a la heroína? ¿No podrías ser un *poco* más creativo con tu *único* personaje negro?

Colin todavía estaba hojeando su libro con una expresión febril y casi enloquecida.

—Uhm, Nella —dijo Vera, ladeando la cabeza con diplomacia—, solo para hacer de abogado del diablo… ¿No podría ser que lo que acabas de decir fuera un poco racista por *tu* parte?

—Tengo la sensación de que es a *mí* a quien está llamando «racista» —asintió Colin—. O quizá solo sea que *cree* que soy racista.

El escritor agitó los dedos en el aire, insinuando que sus sensaciones sobre el racismo eran similares al vudú. Sus ojos no abandonaron a Vera en ningún momento, como si estuvieran solo ellos en la habitación.

Y así era exactamente como se sentía Nella: como si hubiera resbalado y se hubiera quedado atrapada de algún modo bajo la horrible moqueta. Aquello no era lo que había querido. No había esperado que Colin le masajeara los callos de los pies y se disculpara por todos los pecados de sus ancestros, pero había pensado que de algún modo le estaría agradecido por su opinión sobre su personaje negro. ¿Cuántos otros escritores publicados por Wagner tenían el beneficio de una lectura sensible sin tener que contratarla ellos mismos?

—Lo siento, Colin —dijo Nella—. No es eso lo que pretendía…

—He elegido *una* representación concreta de una mujer negra que está pasando una época dura. Se trata de *su* época dura, no de la época dura de una *persona de verdad* —dijo Colin, cada palabra más alta que la anterior hasta que Nella estuvo segura, sin duda, de que la gente de fuera del despacho de Vera podía oírlos. Se preguntó si Hazel estaría escuchándolo todo desde su mesa, sin saber si sería mejor o peor que fuera así—. Yo *soy* el escritor. Por Dios. No soy *racista*. ¿Tengo que ponerle el cabello más rizado, también? ¿O hacer su piel un poco más oscura? ¿Debería hacer que hablara como… como Sidney Poitier, en lugar de como una chica negra que creció en el Ohio rural sin padre? ¿De quién es este libro, en cualquier caso?

Vera encontró su voz por fin.

—Bueno, Colin, yo no…

—No, Vera. No. Solo un momento.

Presionó su gorra multitejido y cerró los ojos, haciendo tres o cuatro respiraciones profundas de yoga. Después de la cuarta, se levantó y dejó caer sus páginas sobre el escritorio de Vera.

Después, para horror de Nella y de Vera, se marchó.

Nella tragó saliva, incapaz de apartar la mirada de la puerta abierta. Se avecinaba un sermón; estaba segura de ello.

Esperó. Y esperó. Cuando no llegó nada, recogió el bolígrafo que Colin había dejado caer y lo colocó sobre la mesa de Vera.

Vera permaneció en silencio. Seguía mirando las páginas de Colin.

Pero, de repente, es el puto fin del mundo para algunos.

—Vera… —comenzó, después de un par de segundos más de devastador silencio—. No pretendía…

—Ahora no, Nella —siseó Vera, sin mirarla—. Por favor. Ahora no.

PARTE II

Kendra Rae

Septiembre de 1983
Antonio's
Manhattan, distrito financiero

—Bueno, ¿qué se *suponía* que debía decir? «No, gracias, señor Richard Attenborough, pero tengo mejores cosas que hacer que interpretar a uno de los mayores líderes del mundo libre». Kingsley no era nada antes de eso, te lo prometo, y aceptar ese papel fue la decisión más inteligente que podría haber tomado.

En lugar de mirar el queso fundido que se había quedado pegado en el espeso bigote de Ward durante la mayor parte de nuestro debate, miré mi vaso vacío, decepcionada por no haber pedido uno doble pero contenta porque me habían puesto una aceituna extra. Pesqué el encurtido con los dedos y me lo metí en la boca, fingiendo que estaba elaborando un pensamiento mientras masticaba.

Solo cuando Ward pareció convencido de que había ganado, dije, todavía con comida en la boca:

—Claro. Pero ¿y si Billy Dee Williams…?

—¿*Quién?* —me interrumpió Ward.

—*Star Wars*. Lando.

La confusión abandonó su rostro. Había tenido razón al pensar que la había visto… Quizá más de una vez.

—Ah. Sigue.

—Digamos que Billy Dee Williams va a ser Mozart en una nueva película que se estrenará el año que viene. ¿Te parecería *eso* bien? ¿Te encajaría *eso*?

La velocidad con la que la cara de Ward se retorció sobre sí misma fue tan satisfactoria que hice una pausa antes de elegir la última gloriosa aceituna para metérmela en la boca. Había visto esa cara en Harvard muchas veces antes, desde profesores a colegas del grupo de tesis, incluso el tutor de mi propia tesis, pero eso no aminoraba el efecto de su incredulidad sobre mi ego.

Me alimentaba.

—¿*Y bien?* —le pregunté.

—Bueno, eso es distinto. Billy Dee Williams no es... Bueno, es que no... Eso sería totalmente...

—Ridículo —terminé por él—. Sí. Sí, yo también lo creo.

Ward se aflojó la corbata y un furioso rubor floreció en su cuello mientras intentaba decidir si estaba siendo sarcástica o no.

—Bueno. Si me disculpas, voy a ver cómo está mi mujer.

Miré sobre su hombro. Su esposa, Paula, sin lugar a dudas la editora más atractiva de Wagner, estaba actualmente rodeada por cuatro hombres distintos, a dos de los cuales nunca había visto. Los otros dos (editores con los que apenas había hablado desde que comencé a trabajar en Wagner) la flanqueaban, tocándole la espalda mucho más de lo que cualquiera debería hacer durante una conversación educada.

—Sí. Desde luego, *parece* necesitar tu ayuda.

Esta vez, mi sarcasmo estaba claro. Ward se alejó rápidamente, con una insensata sensación de urgencia infectando su paso. Yo también me giré, lista para buscar más aceitunas y más alcohol, cuando una mano cálida templó la seda de mi manga de farol.

—Uhm. Déjame adivinar... Has ahuyentado a otro esposo.

No tenía que mirar para saber que era Diana quien me había detenido, pero lo hice de todos modos. Tenía una sonrisa torcida en la cara y una mano en la cadera.

—Culpable de todos los cargos —murmuré—. Y, sí, lo sé, lo sé. *Compórtate lo mejor que puedas, serán solo un par de horas.* Pero, joder,

Di, todos son tan... agotadores. Y tan jodidamente fáciles de asustar. Todos y cada uno de ellos.

Señalé a las cincuenta personas que se habían reunido bajo la tenue iluminación de Antonio's con la excusa de celebrar mi logro y el de Diana: nuestra primera semana entre los *best-sellers* del *New York Times*.

Diana agitó el flequillo ondulado de lo que yo llamaba, solo en privado para no avergonzarla, su «peluca de Donna Summer». Estaba examinando la sala.

—Podrías tener razón sobre eso, chica. Pero ¿podemos disfrutar de esta vista durante un minuto? Quiero decir, ¡joder! Si tener a toda esta gente blanca aquí, en esta sala, no significa que lo hemos conseguido, no sé qué será.

Dejé que Diana entrelazara su brazo con el mío e intenté ver lo que ella veía: los caros centros de mesa a rebosar de rosas blancas; las bandejas de gruesas y costosas ostras que los camareros, que parecían modelos de espuma de afeitar, estaban repartiendo. Un cuarteto de jazz suave en una esquina que empezó a tocar «I'm Every Woman» cuando entramos. Un enorme acuario lleno de agua de color zafiro y criaturas en tonos joya a algunos metros de distancia.

En realidad, lo del acuario me daba igual; el marisco elegante me gustaba, pero tampoco tanto. Si lo hubiera hecho a mi manera (y jamás lo habría hecho a mi manera) habría elegido un sitio distinto. Un barrio distinto, en realidad. Cualquier sitio excepto el Distrito Financiero, un vecindario gélido, sin vida, que había alojado uno de los mayores mercados de esclavos del país hacía mucho tiempo.

No obstante, aunque la decoración de la fiesta me pareciera hortera, Diana tenía razón. *Nosotras* éramos las mujeres de la noche: las mujeres del año, empezaba a decir la gente, aunque *Corazón ardiente* apenas llevaba una semana publicado. Nosotras, dos negras desconocidas, habíamos conseguido convertir lo que muchos habían predicho que sería un parpadeo en un libro del que hablaba todo el país. El ruido se había vuelto tan estrepitoso que teníamos entrevistas concertadas para los siguientes tres meses. Una importante revista semanal estaba considerando ponernos a ambas en su portada.

Teníamos un *best-seller* en las manos y nadie podría arrebatármelo (ni siquiera un marido aleatorio que no veía ningún problema en que Ben Kingsley ganara un Oscar por interpretar a un hombre indio).

Todavía.

—Sí, todo esto es increíble. Pero… Yo… —Me encogí de hombros, intentando encontrar un modo de sacar las palabras—. Todavía no he olvidado que muchos de estos blancos dudaron de mí y de *Corazón ardiente.*

Me giré hacia Diana. El movimiento rompió nuestra cadena de brazos, pero lo que estaba a punto de decir necesitaba ser dicho.

—¿Por qué otra cosa piensas que Richard me dejó editar tu libro en lugar de hacerlo él? ¿Y por qué nos dio tan poco dinero con el que trabajar? Y las tristes dos semanas de tour publicitario que nos concedió… Cada uno de esos movimientos estaba calculado, Di. Lo hicieron por si resultaba ser un fracaso. Por eso tuve que luchar contra él en cada paso del camino.

Deseé retirar la palabra «fracaso» de inmediato. Algo extraño apareció en los ojos de Diana mientras me examinaba, con los labios apretados con fuerza. Solo entonces me di cuenta de que su labial naranja oscuro estaba corrido y le hice una señal para que se lo arreglara. Estaba a punto de preguntarle si Elroy y ella habían pasado un ratito jugando en el armario de los abrigos, pero Diana habló de nuevo.

—Oye… Todo eso es pasado ahora. Lo que importa es que el libro funciona, y que estamos *aquí*. Además —añadió, sacando un espejo compacto de un bolso tan blanco como su minivestido asimétrico—, ya sabes cómo funciona. Una docena de «no» antes de conseguir un «sí», y ese «sí» es lo único que importa. El resto puede tomar su «no» y metérselo en su culo perfectamente perfumado.

Eso me hizo sonreír. Diana muy rara vez hablaba de meterse algo en alguna parte. Cuando todas las chicas del instituto empezaron a llamarla «la Lady Di negra» (en realidad, no por su piel sino por sus buenas notas, su dicción perfecta y su amor por las reposiciones de *Te quiero, Lucy*), fui *yo*, no Diana, quien les dijo que se fueran a la mierda. Durante la mayor parte del tiempo, la gente nos hizo caso;

sin duda, el puñetazo que le di a Geoffrey Harrison en cuarto duran-te una excursión al Museo de Arte de Montclair tuvo algo que ver con ello.

Miré a mi amiga, a la que le costaba mucho quedarse en un mismo sitio más de unos minutos. Sin duda, había bebido un par de copas extra de vino, lo que explicaba el labial corrido, lo de los «culos perfu-mados» y el hecho de que su brazo estaba de nuevo enlazado con el mío... Aunque, esta vez, el enlace era más forzado.

—No puedo creer que sea *yo* la que te esté diciendo esto a *ti* —me dijo—, pero Kendra Rae Phillips, tienes que relajarte y tomar aliento profundamente.

—Ya sabes cuánto odio respirar.

—Lo sé. Pero sígueme el rollo. Vamos, ahora. Inhaaala... —comen-zó. Con un mohín, hice lo que me decía—. Exhaaala. ¿Ves? ¿No te sientes mejor? —Me dio una palmada en la espalda sin esperar mi res-puesta. Olfateó el aire, moviendo su nariz naturalmente respingona como la de un cachorrito al acecho—. Oye, ¿hueles eso?

Fruncí el ceño.

—No. ¿Qué se supone que debo oler?

Diana sonrió.

—El dinero, cielo. No solo dinero de blancos. ¿Quieres saber qué hice con el primer cheque que recibí de Wagner?

—Supongo que la respuesta no es «ingresarlo en el banco».

—Supones bien. No, lo puse sobre la mesa de la cocina y lo miré durante mucho tiempo. Cuarenta minutos, quizás una hora. No te en-gaño. Y cuando Elroy volvió a casa del trabajo e intentó agarrar el che-que para verlo, no creerás lo que hice. Le *ladré*, cielo. No había hecho eso en mi vida.

Todo era demasiado. Ambas aullamos. Quiero decir, que aullamos de verdad. Y eso fue lo único necesario para viajar de vuelta al pasado. Éramos estudiantes de instituto de nuevo, preparándonos para ir a pati-nar al Eight Skate del centro de Newark con el resto de las chicas. Bebía-mos zumo rojo y el licor que Imani hubiera rapiñado del alijo de sus padres. Cantábamos *Drums keep pounding a rhythm to the brain* mientras

Ola o yo le planchábamos el cabello a Diana (su pelo de *verdad*); normalmente era yo la que se lo planchaba porque, a diferencia de Ola, yo dejaba de mover el esqueleto cuando tenía la cabeza de otra persona y un trozo de metal caliente en la mano. Intuíamos que pronto cambiaría algo más en nosotras que nuestros modelitos.

Nos separaríamos: Diana e Imani irían a Howard; Ola, a Oaxaca, donde conocería a un hombre y empezaría una familia y una organización benéfica, todo en el transcurso de un año. Y yo me marcharía a Harvard, donde… ¿Qué *haría* exactamente allí? Elegir a un hombre aquí, dejarlo allí. Echaría de menos New Jersey; intentaría que me gustara Boston y no lo conseguiría. Me encerraría en los libros.

Y me alejaría de la gente blanca.

Ese recuerdo, aunque no era nuevo en absoluto, fue suficientemente aleccionador como para alejar cualquier alegría que un cuarteto de jazz tocando algo de Chaka Khan pudiera proporcionarme. Al mismo tiempo, detecté a una pareja blanca que parecía realmente preocupada por nuestro ataque de risa. Cuando miré al hombre a los ojos, rápidamente fingieron interesarse en uno de los muchos premios literarios que Richard había pedido que colgaran temporalmente para este elegante evento.

Pero no los dejé irse de rositas. Les eché a cada uno una mirada desdeñosa, examinándolos de arriba abajo y clavando los ojos en la ristra de diamantes alrededor del cuello de porcelana de la mujer. Cinco segundos después, se marcharon al extremo opuesto de la habitación buscando aire.

—Oh, por el amor de Dios. *Chica*.

Las palabras de Diana no contenían suavidad esta vez, y cuando terminó de poner los ojos en blanco, supe que me iba a espetar lo que llevaba un rato intentando no decirme. *No tienes remedio*. O, quizá: *Me estás cortando el rollo*.

En lugar de eso, señaló mi bebida y me ordenó que me buscara otra.

—Dentro de cinco minutos, cuando te la hayas terminado, reúnete con Richard y conmigo junto al acuario.

Escuchar el nombre de mi jefe destruyó mi entusiasmo de inmediato.

—Ah, ¿es *eso*? ¿Richard te ha enviado a buscarme? Ya lo saludé cuando llegamos, y le diré «adiós» y «gracias» cuando llegue la hora de volver a casa. No creo que deba...

Diana negó con la cabeza.

—No, idiota. Hay un tipo del *Times* que está escribiendo una reseña sobre esto y quiere tomarnos una foto a los tres. En serio, chica... ¿Por qué odias tanto a Richard? Eso ya no se lleva, ¿sabes?

Mis ojos se detuvieron en su labial, que se había reaplicado.

—¿Dónde está Elroy? —le pregunté con intención—. ¿Todavía está aquí?

Pero Diana fingió que no me había oído.

—Sí, es un yuppie que nació con una cuchara de plata en la boca. Vale, de acuerdo. Sí, a veces hay que convencerlo. Pero *no* es el representante de todos los hombres blancos a los que has conocido en tu vida. Quiero decir, venga *ya*. ¿Alguna vez has visto a otro hombre blanco hacer todo *esto* por una pareja de mujeres negras de las que nadie ha oído hablar? Además, recuerda lo que siempre he dicho —añadió Diana, intentando sin éxito susurrarme al oído—. Los usamos hasta que ya no necesitamos usarlos más. Simple y llanamente.

«Simple y llanamente». *Por supuesto* que solía decir eso. ¿Cuántos hombres blancos se había visto Diana obligada a aguantar en su vida diaria? Estudió la carrera en Howard, hizo el doctorado en Howard, y se quedó allí a dar clase. Ella no había recibido el desprecio de los porteros blancos, como me había pasado a mí. En una universidad históricamente negra, a Diana le concedieron la bendición de la visión en túnel. La bendijeron con la habilidad para olvidar que los blancos existían, aunque solo fuera por un tiempo.

Mi bendición fue que ellos me asfixiaran.

No obstante, Diana nunca lo había comprendido y yo de ninguna manera iba a volver a decírselo. Rotundamente, no. Porque eso sería igual que decirle que tenía razón, cuando nos sentamos a leer nuestras cartas de aceptación en mi escalera de entrada, en el 68. Que asistir a cualquier sitio que no fuera Howard o Hampton era un error. Que yo no había sido tan fuerte como esperaba ser.

No, Diana nunca dejaría de intentar convencerme de que renunciara a sabotear aquella noche. Así que puse mi mejor cara alegre y volví a la barra.

—Me tomaré *dos* copas más —le dije—, y me reuniré con vosotros en diez minutos.

—¿Con una sonrisa?

Levanté mi copa vacía.

—Con una enorme sonrisa.

6

No fue una sorpresa que el día de Nella terminara con una mala nota. Después de todo, había comenzado así.

Para ser justos, aquello había sido culpa de ella. Cualquier empleado con un poco de sesera sabría que pisar los dedos de los pies y de las manos de uno de los autores más vendidos de Wagner y llegar al trabajo cuarenta y cinco minutos tarde al día siguiente era una temeridad.

No obstante (por miedo, básicamente), Nella se había pasado gran parte de la mañana intentando convencerse de salir de la cama, e incluso más tiempo permitiendo que Owen la convenciera de no hacerlo, de que su decisión de ser franca con Vera y con Colin no había sido mala.

De hecho, toda aquella situación le parecía hilarante.

—Me lo imagino frotándose los ojos con esa gorra empapada y carísima, y es... es... es demasiado bueno —dijo, riéndose.

Nella salió por fin de la cama y empezó a buscar en sus cajones algo que ponerse.

—Pero deberías haber visto sus *caras*, cari.

—No lo necesito. He visto suficiente culpa blanca para saber qué aspecto tiene.

Nella no pudo contenerse.

—¿En el espejo del baño?

—Después de ver *Doce años de esclavitud*, ya te digo —dijo Owen, sin perder un instante—. Pero solo duró unos segundos antes de irse por el sumidero junto con el jabón de manos.

Nella dio unos saltitos para meter sus piernas recién hidratadas en su vaquero favorito.

—¡Ahí has estado rápido! Recuérdame que el próximo febrero te haga ver la miniserie *Raíces* entera —se burló, casi cayéndose de cabeza sobre la cómoda.

Owen gruñó y se puso de lado, aunque ambos sabían que no le importaría ver *Raíces*... O leerla, si esa propuesta hubiera estado sobre la mesa. Estaba más que contento de verse inundado de «cosas de negros», como Nella las llamaba: literatura negra, películas de culto, o directamente los asuntos rutinarios de Nella... como lo que ocurrió la mañana después del Incidente Colin. Owen siempre estaba listo para hablar del último tema candente que circulara por Twitter: *blackface*, infrarrepresentación, tiroteos policiales contra mujeres y hombres negros desarmados... Pero Nella confiaba en él porque nunca se mostraba demasiado ávido; no sentía la necesidad de llamar «racistas» a todas las cosas *todo* el tiempo, como algunos de los hombres blancos con los que ella había salido antes de conocerlo. Owen no tenía nada que demostrar: estaba satisfecho con su visión del mundo, establecida treinta años antes por una pareja de lesbianas de Denver y afianzada por la lectura diaria de *Democracy Now!*, y creía que todo eso lo ponía en el camino correcto.

Tales cimientos hacían que Owen pudiera trazar su propio camino, uno que le permitía ser su propio jefe en una startup llamada App-rendizaje. Nella sabía poco sobre ella, además de que proporcionaba tutorías para adolescentes desfavorecidos. También sabía que eso le posibilitaba abandonar su apartamento en Bay Ridge cuando le apetecía y trabajar desde casa cuando no; un lujo que ella habría deseado tener.

—Pero, en serio, Nell —dijo Owen, todavía tumbado de lado y con la voz amortiguada por las colchas—. No va a pasar nada. Todo va a salir bien. Esto se habrá olvidado en menos de cinco días.

—Eso es fácil de decir para *ti*.

Nella hizo una pausa, deteniendo el desodorante a mitad de la aplicación, y esperó a que Owen se girara y la mirara. No había pretendido que sus palabras sonaran tan capciosas, pero lo habían hecho y ahora era demasiado tarde para negar aquello de lo que estaban cargadas: el hecho de que Owen era un hombre blanco heterosexual que nunca tendría muchas de las conversaciones que ella tenía, a menos que tuvieran hijos algún día. Lo que en realidad había intentado decir era que él nunca comprendería el extraño mundo editorial como ella lo hacía. La banda de personajes de Wagner era increíblemente peculiar, pero, en general, sus actos y sus sutiles microagresiones parecerían inofensivos para un foráneo. *Caray, he visto comportamientos peores en otros entornos de oficina*, solía decir Owen antes de citar a un empleado suyo que, descontento, había orinado en varios termos con personajes de Disney y los había dejado en el despacho de un antiguo jefe durante la noche.

Los compañeros de Nella en Wagner no eran sociópatas. Todos sabían dónde había que orinar y dónde no. Pero eso no hacía que estar con ellos fuera menos estresante. Cuando estás cerca de ellos cada día... Cuando pasas más de un año charlando en un estado catatónico alrededor de una chisporroteante Keurig o de un lavabo sucio o de la impresora, sonriendo y aguantando mientras te hablan de sus nuevas casas de verano y de sus últimas vacaciones europeas y te preguntas por qué tú todavía ganas menos de veinte dólares la hora; cuando te acostumbras al hecho de que casi cada vez que te relacionas con una persona negra desconocida en tu lugar de trabajo, esa persona casi seguramente te pedirá que le firmes una entrega o se ofrecerá a arreglarte el ordenador... Entonces empiezas a irritarte. Tanto que, al menos una vez al mes, te levantas de tu mesa, te diriges al baño de mujeres, te encierras en un urinario y te preguntas: *¿Por qué sigo aquí?*

Al final, tras veinte minutos arrastrando los pies, Nella terminó de arreglarse. Owen le dio un leve beso desde su lado de la cama y le dijo que todo iba a salir bien, pero el efecto de sus palabras duró tanto como la sensación de sus labios, y mientras Nella subía al tren R con destino a Manhattan, tenía la sensación de que iba a ser un día de los de sufrir un ataque de nervios en el baño.

La sensación se intensificó casi una hora después, mientras tomaba aire profundamente y esperaba que las puertas giratorias la escupieran al vestíbulo. Solo dudó cuando saludó rápidamente a India, la alegre recepcionista de piel café que estaba en el mostrador de seis a once cada día de la semana desde que Nella empezó a trabajar en Wagner.

—Me encanta el pañuelo que llevas hoy, India —le dijo, tan alegremente como pudo, mientras sacaba su tarjeta de identificación de Wagner.

India levantó la mano y se tocó el sedoso pañuelo azul y dorado como si tuviera que recordar cuál se había puesto.

—¡Gracias, chica! —exclamó con una verdadera sonrisa, aunque Nella casi siempre decía lo mismo sobre sus pañuelos, sus pendientes o su peinado. Sus halagos siempre eran sinceros, por supuesto; aquel día, el impresionante collage de formas geométricas azules y doradas de la tela era casi demasiado llamativo para un edificio de oficinas en el centro. India llevaba el pañuelo rodeando ceremoniosamente su cabeza y anudado con dos lazos de igual tamaño. Pero, aunque sinceros, Nella también se aseguraba de que sus comentarios se extendieran exactamente el tiempo necesario para caminar desde el vestíbulo hasta el grupo de ascensores sin tener que aminorar el paso. Era parte de su rutina matinal, igual que la sémola por la mañana o caminar hasta avanzar dos tercios del andén para no tener que andar demasiado cuando se bajara en Manhattan.

—*Es* un pañuelo precioso, ¿verdad?

Nella se giró para ver quién estaba de acuerdo con ella. Era Hazel, por supuesto, que de repente estaba justo a su espalda con un montón de hojas manuscritas en la mano derecha. La bolsa azul marino de Wagner que le habían entregado el primer día colgaba de su muñeca, balanceándose precariamente de un lado a otro.

—¿Qué pasa, señoritas? Por cierto, India —dijo Hazel, buscando en su bolsa lo que Nella suponía que era su identificación pero que en realidad era una bolsa de papel marrón—. Fui a esa tienda de tela africana en Queens de la que te hablé la semana pasada. Y... ¡mira!

India extendió el brazo sobre el mostrador para aceptar la bolsa de Hazel con un vigor vulnerable y casi codicioso. Nella no la había visto demostrar tanta emoción en los dos años que llevaba conociéndola.

—¡Es precioso, Hazel! —exclamó India, agitando un largo pañuelo de satén del color del interior de un jugoso pomelo rosa.

—Vaya, es una maravilla —asintió Nella. Llegaba atrozmente tarde a trabajar, pero Hazel no parecía preocupada por la hora. Además, Nella se sentía como si tuviera una participación muda en aquel intercambio. Sus pies permanecieron inmóviles mientras el resto de los empleados se apiñaban reclamando un espacio en el siguiente ascensor, como pasajeros corriendo hacia los botes salvavidas del *Titanic*.

—¿A que es un rosa genial? Lo vi y pensé de inmediato en ti, India. Sé que me mencionaste que los rosas y los naranjas se vendían muy rápido en la tienda a la que vas en el Bronx.

—¿Es para *mí*? —India tocó la tela. Sus enormes ojos almendrados estaban cargados de lágrimas a punto de derramarse.

—¡Pues *claro* que el pañuelo es para ti! —Hazel bajó la voz con complicidad mientras daba a India una palmada en el brazo—. Feliz cumpleaños, amiga.

—¡Oh! —dijo Nella, incómoda—. Lo siento. No sabía... ¡Feliz cumpleaños, India!

Pero los ojos de India seguían clavados en Hazel.

—¿En serio? —tartamudeó—. No puedo... Lo siento, es que... es que nadie de aquí había hecho antes algo así por mí. Y llevo aquí casi diez años...

Las lágrimas de India empezaron a caer; la mujer parecía haberse olvidado de dónde estaba. Soltó el pañuelo, se levantó, rodeó el mostrador y le dio a Hazel un fuerte abrazo. A unos metros de distancia, un visitante de aspecto perdido que se había acercado a pedir acceso a India fingió un repentino interés en algo que se le había quedado pegado en el zapato.

—¡Hazel, gracias! Pero... ¿Cómo lo has sabido?

—Tengo mis métodos. Y hay muchos otros accesorios para el pelo en el sitio de donde ha salido este. Ya sabes, tengo contactos. —Hazel le guiñó un ojo—. No trabajes demasiado hoy, ¿vale? Recuerda darte algún capricho. ¡Hasta luego, chica!

Y se marchó antes de que India pudiera terminar de pronunciar otros entusiastas *gracias*. Nella se apresuró para alcanzarla, adelantando a un tipo alto de aspecto aburrido que casi seguramente trabajaba en la empresa de software que había una planta por debajo de Wagner.

—Es un pañuelo realmente bonito —repitió Nella mientras Hazel y ella intentaban apretarse en un ascensor abarrotado en el que seguramente no cabrían ambas. Pero lo hicieron, aunque no el tipo de la empresa de software, que no tuvo reparos en expresar su frustración mientras las puertas se cerraban delante de su cara rojo cereza.

—¿A que sí? Normalmente compro esas cosas en Curl Central.

—¿Curl Central?

—Sí. Es un café-peluquería genial en Bed-Stuy —dijo Hazel en voz baja, y una repentina vaharada de manteca de cacao llegó hasta la nariz de Nella—. Una peluquería *negra*.

—Ah.

—Sí. Así que iba a buscar algo para India en Curl Central, pero Manny me dijo que había olvidado que habíamos quedado con algunos amigos para la *happy hour* en Queens, así que tenía más sentido ir a la tienda de telas africanas.

—¿Manny?

—Perdona. Emmanuel. Manny. Mi novio.

—Oh, vale. Manny.

—¿Tú tienes novio?

—Sí —contestó Nella—. Es… es un tío estupendo.

—Ay, mírate… con esa sonrisa enorme.

Nella asintió y se encogió de hombros, esperando que Hazel le preguntara el nombre de su novio o cómo lo había conocido, y después preguntándose (cuando no lo hizo) si debía decir algo más sobre Owen.

En lugar de eso, bajó la voz y dijo:

—¿Sabes? Siempre he querido llevar pañuelos como los que usa India, pero se me dan fatal los tutoriales de YouTube. La mayoría.

Nella había pasado incontables horas tratando de aprender cómo trenzarse el cabello, bajando la velocidad del vídeo y después reproduciéndolo de nuevo porque siempre parecía perderse una parte crucial. El proceso la dejaba con los brazos tan dolidos que decidía rendirse hasta que le creciera más el cabello antes que intentarlo otra vez.

—Ni siquiera consigo hacerme trenzas de cordón. Incluso las normales me quedan mal.

Mientras terminaba de hablar, las puertas se abrieron y la mayor parte de los viajeros bajaron en la cuarta planta. Libre para mover la cabeza a su alrededor sin meter la cara en el cabello de otro, Nella miró a Hazel, segundos antes de preguntarle si podía sugerirle algún tutorial de YouTube. Pero la chica la contemplaba como si acabara de afirmar que nunca había visto *El color púrpura*.

—Entonces... ¿No sabes anudarte pañuelos *ni* hacer trenzas de cordón? —Hazel estaba visiblemente sorprendida.

—Yo... —Nella buscó la correa de su bolso en lugar de uno de sus rizos. Hazel no le había preguntado: *¿Cómo has conseguido llegar hasta aquí sin saber cómo peinar un cabello negro?* Pero no necesitaba hacerlo. Nella se lo preguntaba a menudo.

Normalmente, su respuesta era «mis padres». Habían sido ellos quienes la criaron en un vecindario predominantemente blanco de Connecticut y la enviaron a colegios públicos predominantemente blancos. Para mantener a Nella con los pies en la tierra, establecieron una especie de campo de fuerza negro a su alrededor, animándola a que estuviera orgullosa de ser negra. La hacían trabajar en proyectos sobre historia negra durante todo el año; le compraban muñecas negras y se negaban a comprarle blancas. Pero, como los campos de fuerza mejor construidos del mundo, el suyo tenía grietas, y la adoración del fino cabello liso había conseguido atravesarlo. ¿Qué podían hacer sus padres? Nella lo veía en todas partes: en el colegio, en sus fiestas de pijamas, en sus Barbies negras... Incluso en su propia casa. Su madre se había alisado el cabello desde mediados de los noventa, desde que se convirtió en decana de una pequeña universidad privada de Fairfield, y quizá fue cuando la Nella de nueve años dijo que quería empezar a hacerlo ella también, sin que sus padres pestañearan. Seguramente verían su deseo como algo inevitable. Como un rito de iniciación, incluso.

Su madre empezó a llevar a Nella consigo a sus citas en la peluquería de New Haven poco después de que comenzara sexto. Se sentaban juntas mientras les embadurnaban el cuero cabelludo con la adictiva crema de alisado, y leían números de *Essence* con años de antigüedad y novelas de Terry McMillan. Continuaron llevando a cabo este ritual juntas cada seis semanas hasta que Nella aprobó su examen de conducir y, gracias a su puesto como editora en el periódico del instituto, comenzó a cultivar algo parecido a una vida social activa. El Subaru Legacy de segunda mano que su tío le regaló por su dieciséis cumpleaños le concedió la habilidad de ir y venir a placer.

Y fue bueno que tuviera algún sitio al que ir, porque la vida tal como la conocía en casa se estaba deteriorando. Cada mes que pasaba, sus padres parecían preocuparse menos por fingir que disfrutaban de su matrimonio. Las cenas que en el pasado habían estado salpicadas por uno o dos cuchicheos acalorados se convirtieron en rencorosas guerras sin cuartel. Nella, que era hija única, hacía de árbitro, pero con poco éxito. Por mucho que lo intentara, no podía evitar que sus padres se divorciaran, como finalmente hicieron la semana después de que ella recibiera su diploma del instituto. Pero podía mantener la fachada de que, a pesar de ello, estaba Bien, y si mirabas su fotografía de bachillerato (toda dientes blancos, maquillaje, y un cabello negro, liso y brillante que se ondulaba apenas un poco en sus hombros), te lo creías. Esa chica iría a una universidad excepcional a kilómetros de distancia de su casa, donde haría algunos amigos negros, se enamoraría de un Buen Hombre Negro y conseguiría una licenciatura en Literatura Inglesa. Si la Universidad de Virginia le gustaba lo suficiente, se quedaría para hacer una segunda licenciatura, conseguiría trabajo como profesora en alguna universidad, se casaría con ese hombre negro, viajaría a todos los continentes con él y, cuando estuvieran listos, tendrían un par de niños.

Nella consiguió esa primera licenciatura, pero el resto de las cosas que habían estado planeadas para la chica de la fotografía no salieron como esperaba. Fue a un par de fiestas de fraternidades negras durante su primer año y descubrió que no eran para ella. No estaba dispuesta a saltar a través de todos los aros en llamas para que la eligieran, no le apetecía invertir ese tiempo, sin mencionar el dinero, para adquirir una nueva y no totalmente natural hermandad.

¿Debería haberse esforzado más en la universidad? A veces, cuando rememoraba esos días (en general, cuando Malaika reflexionaba sobre su época en Emory, pero sobre todo en momentos como ahora, mientras Hazel la miraba desconcertada ante su incapacidad para hacer trenzas de cordón), se atrevía a culpar a la persona que creía que era incluso más responsable que sus padres: ella misma. Debería haber seguido asistiendo a las reuniones de la Alianza de Estudiantes Negros y haber salido de su zona de confort más a menudo. Debería haber hecho su primera amiga negra antes. Entonces, habría descubierto las maravillas del cabello natural mucho antes de que el resto del mundo lo adoptara. Quizás habría iniciado su propia organización literaria para jóvenes negras en New Haven, o pasado más tiempo manifestándose en las calles en lugar de vagar por el Twitter negro buscando algo que compartir.

La lista de conjeturas, más larga que los brazos y las piernas oscuras de Nella juntos, incluía no solo su cabello, sino sus intereses amorosos. Si hubiera tenido amigos negros de niña, quizás habría tenido más de una cita con Marlon, un estudiante negro de la Universidad de Virginia que intentó ligar con ella mientras esperaban sus maletas después de conocerse en un avión durante las vacaciones de Navidad. Quizá se sentiría menos cohibida al darle la mano a Owen en los andenes del metro, porque sabría (aunque ese adolescente negro que la miraba de soslayo no lo supiera) que había sido cortejada y se había acostado con un hombre de su mismo linaje ancestral al menos una vez.

No fue hasta que inició una nueva vida en Nueva York (después de que tantos negros hubieran sido injustamente asesinados por la policía; después de empaparse de la obra de Huey Newton, Malcolm X y Frantz Fanon; después de ver lo extenso que podía ser el pasillo de productos para el cabello negro del Target de Brooklyn) cuando decidió cortarse el pelo alisado y esperar a ver qué ocurría. Resultó que le gustaba lo que había debajo. Lo que no le gustaba era cuánto había tardado en descubrirlo.

Nella buscó un modo de decirle a Hazel todo aquello antes de llegar a la planta decimotercera.

—Lo sé, es extraño. Nunca se me ha dado bien arreglarme el cabello. Es...

—Será más fácil cuando lo tengas más largo —le dijo Hazel con media sonrisa—. Y yo podría enseñarte algunos trucos. Me resistí a las trenzas durante un tiempo. También a los pañuelos. Pero cuando comencé a hacerme rastas, de repente tuvo sentido. Sobre todo, cuando hace mucho calor...

El juicio que Nella había creído ver en Hazel había desaparecido, y esos dolorosos recuerdos de los momentos en los que se quemó el cuero cabelludo para estar guapa se desvanecieron. Se relajó mientras algunas personas más salían del ascensor.

—¿Cuánto tiempo llevas con las rastas?

—Dios, deben ser como... ocho años. La mejor decisión que he tomado nunca.

—¿En serio?

—Joder, sí. Tienen *muy* poco mantenimiento.

—Apuesto a que sí. A veces estoy demasiado cansada para recogerme el cabello cada noche, ¿sabes? Pero con este pelo 4C... No puedes irte a dormir dejándolo suelto si no quieres que a la mañana siguiente sea un infierno.

—Oh, recuerdo ese infierno. Créeme —dijo Hazel—. Soy 4B casi por completo, pero en la nuca soy 4C.

Nella sonrió. Era emocionante tener una conversación así a plena luz del día en un edificio del centro. Solo quedaba una mujer con ellas en el ascensor, todavía apretada en la esquina más alejada aunque ya no era necesario. Una bolsa de Wagner colgaba también de su hombro, aunque su modelo era de 2012. Estaba en el equipo de Marketing Digital; Elena, creía que se llamaba, aunque quizá la estaba confundiendo con otra mujer de ese sector, de cabello castaño.

Nella observó mientras la posible Elena pasaba el pulgar por su teléfono, al parecer muy concentrada. No tenía auriculares, así que seguramente había oído toda su conversación. Miró atentamente la media melena lisa y castaño claro de la susodicha y se preguntó a cuántas charlas sobre cabello negro habría estado expuesta en su vida. ¿Estaría buscando en Google «trenza de cordón» y «4B»? ¿O le sería totalmente indiferente? ¿Sabría que aquella conversación no tenía nada que ver con ella y por tanto se sentiría demasiado apática como para involucrarse?

Las puertas del ascensor se abrieron en la planta decimotercera. La posible Elena lo abandonó, todavía concentrada en su teléfono. Pero, en lugar de seguirla, Hazel señaló a la derecha.

—¿Te parece si pasamos primero por la cocina? Quiero dejar mi almuerzo en el frigorífico.

—Oh. Uhm...

Señor, llegaba *muy* tarde. Pero no había *tanta* diferencia entre llegar cuarenta y cuatro o cuarenta y cinco minutos tarde, ¿verdad?

No, no la había. Nella decidió seguirla.

—De todos modos, la próxima vez que vayas a Clinton Hill, avísame —dijo Hazel, con paso demasiado pausado para el gusto de Nella—. Tú también vives en Brooklyn, ¿no?

—Sí. En Bay Ridge.

—En Bay Ridge, ¿eh? Debe ser raro vivir allí, ¿no? Es bastante...

El resto de su frase quedó en el aire mientras se cruzaban con un editor senior de Producción con un montón de páginas bajo el brazo, al parecer listo para echarle un rapapolvo a alguien (una descuidada asistente editorial, quizá).

—Bastante blanco, ¿verdad? —terminó Nella cuando estuvieron solas de nuevo—. Un poco, sí. No es mi barrio favorito, pero es prácticamente lo único que podemos permitirnos ahora.

—Oh. *¿Podemos?* —Hazel levantó las cejas mientras entraban en la cocina—. Déjame ver... a juzgar por tu tono, supongo que estamos hablando de un... ¿compañero de piso especial?

—¡Ja! Bueno, sí. Supongo que podríamos llamarlo así. Es mi...

—Ah, vives con tu amorcito, ¿no? ¡Qué monos! Bueno, entonces supongo que Bay Ridge fue idea *de él*. Porque... Bueno, hay un montón de otros sitios en Brooklyn que no son demencialmente caros. O demencialmente blancos. Y está Queens...

—Está bastante obsesionado con Bay Ridge —dijo Nella—. Tiene un extraño amor nostálgico por *Fiebre del sábado noche*, aunque la estrenaron mucho antes de que él naciera.

Hazel, que había estado trasteando en el frigorífico, sacó la cabeza por encima de la puerta para decir:

—Ah, entonces debe ser *italiano* —antes de desaparecer de nuevo.

—Un enorme veinticinco por ciento —dijo Nella con malicia—, aunque en realidad no es...

—¿Sabe de dónde viene en un *veinticinco por ciento*? Qué afortunado —indicó Hazel, cuando por fin encontró un espacio para su ensalada. Comenzaron a caminar hacia sus mesas—. Los novios blancos siempre son un error.

Nella levantó la mirada. ¿Estaba Hazel hablando por experiencia, o solo haciendo suposiciones?

—Si no te importa que te lo pregunte —comenzó—, ¿Manny es blan...?

—¡Ah! *Aquí* estás, Nella. *Por fin.*

Vera estaba junto al escritorio de Nella con un brillo maníaco en los ojos, las mejillas sonrosadas y las manos firmemente plantadas en sus caderas. Su sonrisa cortante sugería que estaba intentando no perder los nervios, y que llevaba un tiempo intentándolo.

—Hola, Hazel.

Hazel se sentó en su silla y murmuró un «hola».

—Siento llegar tarde —dijo Nella, buscando una excusa que no consiguió encontrar.

—Sí. La próxima vez, por favor, envíame un e-mail, un mensaje de texto, una señal de humo... Algo. Solo para que lo sepa. ¿De acuerdo? Gracias. Esta mañana ha sido *de locos*.

Nella estaba sin habla. Sí, *podría* haberle enviado un e-mail. Pero había llegado tarde a la oficina un puñado de veces en los dos años que llevaba trabajando allí (tanto razonable como irrazonablemente), y ninguna de las infracciones anteriores había provocado una confrontación tan ostentosa. Claro, Nella sabía que iba a llegar unos veinte minutos tarde cuando subió al tren, y cuando bajó de él, y cuando se detuvo en el vestíbulo para charlar con Hazel y con India. De nuevo lo había sabido en el ascensor, en algún momento entre la segunda y la tercera planta. Pero Vera normalmente pasaba la primera parte de la mañana en el interior de su despacho con la puerta cerrada, aprovechando ese momento para hacer todo lo que no podría hacer cuando la gente empezara a entrar y a salir de su despacho por todo tipo de motivos: pedir consejo editorial u opiniones sobre un nuevo diseño de portada; presentarle a nuevos empleados; darle a la sin hueso…

Esa mañana, sin embargo (por razones relacionadas con Colin, sospechaba Nella), la puerta de Vera estaba abierta. Y, en lo que a ella concernía, las opiniones que había expresado durante la conversación acerca de Shartricia estaban aún muy vivas y danzando en el aire entre ellas como pequeños demonios empecinados.

Quizá notando a los demonios ella también, Hazel (en el mismo susurro respetuoso que había usado para su «hola») ofreció una queja sobre el embarullado metro de Nueva York.

—Justo estábamos comentando que ambas hemos tenido problemas esta mañana; alguien se lanzó a las vías, creo. Mi tren estuvo parado bajo tierra durante más de veinte minutos.

Nella echó una mirada rápida al despacho a oscuras de Maisy. La única persona que podría reprender a Hazel por llegar tan tarde ni siquiera había llegado, pero ella la había ayudado de todos modos. Tomó nota mental para darle las gracias más tarde y añadió:

—El mío estuvo veinticinco minutos. En el túnel.

—En el túnel —repitió Vera.

—Sí… Sí. En el túnel.

La temperatura de Nella subió un par de grados, producto de la mentira que acababa de decir o de la expresión incrédula de Vera. De repente recordó que todavía llevaba el jersey, así que se lo quitó y lo dejó sobre su silla.

Vera se mordió el labio antes de romper el silencio.

—Muy bien.

No estaba muy bien, pero rápidamente le preguntó a Nella si podía imprimir dos copias de *Agujas y alfileres*. Después desapareció en su despacho y cerró la puerta.

Nella miró hacia la mesa de Hazel. Hazel le devolvió la mirada.

—Uf. ¿De qué iba *todo* eso?

Así que no se había enterado. Bien. Nella echó una mirada a la puerta de Vera para asegurarse de que estuviera totalmente cerrada. Después se acercó a la mesa de Hazel.

—Colin se puso como *loco* —susurró—. Se le fue la olla.

—¿*Qué*? ¿Por qué?

—Le dije la verdad sobre Shartricia. Decidí ser sincera, como hablamos en Nico's. Me acusó de llamarlo «racista». Justo como pensaba que lo haría.

—Bueno, ¿y lo *hiciste*?

—Por *supuesto* que no lo llamé «racista» —dijo Nella, ofendida porque Hazel creyera que ella había cometido un error tan cruel—. Pero tuvo la *sensación* de que lo hacía, y no puedo deshacer eso. No fue mi mejor momento, pero me disculpé cuando por fin regresó del baño.

Colin había vuelto al despacho de Vera unos veinte minutos después, de nuevo con la gorra, la mandíbula apretada y los ojos más que un poco enrojecidos. «Siento que hayas pensado que estaba llamándote "racista"», le dijo Nella, haciendo todo lo posible por mover la boca sin vomitar. Las palabras habían sonado vacías en su lengua, como si se estuviera disculpando ante un hombre por rociarlo con espray de pimienta después de que él la siguiera por una calle solitaria. Pero las dijo. Porque, al final del día, lo sentiría... Aunque por razones ligeramente distintas.

—Estuvo un rato fuera del despacho de Vera, ¿verdad? —le preguntó Hazel—. ¿Unos veinte minutos? Fue un montón de tiempo.

—Supongo que éramos dos las que lo estábamos contando —murmuró Nella—. Dios, estoy tan avergonzada.

Hazel se encogió de hombros.

—Noté el frío desde mi silla en el momento en el que abrió la puerta del despacho de Vera. Lo siento mucho, chica. Por lo que he oído...

—Espera. —Nella hizo una pausa—. Entonces, ¿sabías lo que ocurrió?

Hazel negó con la cabeza.

—A trozos, pero no todo. Yo estaba en mi propio mundo, haciendo algunas cosas para Maisy. Pero lo más importante, a juzgar por lo que *escuché* por casualidad, es que tú lo hiciste todo bien. No dejes que nadie te diga lo contrario.

Antes de que Nella pudiera disfrutar de esas palabras un momento más, la puerta de Vera se abrió de nuevo.

—Nella, ¿has iniciado sesión?

—Yo...

—Te envié algo de lo que había que encargarse de inmediato hace media hora y te lo he reenviado ahora mismo. Por favor, ¿podrías ponerte con ello? Ahora. Gracias.

Nella rodó hasta su mesa tan rápidamente como pudo, pero el cordón del zapato la traicionó en el momento exacto, insertándose en una de las ruedas y atascándola. La silla se movía desesperadamente lenta. Vera la observaba con una ceja levantada, pero no dijo nada. Exhaló y regresó a su despacho, cerrando la puerta más fuerte que antes.

El resto del día fue exactamente así: doloroso, cargado de un trasfondo que ni la editora ni la asistente tuvieron la determinación de reconocer. El «asunto urgente» del que Vera había pedido a Nella que se ocupara era preguntarle al jefe de redacción si quedaba tiempo para incluir la inicial del segundo nombre del autor en la sobrecubierta antes de que el libro saliera a imprenta. El despacho del jefe de redacción estaba a apenas diez segundos de la mesa de Vera.

Nella podía con aquello. Pero, por alguna razón, a pesar de su esfuerzo, todo lo que hacía terminaba saliendo terriblemente mal: se olvidaba de incluir al agente en un e-mail para un autor o amputaba por accidente la parte importante de un documento que había escaneado para Vera.

Nada de lo que hacía estaba bien. O, al menos, no *parecía* estar bien. ¿Estaba todo en su cabeza? Las frustraciones de Vera, aquellas tensiones, aquellos demonios de Colin Franklin. De vez en cuando dejaba de disculparse para preguntarse si no estaría simplemente proyectando su propia vergüenza. Pero entonces Vera terminaba una conversación con un *todo bien*, pronunciado en un tono que no era tan gélido como sus ojos, y Nella pensaba que sí, que algo había cambiado entre ellas.

Por el contrario, la relación de Nella con Hazel empezaba a florecer, aunque eran dos soldados en las trincheras. Hazel intentaba mantener a Nella a flote distrayéndola con cosas que no tenían relación con Wagner. Cuando Nella respondía a una de las quejas de Vera con: «¡¿He sido yo?! Lo siento», Hazel le enviaba por correo electrónico un GIF de Steve Urkel. Después de comer, le llevó una galleta de avellana y tres chocolates de la pastelería al otro lado de la calle que casualmente era su favorita. Y un par de horas después, sobre las tres de la tarde, le envió un enlace a Curl Central, «el café-peluquería genial» del que le había hablado en el ascensor.

La página web de Curl Central afirmaba que la tienda era «una exhaustiva meca para el cabello negro», y no mentía. En Curl Central realmente *había* de todo. No solo podías comprar pañuelos; podías asistir a un curso que te enseñaba a colocártelos de las maneras más complicadas. Había incluso una terapeuta capilar (la señorita Iesha B.) que, si ibas entre las cinco y las siete de los martes, se sentaba contigo durante media hora para contarte qué fallaba en tu rutina. Para aquellos que no tenían la suerte de vivir en Nueva York o que preferían una experiencia capilar más íntima, la señorita Iesha B. había escrito un pequeño manual que estaba disponible online por 9,99 dólares.

El dueño de la tienda había puesto mucho cuidado en proporcionar descripciones del aroma y de la textura de todos sus productos para el cabello, y había buscado modelos negras con todo tipo de rizos para mostrar la efectividad de cada uno de ellos. A Nella la fascinó cuánto tiempo y esfuerzo habían invertido en aquella página web, así que buscó la sección SOBRE NOSOTROS por curiosidad. La peluquería había sido fundada por Juanita Morejón, una atractiva y curvilínea mujer que tenía rizos 3C, un evidente aprecio por los tops cortos y un abundante amor por el tiempo que había pasado en su República Dominicana natal junto con Manny, su hermano pequeño.

Nella se detuvo. ¿Manny? ¿Como el... novio de Hazel?

Leyó la biografía de Juanita hasta el final, y después otra vez. Se sentía insegura, pero no sabía por qué. No era porque Hazel no le hubiera contado que Curl Central era la tienda de la hermana de su novio, aunque, teniendo en cuenta lo dispuesta que parecía a hablar de su vida personal, era raro que hubiera decidido guardarse eso.

Solo después de salir de la página web de Curl Central identificó el origen de la sensación: fue el descubrimiento de que el novio de Hazel no era blanco. Era dominicano. Dominicano *dominicano*. Vamos, que había nacido y vivido allí diez años antes de emigrar a Nueva York.

Nella pensó en aquel nuevo dato sobre su compañera. Aunque Hazel rezumaba Harlem como Spike rezumaba Brooklyn, algo en ella le había hecho suponer que también habría terminado con un tipo blanco, como Owen. Quizá fuera el simple hecho de que Hazel había vivido y trabajado en Boston durante mucho tiempo, lo que para Nella significaba que habría asistido a fiestas blancas similares a las que había frecuentado ella en el instituto y en la universidad. Y ahora, allí estaba Hazel, en Wagner, rodeada de blancos de nuevo.

Pero, claro... que Hazel fuera *capaz* de moverse por las esferas sociales blancas no significaba que *quisiera* hacerlo. Nella valoraba aquel rasgo.

—Me marcho, Nella.

Cuando levantó la mirada, Vera estaba junto a su cubículo, preparada y lista para irse a casa. La expresión tensa de antes afortunadamente se había relajado un poco, pero todavía no parecía haberla perdonado del todo. Era tarde, pasadas las siete, y las ganas de trabajar de Nella habían salido por la puerta con Hazel una hora antes. En ese momento estaba embarrada en un listículo titulado: «Diez famosos que no sabías que eran afrodominicanos».

La cerró con una mano y usó la otra para despedir a su jefa.

—¿Ya es hora de irse? ¡Vaya! ¡Que pases buena noche!

Vera respondió con un poco entusiasta *tú también* y caminó hacia los ascensores sin otra palabra.

Nella suspiró quizá por trigésima vez aquel día... aunque esta vez fue un suspiro de verdadero alivio. *Por fin* podría marcharse e ir a tomar algo con Malaika. Por fin podría desahogarse tras la explosión Shartricia, y por fin se quitaría la tensión en la que llevaba nadando casi nueve horas. Se levantó y empezó a reunir sus cosas, a tirar páginas que no necesitaría al día siguiente y a guardar las que sí.

Entonces vio el pequeño sobre blanco en la esquina más alejada de su mesa. Su nombre estaba pulcramente escrito en la parte delantera, mirándola en mayúsculas.

Al principio, Nella no se movió. Lo miró, confundida, como si algo raro tirara de los lóbulos de sus orejas. ¿Cuánto tiempo llevaba allí? ¿Una hora? ¿El día entero?

¿Era una carta de Vera, disculpándose por aquel día?

Se acercó el sobre a la cara para evaluarlo con mayor atención. Sí, era su nombre... escrito con un bolígrafo púrpura.

Hizo rotar sus hombros dos veces, un tic nervioso que no sabía que tenía. Su bolsa se deslizó desde su hombro hasta el suelo, pero no se movió para recogerla. En lugar de eso, miró con los ojos entornados la cosa misteriosa que tenía en las manos. No estaba segura de poder enfrentarse a lo que había en el interior del sobre, pero estaba incluso menos segura de poder seguir sin saberlo.

A la mierda.

Nella pasó el meñique bajo el adhesivo, angulando el dedo para evitar cortarse con el papel. En el interior había una tarjeta de no más de cinco por ocho centímetros, con cuatro palabras condenatorias impresas, paradójicamente, en Comic Sans.

MÁRCHATE DE WAGNER. YA.

Contó hasta tres, los números apenas audibles bajo el sonido de sus latidos. Después inhaló y echó una mirada sobre los cubículos para ver quién no se había marchado todavía a casa. No estaba segura de qué esperaba ver (¿alguien huyendo con una túnica con capucha blanca, o un preadolescente sádico que realmente creía que la Comic Sans era guay?), pero vio a Donald, el ayudante de Richard. Donald, que era demasiado tímido para pasarse a saludar a menos que necesitara algo; Donald, que movía la cabeza al ritmo de una música que solo él podía oír bajo unos auriculares Bose demasiado grandes que conectaban su redonda cabeza rapada con el discman junto a su codo izquierdo. Donald, que todavía *usaba* discman.

No era posible que Donald, cuyos e-mails siempre iban en Times New Roman de ocho puntos, usara la Comic Sans; no para intimidar, ni siquiera irónicamente. Nadie de Wagner lo haría. No tenía sentido.

Nella se sentó de nuevo en su silla con un escalofrío repentino que bajó por su garganta hasta su estómago, como si se hubiera tragado una poco saludable cantidad de helio. De nuevo examinó la tarjeta que tenía en la mano izquierda, y después el sobre de su derecha. Estaba tan perdida en sus pensamientos, dando vueltas a cómo era posible que no hubiera visto quién se la había dejado, que no se dio cuenta de que eran casi las ocho de la noche y de que el aire acondicionado había cambiado de su habitual zumbido sonoro al suave silbido de ahorro de energía de después del cierre.

Márchate de Wagner. Ya.

Le dio la vuelta a la nota, solo por si se le había pasado algo. Pero eso era todo lo que decía, así que leyó las palabras por segunda vez.

Y después, por tercera.

La cuarta vez que las leyó, una breve y profunda carcajada escapó de su vientre. No pudo evitarlo. No fue una de esas risotadas seguras de Olivia Pope. Ni de broma estaba pensando: *Ja, soy mejor que tú, desconocido mezquino y racista, porque esto no va a afectarme. Resurgiré de mis cenizas, escribiré un artículo de opinión sobre este momento y lamentarás el día en el que intentaste joderme.*

No. Fue más parecida a una sencilla risita de resignación: *¡Ja! Ya está. Siempre supe que este momento llegaría.* Pensó en Colin Franklin con su gorra arrugada; en el anciano negro que había recibido un disparo en

Carolina del Norte por echar mano a su audífono. En las palabras de Jesse Watson sobre ser un igual para tus colegas blancos: «Puede que pienses que les caes bien, y ellos te harán creer que es así. Pero no lo es. Nunca lo será. Tu presencia los hace temer su propia ausencia».

Ellos. Sí, siempre había habido un *ellos*, desde que empezó a trabajar en Wagner, ¿no es así?

Nella exhaló mientras volvía a guardar la nota en el sobre, decidida a tirarlo a la papelera y olvidarse de que lo había leído. Pero algo la detuvo: el deseo catártico de compartir su existencia con otra persona y la inherente necesidad de sobrevivir. Había visto todas las películas, todos los vídeos sobre acoso y racismo en la clase de Educación para la Salud. Lo que Nella tenía entre sus dedos sudorosos era una prueba, y lo sabía.

Shani

10 de julio de 2018
Barbería de Joe
Harlem, Nueva York

—Nombre.

Me tosí en el puño, con la garganta seca de repente a pesar de que la noche era más húmeda que nunca.

—Shani. Shani Edmonds.

El tipo de la puerta se apartó un instante de su teléfono para mirarme de arriba abajo. No me importó demasiado. Yo había hecho lo mismo que él cuando me detuve en la entrada de la barbería de Joe unos segundos antes, estudiándolo tanto como me permitía la sombra bajo el toldo del edificio. Le eché un buen vistazo, y debo decir que, aunque nunca había estado en Harlem, ese hombre tenía justo el aspecto que siempre había imaginado que tendrían los negros de Harlem: alto, oscuro y atractivo. El tipo de joven negro que me recordaba a los gallardos hombres de uniforme que salpicaban la colección de fotografías del ejército de mi abuelo. Anticuado, como de los años cuarenta, con la piel del color de la arena húmeda y una sonrisa amable que sugería que te llamaría «azúcar moreno» antes que «zorra».

No me llamó ninguna de esas cosas, pero sonreía ante lo que debía ser una expresión perpleja en mi cara.

—No estés nerviosa —me dijo, guardándose el teléfono en el bolsillo de atrás—. Aquí somos una familia. En cuanto entres... Bueno, lo verás.

—¿Familia?

A unos diez metros, en la esquina entre la 127 y Frederick Douglass, un coche aceleró el motor inútilmente. Pasé los cuarenta y cinco minutos de viaje en taxi buscando en Internet información sobre «Lynn Johnson» y «la Resistencia», y como el resto de las veces, no encontré nada. Aun así, ahí estaba, en mitad de la noche, en la barbería que se suponía cerrada de una ciudad desconocida.

Cambié el peso al otro pie y me subí la bolsa del hombro, intentando mostrar una confianza que no sentía.

—Eso está muy bien, aunque no estoy segura de qué tipo de familia se reúne a las tres de la madrugada.

Mis palabras le arrancaron una carcajada.

—Lo descubrirás en un momento. Adelante, Shani —dijo, ofreciéndome el puño—. Yo soy Will.

Sonreí, ansiosa por entrar donde esperaba que hubiera aire acondicionado. Pero antes de poner un pie dentro, algo hizo que me detuviera.

—¡Will! —gritó una mujer—. ¿Cuántas veces te lo he dicho? ¡La contraseña se pregunta antes de dejar entrar a la gente!

Will gruñó y se giró para susurrar algo inaudible a la oscuridad que se cernía a su espalda. Estiré el cuello, desesperada por descubrir con quién estaba hablando, pero las luces de Joe's estaban apagadas.

—Mierda —dijo la voz después de un momento—. También te ha visto la cara. Sabe cómo te llamas. Si fuera una OCN, esta operación se habría ido al traste. La Resistencia estaría *caput*.

Will exhaló a través de sus dientes perfectos.

—¿Caput? ¿Contraseñas? Todo esto suena demasiado...

—¿Cuántas veces tengo que decirte que no me importa cómo te suene? Mi deber es asegurarme de que no nos descubran, gilipollas, así que pregúntale la contraseña para que podamos seguir adelante.

Eso le puso una tenaza a la diversión de Will. Cuando volvió a mirarme, la amabilidad de sus ojos se había tornado irritación.

—Un asteroide está cayendo hacia la Tierra, amenazando con destruir a todos los negros excepto a uno —dijo sin expresión—. Ese hijo de puta afortunado podría ser Stacey Dash o Ben Carson. ¿A quién eliges salvar?

Mierda. ¿*Esa* era la contraseña? Negué con la cabeza y tiré de uno de los breteles del sujetador empapado en sudor.

—¿Cuánto tiempo tienes?

—Venga, piénsalo. ¿Qué te dice el instinto?

—El instinto me dice que no puedes hacerme esa pregunta cuando son las tres... —Comprobé mi reloj, molesta. No me había escabullido de la casa de mi tía en Queens en mitad de la noche solo para jugar al club secreto con un desconocido, por guapo que fuera—. Las tres y diez de la madrugada. Hace calor. ¿Eres tú, Lynn? —llamé al espacio que había detrás de Will—. Estoy aquí, tal como acordamos. Me he marchado de Boston. ¿Por qué tengo que hacer todo esto?

La voz no contestó. Lo hizo Will.

—Yo no haría eso. Seguramente es mejor que contestes a la pregunta.

—Pero hay demasiadas cosas que tendría que tener en cuenta. No puedo solo...

—¡*¿Ves?!* —gritó Will, con la voz llena de reivindicación mientras se giraba para dirigirse a la persona a su espalda. Pero, como la voz no respondió, se encogió de hombros, volvió a ajustarse el gorro y me gruñó—: Es obligatorio.

Suspirando, intenté sopesar qué sería peor. Era difícil dirimir una respuesta con ese motor herrumbroso renqueando y renqueando de fondo, pero después de un momento conseguí poner en orden mis ideas.

—Ben —dije al final—. Ambos son horribles, y ha dicho algunas tonterías tremendas, pero al menos podría salvar la vida de alguien. Supongo.

—Bien. —Will se rio, de nuevo relajado. Se giró—. ¿Vale?

Hubo una pausa.

—Sí —dijo la voz—. Vale.

Mis pies empezaron a moverse antes de que mi corazón tuviera tiempo de volver a aletear.

—Nada de luces hasta que hayamos subido —oí decir a la mujer, esta vez más alto, más relajada—. Pero, por ahora, te vendrá bien esto.

Una linterna se encendió a unos metros por delante de mí.

—¿Lynn? —la llamé de nuevo, mirando el rayo de luz y parpadeando.

—Hablaremos arriba. Vamos. Sígueme.

Me estremecí e hice lo que me dijo, incluso tras darme cuenta de que alguien (Will, seguramente), me había puesto las manos en los hombros para guiarme. Todo estaba oscuro, casi negro, así que dejé que me empujara hacia delante, forzando mis ojos para detectar cadenas colgando del techo o tiras sospechosas de carne seca junto a los zócalos, cualquier cosa que me confirmara que me habían llevado allí engañada.

Pero no necesitaba ver para saberlo. No solo me habían engañado: aquello era una *locura*.

¿Qué era lo que solía decirse? ¿Que nadie busca a las chicas negras desaparecidas?

—Vamos, Shani —susurró Will, y sus palabras interrumpieron mis preocupaciones. La calidez de su aliento en mi oreja me recordó que eran las tres de la mañana y que un hombre atractivo me tenía agarrada del brazo en una extraña y fría barbería. Un bondadoso tipo de Harlem que olía un montón a jabón Dial y a Listerine.

Dejé que me guiara lentamente tras la sombra que iluminaba nuestro camino.

—Por cierto —añadió, y su tono sugería que a menudo disfrutaba diciendo lo que estaba a punto de decir—, la respuesta correcta a mi pregunta era que no tenías que salvar a ninguno de ellos. Hay que usar el asteroide como una oportunidad para empezar de nuevo. Pero casi nadie responde correctamente, así que no pasa nada.

7

30 de agosto de 2018

Nella abrió los ojos, miró el reloj despertador y gimió. Solo eran las cinco de la madrugada; se había dormido alrededor de la una.

Se giró para mirar a Owen, notó lo sumido que estaba en el sueño y pronto se volteó hacia el lado contrario, celosa. Pero el giro solo sirvió para que se le revolviera más el estómago. También para recordarle cuánto había bebido la noche anterior... y la razón por la que lo había hecho, para empezar.

Las palabras «Márchate de Wagner» atravesaron su cerebro, haciéndose cada vez más grandes y resonando más y más hasta que su subconsciente comenzó a repetírselas en distintos géneros: country, rap, polka, y después (quizás el más cruel de todos) jazz. Se sentía tan mal que, unos tres minutos después de las cinco, se levantó de la cama para recomponerse.

Había estado oyendo aquella tortuosa canción desde que se marchó de Wagner menos de doce horas antes. Durante todo el viaje en tren entre Wagner y McKinley's había estado convencida de que todo el mundo la miraba. ¿La estaban vigilando? ¿La seguían? ¿El hombre de pie junto a la puerta estaba mirándola porque quería golpearla y quitarle la cartera, o porque no le gustaba la idea de que hubiera negros trabajando en Wagner? ¿Tenía un hijo al que le habían negado las prácticas en Wagner año tras año y había decidido hacérselo pagar a la única persona a la que creía que nadie echaría de menos?

Cada nuevo desconocido hacía que el peso sobre sus hombros fuera mayor, hasta el punto de que, cuando el segurata de McKinley's le pidió la documentación, saludó a un habitual y se dirigió al bar, ya había desenterrado el sobre de su bolso. Y tan pronto como se encontró con Malaika, lo soltó en la mesa como una barra de dinamita que ya no podía seguir sosteniendo.

—¿Qué es *esto*? —le preguntó Malaika, tomando el sobre y levantándolo a la tenue luz del bar, como si eso sirviera de algo.

Nella indicó a Rafael que le pusiera lo de siempre.

—¿No has leído ninguno de mis mensajes? Por Dios.

—¿Qué? Oh, lo siento. Creí que sabías que normalmente tengo la mano demasiado dentro del culo de Igor como para preocuparme por las inquietudes de mi gente —dijo Malaika, levantando las cejas con burla—. ¿Qué es esto? ¿Una invitación de boda o algo así? —Contuvo el aliento de repente, agarrándose el corazón—. ¿Es tu invitación de boda?

Nella frunció el ceño mientras miraba el cóctel de bourbon que Malaika estaba a punto de terminarse.

—Mal, ¿cuántos de esos te has tomado?

—Este podría ser el tercero. Igor ha dejado que me fuera temprano hoy porque quería que pasara por la tintorería antes de que cerrara. Así que pensé, ¿qué demonios?

—*Oh*, vale. —Por un momento, Nella se preguntó (y no por primera vez) si Malaika y ella deberían empezar a pensar en citarse en una heladería en lugar de en un bar. El momento pasó rápidamente, como siempre—. Ábrelo. Por favor.

Malaika levantó su bebida y se la terminó en un trago largo y lento, como una mujer a punto de hacer algo extremadamente peligroso. La soltó, se secó la humedad sobre el labio y se dispuso a abrir el sobre.

Y, extrañamente, le costó. La solapa superior había vuelto a pegarse y, para exasperación de Nella, Malaika tardó mucho más en abrirla de lo que debería. Pero su reacción a lo que había en el interior fue suficientemente satisfactoria como para compensar el retraso: lanzó el sobre al suelo tan rápidamente como hubiera tirado un tampón usado.

—Qué demonios —dijo una vez, y luego otra, mientras recuperaba la nota del suelo—. ¿De dónde ha salido esto?

—No tengo ni puñetera idea.

Nella dio las gracias por su spritz Aperol a un Rafael de aspecto preocupado. Estaba claro que quería quedarse por allí y enterarse de qué había provocado una reacción tan visceral en Malaika, pero otra pareja había empezado a colocar sus chaquetas en los taburetes a pocos asientos de allí. Inclinó la cabeza modestamente ante Nella, su cabello rubio arena cayó sobre su rostro y corrió para recibirlos con alegría.

—Ha aparecido... en mi mesa, hoy. Al final, muy al final del día.

—¿Y no tienes ni idea de quién podría haberlo dejado?

—No.

—¿Y no tienes ni idea de cuándo podrían haberlo dejado?

—Mi mesa siempre está llena de papeles, así que... No. Podría haber sido en cualquier momento del día. —Nella tomó un buen sorbo de su bebida y la bofetada de amargor despejó un poco sus ideas.

—Uhm. —Malaika se mordió el labio—. ¿Podría ser un autor cabreado?

La idea se le había pasado por la mente durante el trayecto, pero la había descartado casi con la misma rapidez. El desprecio de Colin por su opinión sobre su personaje negro de ninguna manera habría sobrepasado a su deseo de recibir su siguiente pago por *Agujas y alfileres*. Ese hombre quizá tuviera un ego frágil y una autoestima delicada, pero no era idiota.

—Es curioso que lo digas. Cierto autor cabreado se me pasó por la mente de camino aquí... pero es imposible.

—¡¿Quién?!

—Colin. Ayer se volvió *loco* —le explicó Nella—. Le conté lo que opinaba sobre Shar, pero esa es una historia para la que necesito otra copa.

Malaika frunció el ceño, preocupada.

—Mierda. ¿En serio?

—Sí. Pero es imposible que pensara siquiera en hacer algo así. Sería un culpable demasiado evidente, sobre todo al tener un historial de acoso.

—*¿Acoso?* —Malaika resopló—. ¿Tú te estás oyendo?

—Ocurrió hace *años*, y al parecer Richard metió a Colin en cintura cuando los tabloides se enteraron. Colin se ha comportado bien desde entonces. Más o menos.

Malaika suspiró.

—De acuerdo. Quizá no haya sido *él*. Pero ¿y Vera?

Nella casi se derramó su bebida encima.

—¿No creerás…?

—Bueno, todavía no me has contado nada, pero imagino que Vera se habrá enfadado mucho por lo de Colin.

—Sí, pero… sería muy obvio que hiciera algo así. Vera no es *tan* estúpida, ni tan mezquina.

Malaika le echó su mirada favorita de *¿En serio?*

—He visto las películas de sobremesa de Lifetime Movie Network. Sé cómo funcionan las mujeres blancas ansiosas de poder. Hacen lo que sea necesario para llegar a la cima, sin escrúpulos. Y cuando están en la cima, puedes apostar el culo a que hacen lo que sea necesario para mantenerse allí. Robar un bebé, cortar en pedacitos al perro de alguien. *Cosas malvadas.*

—Te refieres a *algunas* de ellas. No a todas. Además —añadió Nella, mientras la imagen de una turbada Vera con un cúter y cinta de embalar atravesaba su mente—, si Vera de *verdad* quisiera despedirme, ya lo habría hecho. Lleva en Wagner el tiempo suficiente como para poder hacerlo.

Malaika resopló.

—Tú y *yo* sabemos que no es tan sencillo. —Tomó el sobre de nuevo y releyó la nota en voz alta, como habría leído un libro del doctor Seuss—. «Márchate de Wagner. Ya». Si esto no es un delito de odio, yo ya no sé nada.

—Sería un delito de odio si dijera «Márchate de Wagner ya, negra de mierda».

—Oh… pero lo *dice*.

Nella echó mano al papel.

—¿Sí?

—No lo dice literalmente, pero lo *dice*. Mira, chica —continuó cuando Nella puso los ojos en blanco—. Eres *negra*. El hecho de que eres negra colorea todo lo que alguien pueda decirte… Y nunca mejor dicho —añadió, antes de que lo hiciera Nella—. Lo admitan o no.

—Sé a qué te refieres. Y tienes razón, en cierto sentido. Pero…

—Y con el artículo anónimo que se publicó el mes pasado, el de la chica negra que trabajaba en un espacio blanco… ¿No me contaste que tu amiguísima Sophie te acusó de haberlo escrito? —Malaika contuvo la respiración, agarrándose el pecho—. ¿Y si creen que lo escribiste tú y están intentando que te delates?

—Te dije que estaban pirados, no que fueran de la KGB.

—A ver… Quizá no, pero ¿recuerdas cuando Vera te dijo que te relajaras con todo eso de *soy negra y estoy orgullosa*?

—Sí, pero fue diferente. Y planeo empezar con ese rollo de nuevo, por cierto —añadió Nella, aunque la idea de resucitar las reuniones de diversidad de Wagner le parecía tan atractiva como acercar el pelo a la vela encendida más cercana—. Es solo que… Nunca me había pasado algo así antes, ¿sabes? Sé que voy a sonar como una de esas locas que se niegan a aceptar la verdad, pero…

—Sí, es tu estilo habitual.

—… pero durante el tiempo que he estado en Wagner, nadie ha sido nunca intencionadamente racista conmigo. Al menos, nada que fuera más allá de algunas microagresiones. Créeme; de lo contrario, tú lo sabrías.

Nella no estaba mintiendo para sentirse mejor. Era la verdad. Si le preguntaran cuánto le dolía ser la única negra de la estancia, la respuesta variaría dependiendo del día. Le molestaba que hubiera momentos en los que nadie la entendía y tenía que explicarlo, como la gravedad de la crisis nerviosa de Kanye o la importancia de ver a mujeres negras usando pañuelos para protegerse el cabello en *Girls Trip*. Y, no, Nella no había leído todos los Libros Negros Importantes (había empezado *Ojos azules* al menos cinco veces y nunca había pasado del primer capítulo), así que no podía hablar de este o aquel escritor negro novel comparándolo con Toni Morrison en sus inicios.

Pero mentiría si no admitiera que, en su interior, una pequeña parte de ella estaba orgullosa de lo distinto (*radicalmente* distinto, se atrevería a decir) que era su punto de vista sobre el mundo comparado con el de sus compañeros de Wagner Books. No, de *todo* el mundo editorial. Puede que no hubiera tenido suerte en lograr que sus colegas contrataran a más gente fuera de su demografía habitual, pero al menos ella había conseguido meter pie. Había podido hacer que la gente pensara sobre los asuntos raciales, aunque no se dieran cuenta de ello, sencillamente estando presente en las reuniones o siendo amigable en la cocina.

E incluso en una parte más pequeña y oculta de ella (a miles de metros más allá de su último pensamiento, nadando en las profundidades de un lugar que podríamos llamar «orgullo»), cabía la sospecha de que muchos de sus colegas de Wagner, Vera incluida, la miraban con cierta reverencia. Con admiración. *Piensa en cuánto ha tenido que luchar para llegar hasta aquí,* los imaginaba diciéndose a puertas cerradas cuando consideraban las universidades famosas y las prácticas en editoriales que faltaban en su currículo. Ella no venía de una larga estirpe dedicada al negocio editorial. Ella había tenido que abrirse paso a codazos en la refriega, no hacía falta decirlo.

—Aunque fuera cierto que *nunca* nadie ha sido intencionadamente racista contigo —dijo Malaika, interrumpiendo sus pensamientos—, hablemos de hechos. Primero: eres *negra*. Segundo: eres negra. Tercero: ¿cuánta gente ha recibido una nota así en Wagner? ¿En toda su *historia*? Estos son hechos, amiga mía. Hechos incontestables.

Nella permaneció en silencio. Cuando Malaika bebía y se ponía realista, la adoraba y la odiaba a partes iguales, y eso normalmente ocurría sobre las nueve y siempre después de dos copas sin comer nada.

—Oh, pero espera, espera, espera —chilló Malaika, casi ahogándose con un cubito de hielo—. Cuarto: ¡tú ya no eres la única! Me olvidé de la otra chica negra. ¿Cómo se llamaba?

—Claro. Hazel. —Nella todavía se olvidaba a veces de que Wagner ya no era totalmente blanco, quizá porque Hazel y ella parecían extensiones la una de la otra, dos caras de la misma moneda—. Debería haber comprobado su mesa antes de marcharme para saber si ella también ha recibido una.

Buscó un recuerdo del aspecto que había tenido su compañera cuando se marchó de la oficina, intentando tamizar los sucesos de aquel día respecto de los anteriores, pero lo único que consiguió fue ver los muchos tonos de la perturbada Vera: Vera dando golpecitos con su zapato negro y caro; Vera cerniéndose sobre su mesa; Vera frunciendo el ceño, siempre frunciendo el ceño. Hazel tenía que haberse marchado sin que ella lo notara.

—Quizá... —Malaika abrió los ojos con sorpresa. Nella sabía que aquello le encantaba.

—¿Quizá qué?

—Quizá... fue *Hazel* quien la dejó.

—¿Qué? Eso es absurdo. Hoy me envió un GIF de *Cosas de casa*. ¿Por qué dices eso?

Malaika lo sopesó.

—No —dijo al final—, tienes razón. Tu vecina no habría sido tan sutil, si quisiera que te marcharas. Además, *tú* hiciste todo el trabajo sucio. Tú domaste a todos esos blancos de Wagner. Has estado instruyéndolos para que no dijeran tonterías en las reuniones durante dos años enteros. Ella no lo haría...

Nella descartó la idea.

—Ella no lo haría.

Pero la idea de que Hazel hubiera dejado la carta clavó sus garras en el cuello de Nella, hundiéndose mientras terminaba su primera bebida e incluso más profundamente cuando acabó la segunda. Con la tercera, cuando Malaika le preguntó si había buscado en Facebook a su nueva compañera, prácticamente corrió a sacar su teléfono móvil del bolso, entusiasmada ante la idea de volver a hablar sobre el tema. El fructífero asunto que acababan de abandonar (si *Los chicos del barrio* podía ser adaptado al musical) se había agotado.

—Se llama Hazel McCall —dijo Nella, introduciendo el nombre en la barra de búsqueda.

—No puedo creer que no hubiéramos hecho esto todavía. ¿Por qué no habíamos hecho esto todavía?

—No lo sé. Hoy estuve en la página web de la peluquería de la hermana de su novio, pero no busqué nada más porque Vera estaba vigilándome como un perro.

—¿Qué peluquería?

—Te la enseñaré más tarde, pero sin duda deberíamos pasar por allí. —Nella bajó por la pantalla, frustrada—. Vaya, ¡quién habría imaginado que había tantas Hazel McCall!

—¿En serio? Es sorprendente. Pospón eso de la peluquería para un futuro muy cercano, por cierto.

—¿Sabes qué? —Nella se bebió el resto de su copa y después tocó la pantalla un par de veces—. Tiene un nombre compuesto. Algo parecido a Hazel-Anne, o Hazel-Sue... ¡Hazel-May! Eso era. —Lo introdujo mientras Malaika gruñía algo sobre cuán rural sonaba el nombre de Hazel.

Esta vez solo apareció una persona en la zona de Brooklyn. Nella reconoció a su compañera de inmediato, aunque su fotografía de perfil la mostraba con un elegante vestido verde jade y tanto maquillaje como el de una modelo.

—¡Vaya vestido! —gritó Malaika—. ¡Y vaya *hombre*! ¿Perdona? ¿Quién es este tipo?

Nella apenas había mirado al hombre atractivo con el esmoquin verde bosque antes de que Malaika le quitara el teléfono, pero sabía que se refería a Manny. Nella entendía por qué. Normalmente pensaba que un esmoquin en cualquier color que no fuera negro o azul marino era vulgar, pero aquel verde resaltaba su tez terracota tan bien, que Nella no podía negar que había sido una opción inteligente. Su largo y ondulado cabello oscuro encuadraba su rostro a la perfección, y su sonrisa era incluso más deslumbrante que la de Hazel.

Qué guapos... No, qué *impresionantes* estaban juntos, esta joven y atractiva pareja mostrando tonos no tradicionales. Nella se preguntó qué sería necesario para meter a Owen en un traje tan elegante. Seguramente mucho. Seguramente demasiado.

—Ese es Manny. Su novio. Es dominicano —añadió Nella, como si de verdad lo conociera, como si Malaika se lo hubiera preguntado.

Su amiga soltó un *ooh* en respuesta, como si acabaran de contarle un secreto del universo.

Nella siguió mirando el Facebook de Hazel, examinando sus últimas publicaciones y cotilleando las fotografías en las que la habían etiquetado hacía poco. Tres días antes había subido una foto rodeada por cuatro chicas negras. Todas llevaban la misma camiseta violeta, con un logo demasiado pequeño para que Nella lo distinguiera. Parecían tener dieciséis o diecisiete años y rodeaban con los brazos a Hazel, que estaba justo en el centro, sonriendo tanto que sus pupilas no eran visibles.

Nella ignoró los comentarios (a menudo se veía arrastrada por las conversaciones más mundanas) y pasó a la siguiente fotografía. En esta, Hazel miraba directamente a la cámara y tenía una enorme pancarta que decía RESPETA A LAS MUJERES NEGRAS.

La última que miró era de Hazel sobre un escenario, bañada por una suave iluminación rosa, con un micrófono en la mano y las rastas recogidas en la cabeza. Recordaba vagamente que Hazel le había contado que había ido a D. C. no hacía mucho para un recital poético de mujeres negras.

—Orienta a jóvenes negras… Acude a recitales de poesía… Hace pancartas en mayúsculas… Sospechoso, sin duda —bromeó Malaika—. Oye, espera un momento. —Levantó una mano—. ¿Has dicho que su novio se llama Manny?

—Sí. —Nella seguía mirando la fotografía de Hazel, comparando las letras en mayúscula de su pancarta con las mayúsculas del sobre misterioso que había recibido—. ¿Por qué?

Malaika tomó su teléfono de nuevo, casi cayéndose de la silla.

—Me suena mucho su cara —dijo, golpeando la cara de Manny con el pulgar.

—¿Sí? Rafael, cuando tengas un momento, ¿podrías…?

Nella señaló sus vasos de agua vacíos. Que Malaika hubiera estado a punto de caerse le recordó que beber tanto exigía hidratación, sobre todo entre semana.

—Os traeré dos.

—Tú eres mi primero, mi último, ¡mi todo! Dios te bendiga —le dijo Malaika, sin levantar la vista de la foto—. Sé que he visto a este tipo antes, en alguna parte. ¿Sabes a qué se dedica?

—Creo que es artista o algo así. Pintó un precioso retrato de Zora Neale Hurston y se lo puso a Hazel en una taza por su aniversario.

Malaika golpeó la mesa con la palma.

—¡Lo sabía! Lo vi en *Melanin Monthly* el año pasado, creo, en una de esas listas de «Artistas a los que tener en cuenta». Es… no sé, como el Andy Warhol de nuestra generación. Warhol después de conocer a Basquiat. Son sus palabras, no las mías, te lo prometo.

Malaika desbloqueó su teléfono y entró en Instagram. En menos de cinco segundos estaba en el mosaico de cuadraditos diminutos que formaba la página de Manny. «Art + BK», decía; una descripción breve y fría, pensó Nella, para un perfil que tenía casi cien mil seguidores y más de trescientas publicaciones.

Lo examinó. Incluso en miniatura, Nella pudo ver que casi todas las obras de arte que Manny había publicado tenían un estilo fresco y sutil, similar al del retrato de Zora Neale Hurston que había visto, y estaban disponibles no solo en tazas sino también en camisetas, bolsas, pins e imanes.

No había una sola ilustración que Nella no pudiera imaginarse comprando, para ella o como regalo para otro; todas eran especiales. Hazel quizás había repetido demasiado que tenía novio, pensó mientras ampliaba una increíble pintura impresionista de una púrpura Althea Gibson, pero sin duda había repetido demasiado poco lo impresionante que dicho novio era en realidad.

¿Qué más escondía?

Nella bajó dos o tres hileras más de publicaciones, esperando encontrar nuevos detalles sobre Hazel, pero no halló nada y le devolvió el teléfono a su amiga.

—Manny parece bastante guay.

Malaika dejó el teléfono donde estaba.

—¿Y *bien*?

—Y bien, ¿qué?

—¿Todavía crees que Hazel te dejó esa nota?

Nella suspiró. No sabía qué decir. Solo sabía qué sentir: que le parecía injusto señalar a la única chica negra con la que trabajaba. Las palabras «mal karma» resonaron en su cerebro, seguidas de «mentalidad de cangrejo», dichas no por Angela Davis esta vez, sino por su madre. Era algo que su padre despreciaba pero que su madre siempre tenía a mano, una expresión tan relajante como una meditación y tan práctica como la llave de una casa. Nella solía ponerse del lado de su padre, y se mantenía en un punto poco controvertido y despreocupado.

Pero si había una cosa que empezaba a comprender, era que aquellos rasgos no le eran de utilidad en el mundo real.

Cuando por fin salió de la cama, buscó unos pantalones y se puso el primer jersey limpio que encontró, con movimientos tan felinos como le fue posible. Se dirigió al baño para terminar de arreglarse y las brillantes bombillas sobre el espejo despertaron sus nervios del todo.

Cualquier otro día, lo que vio en el espejo la habría alarmado: había pelo por todas partes y no en el buen sentido. Había estado tan desesperada por irse a la cama la noche anterior que no se había trenzado los rizos y ni siquiera se había puesto el pañuelo para dormir. Pero no perdió tiempo mirando su desastre capilar mientras se lo recogía en un pequeño moño, antes de cepillarse los dientes y lavarse la cara. No se molestó en hacer café o en preparar gachas. Se puso los zapatos, preparó su bolsa y salió a la sofocante mañana de verano.

Algo la atraía hacia su cubículo en Wagner. No sabía exactamente qué era ese algo. Solo sabía que había provocado que prácticamente corriera hacia la pequeña y confundida mujer que estaba tardando demasiado en sacar su tarjeta de metro de la cartera. Y que, cuando llegó el momento de atravesar el vestíbulo de Wagner, alrededor de las siete menos cuarto, demasiado temprano para que hubieran llegado incluso los editores más diligentes, tropezó y casi se fue de bruces.

En lugar de eso, la siempre elegante Nella cayó sobre sus manos.

—¡Mierda! —escupió, inhalando una vaharada rancia proveniente de la andrajosa alfombra de bienvenida antes de levantarse. Qué humillante. Pero, por suerte, ningún otro empleado de Wagner la había visto caerse o maldecir tan audiblemente.

A menos…

Nella se giró rápidamente. Buscó a cualquier desconocido a la vista, con y sin sábanas blancas. No había ni un alma por allí, solo India en el mostrador de recepción.

Se dirigió a los ascensores buscando sin aliento su tarjeta de trabajadora, lista para explicar por qué estaba allí tan temprano. Pero, mientras se acercaba, India no alzó la cabeza como solía hacerlo.

—India. Hola, ¿qué tal? ¿Lo pasaste bien ayer en tu cumpleaños?

India levantó los ojos de su revista, parecía sorprendida por la intrusión. Quizá incluso un poco perpleja.

—Oh. Hola, Nella —dijo, con un toque de desgana—. ¿Qué has dicho?

—Te… Te he preguntado si lo pasaste bien en tu cumpleaños.

—Oh. Sí, muy bien. Gracias.

Volvió a mirar su revista.

Nella sintió que se le hacía un nudo en la garganta. *¿Ya está?*, se preguntó mientras entraba en el ascensor y presionaba el número 13. Las puertas metálicas se cerraron ante ella a una velocidad insoportablemente lenta, concediéndole una última y larga mirada de la mujer que le había dado una bienvenida tan gélida.

Las plantas pasaron ante ella mientras repasaba el saludo de India una y otra vez en su mente. Algo había cambiado; la mirada que había echado a Nella encajaba con la que dedicaba a casi todos sus compañeros blancos.

Hazel había hablado con India en tres semanas más de lo que Nella lo había hecho en los últimos dos años. ¿Era posible que la amabilidad de Hazel hubiera provocado que India agrupara a Nella con todos los demás? ¿India y Hazel habían ideado todo aquello de la nota para gastarle algún tipo de broma rara? India *tenía* muchos contactos en el edificio. Sabía dónde estaban todas las entradas secretas... Y seguramente tenía acceso ilimitado a sobres y a bolígrafos violeta.

Pero ¿por qué?

Nella exhaló, y después inhaló. No. *No.* Estaba dándole *demasiadas* vueltas. Al final, los nervios que le había provocado aquella temible nota estaban deformando su percepción del mundo. *A India no le pasaba nada. Has llegado a la oficina antes que todos los demás y la chica no esperaba tener que hacer la danza de la bienvenida tan temprano. ¿Cómo te sentirías tú si tuvieras que sonreír a mil personas al día?*

La lógica solo le sirvió durante algunas plantas. Pensar sobre ello estaba amalgamándolo todo, convirtiéndolo en una plasta; cuando las puertas se abrieron en la planta decimotercera, las palabras «Oh, hola, Nella» se habían unido a las palabras «Márchate de Wagner». Ahora todo se reproducía en su mente en un bucle desagradable, una advertencia de no sabía qué.

Nella escudriñó cada mesa vacía al pasar de camino a la suya. Se alegraba de haber salido de los confines del ascensor, pero no podía decir que se alegrara de estar de nuevo en la oficina. Aquello era lo que había creído que quería: regresar a la escena del crimen, explorar los alrededores sin que la molestaran. Pero, ahora, todo en Wagner se veía distinto. La brillante iluminación de hospital parecía más clínica que nunca. Y el aire acondicionado todavía no estaba activado.

Dejó sus cosas en su silla y encendió su ordenador antes de acercarse al cubículo de Hazel, sorprendida por lo que vio allí. Nunca antes se había fijado en lo despejada y organizada que estaba la mesa de su vecina. Todo tenía su lugar: a la izquierda del teclado había dos montones, uno etiquetado *Por hacer*, y el otro, *Consultar con Maisy*. El material de oficina de Hazel estaba alineado a lo largo de la pared del fondo: los tarros de gomas y chinchetas a un lado; las cajas de grapas y clips, al otro. Y en la esquina más alejada había un tarro de cristal con fluorescentes, lápices y bolígrafos.

Bolígrafos negros. Uno rojo. Dos azules. Ninguno violeta.

Apaciguada, Nella regresó a su cubículo, se sentó y cerró los ojos. En lugar de oscuridad, vio imágenes del día anterior. Gente. Todas sus interacciones habían sido buenas: con el equipo de Producción, con los publicistas, con el resto de los ayudantes. Y Hazel... había sido incluso más amistosa con ella. Le había enviado varios GIF y el enlace de una estupenda peluquería negra en Brooklyn. Había intentado distraerla de la quisquillosa de Vera.

Si se paraba a pensarlo, la única persona de la oficina que había tenido algún problema con ella había sido Vera. Dios, qué severa había sido. Qué injusta. Solo porque había sido sincera sobre Shartricia y porque había llegado tarde a trabajar una única vez... Esas cosas no la convertían en una mala asistente. Ella sabía reconocer a una mala asistente. Sin *duda*. Lo único que tenía que hacer era mirar a su alrededor cuando el resto de los editores se marchaban a almorzar. Los asistentes se distraían con facilidad. No ponían ganas. Eran negligentes.

Negligentes.

Nella abrió los ojos aún más de lo que habían estado horas antes, en la cama. Había olvidado algo. No una pista sobre la nota sino una tarea de Vera: tenía que haber modificado la copia online para que encajara con una audiencia más joven. Quizás *esa* fuera la verdadera razón por la que había sentido la necesidad de ir a trabajar tan pronto. No sería la primera vez que su subconsciente estaba más pendiente que ella.

Sin tantos humos, Nella tamborileó la mesa con los dedos mientras buscaba en su ordenador el archivo de Word original y pulsaba IMPRIMIR. La impresora al otro lado de la pared escupió la página de inmediato. Nella miró la máquina, sorprendida por su sonido. Normalmente, a primera hora de la mañana, la máquina tardaba casi noventa segundos en salir de suspensión.

Tomó la página y regresó a su mesa. Solo después de llegar a su silla, se dio cuenta de que tenía dos folios en la mano, y no uno. Dejó su documento sobre la silla y se dirigió a la impresora para dejar el otro para su dueño legítimo.

Era una cortesía habitual. Nella prefería este método a intentar descubrir de quién era leyendo el contenido o haciendo lo que siempre hacía Bridget, que era pasearse por la oficina agitando la página en el aire como un par de bragas perdidas.

Y, aun así, sola en la oficina vacía, Nella rompió el protocolo y echó una mirada desvergonzada a lo que había tomado por error. Lo que vio hizo que se detuviera en seco justo cuando doblaba la esquina.

Era una lista. Una hoja de cálculo, en realidad. Parecía oficial, como si la hubieran creado usando el software que los editores de Wagner usaban para organizar los libros en los que estaban trabajando... Aunque lo que había en la columna izquierda no eran títulos de libros.

Aaliyah H.
Ayanna P.
Camille P.
Ebonee J.
Jada A.
Jazmin S.
Kiara T.
Nia W.

Eran nombres. Y, a continuación, en la columna del centro, había fechas. Y en la siguiente, a la derecha, había una lista de ciudades. Bueno, sobre todo una ciudad: Nueva York, Nueva York, Nueva York, todo el rato. Solo Camille P., de Missoula, se atrevía a romper el patrón.

Nella examinó la lista de nuevo. Al diablo con Missoula; aquellos nombres tenían que pertenecer a mujeres negras.

Qué raro.

Y entonces se sintió esperanzada de repente mientras volvía a dejarla en la impresora. *¿Sería una lista de candidatas a contratar?* Se puso de puntillas y confirmó que la luz del despacho de Richard estaba encendida.

—¿Qué estás *haciendo*, Nella?

Nella se sobresaltó al oír su nombre. Había esperado tener la oficina para ella sola durante al menos otra media hora.

—¿Hola? ¿Quién eres?

Una carcajada resonó desde su mesa.

—¿Quién crees? —le preguntó la voz—. ¡Soy yo!

Nella conocía aquella voz. Se dirigió a su cubículo para encontrar a C. J. junto a su silla vacía, con una sonrisa ufana en la cara y los brazos cruzados sobre su estrecha camisa de manga corta azul marino de la mensajería de Wagner. No mucho después de empezar, quizá durante su tercera o cuarta semana, le había dicho con su marcado y mantecoso acento que una vez había cometido el error de dejarla en la secadora demasiado tiempo. Había encogido a un tercio de su tamaño original, «Solo a cinco minutos de convertirse en un sujetador», le había dicho él, riéndose. Cuando Nella le preguntó por qué no se compraba otra, él le dijo que le costaría más de cincuenta dólares reemplazarla.

Después de eso, fueron colegas.

—Me has dado un *susto* de muerte, C. J. —Nella le dio un puñetazo en el hombro, aunque estaba tan contenta de verlo que pensó que iba a echarse a llorar. Si estaba segura de algo, era de que C. J. no era el culpable—. Me alegro mucho de que seas tú.

C. J. levantó las cejas. Al parecer, había notado que Nella estaba al borde de las lágrimas.

—Debería pasar por quirófano más a menudo. Han transcurrido... No sé, ¿seis semanas? ¿Y ya te habías olvidado de mi existencia?

Su risa afable reverberó a través de los pasillos vacíos y también en el corazón de Nella, llenándolo como una taza de sopa en un día de enero.

—No me había olvidado de ti —le dijo Nella. Le apetecía darle un abrazo solo para demostrarlo. En lugar de eso, se sentó. No quería que se hiciera una idea equivocada. Aunque se había disculpado por el embarazoso mensaje privado que le había mandado borracho por Instagram un par de meses antes, y parecía que lo habían superado, Nella creía que era mejor mantener su relación para todos los públicos.

—¿Qué tal tu rodilla? —le preguntó.

—Oh, ya sabes. Hace lo que debería. Me duele un montón, pero aquí estoy.

—¿No quisiste alargar más la baja?

—No podía —dijo C. J.—. Nosotros solo podemos tomarnos cierto tiempo, ya sabes.

Nella asintió, aunque ambos sabían que ese «nosotros» no la incluía a ella, porque él y el resto del personal de mensajería contaban con menos tiempo de baja que los demás. Sus situaciones fuera de la oficina también eran muy distintas. C. J. vivía con su hermana y el hijo de esta en Ocean Hill. Los mantenía a ambos, en parte con su sueldo de Wagner y en parte con el sueldo de su trabajo de fin de semana. No recordaba en qué club nocturno trabajaba de segurata, pero se acordaba vagamente de que no estaba cerca de donde vivía; en Hell's Kitchen, o quizás incluso en la zona de Columbia. Y tenía sentido. Los lunes por la mañana, si le prestaba atención, podía verlo descansando los ojos entre paquete y paquete, apoyado contra su carrito.

Nella no estaba segura de cómo podía con todo a sus veintidós años: el viaje cada mañana para acudir al trabajo; los dos empleos; mantener a una familia que era su familia pero que en realidad no era *su* responsabilidad... Al menos, no según las propias y privilegiadas reglas de Nella. Pero, de algún modo, lo conseguía. Normalmente con una sonrisa.

Nella miró su rodilla con escepticismo.

—Al *menos* deberías entrar un poco más tarde, ¿sabes? —le dijo en voz baja.

—¡Ja! Sherry me envió un mensaje y me dijo que el tipo que me estaba sustituyendo estaba haciendo un trabajo de mierda. He encontrado correo con matasellos de hace más de una semana que todavía no había sido entregado. Fatal. Es como... ¿Cómo es posible cagarla en este trabajo? ¿Entiendes lo que te quiero decir? Si es muy fácil, por Dios.

Nella pensó en el mensajero viejo y flacucho que había subido de la empresa de software para reemplazar a C. J. Se rio al recordar que accidentalmente había atropellado a Maisy con su carrito durante la primera semana de su trabajo temporal en Wagner, en la que Nella (de entre todos sus compañeros) fue la única cuyo correo no se perdió.

—Intenté ayudarlo lo mejor que pude cuando llegó, pero, pobre tipo... No consiguió pillarle el truco. Creo que se sentía abrumado por todos los paquetes que recibimos.

—¿Sabes lo que creo? —C. J. flexionó el bíceps izquierdo y se lo besó—. Que nadie puede ser tan bueno como yo. Eso es todo.

Nella se rio.

—Creo que tienes razón.

—Bueno, ¿qué tal van las cosas por aquí? ¿Ya dominas el mundo? ¿Has comprado los derechos de algún *best-seller*?

—Joder, no. Pero... Uhm... Ayer ocurrió algo raro. Recibí una nota muy extraña.

—¿Una nota extraña?

—Sí.

—¿De quién?

—Eso es lo raro. No lo sé. Era anónima. Pero estaba en un sobre con mi nombre y decía: «Márchate de Wagner. Ya».

—¿Qué demonios? Me estás jodiendo.

—Ojalá, pero estoy bastante asustada. Por eso he venido tan temprano.

—¿Por qué? ¿Para enfrentarte con el culpable tú sola? —bromeó C. J., pero el humor que pretendía expresar no llegó a sus ojos. Parecía muy preocupado, y eso le recordó por qué *había aparecido* tan temprano: para buscar pistas que pudiera haber pasado por alto la noche anterior. Para encontrar un arma humeante (ese maldito boli violeta) en la mesa de Hazel.

Pero, aunque confiaba en C. J., no estaba lista para contarle esa parte todavía, así que se encogió de hombros.

—No sé qué pensaba hacer, C. J. No lo sé.

Él asintió.

—¿Has pensado bien si hay alguien aquí intentando joderte?

—Sí. Pero ¿por qué empezar ahora, después de dos años? El momento ideal para hacerlo habría sido cuando entré, si creemos que es algún tipo de supremacista blanco o algo así. O cuando intenté hacer todo eso de la diversidad.

—En esta época de verano prácticamente solo estáis vosotros en la oficina, ¿verdad? Los ayudantes. Entonces, si *fue* alguien que trabaja aquí, eso significa...

C. J. se detuvo, pero todavía estaba mirándola con expresión asustada y preocupada. Nella empezaba a desear no haber dicho nada... Al menos a él. No antes de que se le pasara la resaca; no antes de que hubiera ideado una narrativa con la que se sintiera cómoda.

—No sé por qué estás tan tranquila —le dijo él al final—. Esto no es algo que vaya a desaparecer si lo ignoras. ¿No se lo has contado a nadie de aquí?

—Todavía no. La recibí ayer por la noche, después de que casi todos se marcharan.

—¿Casi?

—Donald seguía aquí, hasta donde yo sé. Nadie más.

—Ah, el tío del walkman —dijo C. J. Nella prácticamente podía ver los engranajes girando en su cabeza mientras pensaba en el ayudante de Richard exactamente igual que había hecho ella doce horas antes—. ¿Y la nota llegó a través del correo?

—No —dijo Nella, negando con la cabeza—. Alguien la dejó sobre mi mesa en algún momento.

—Cualquiera podría haberlo hecho. Joder. Quizá deberías hablar con Natalie. Es una tía guay.

—Eh. Si recibo otra, lo haré. Pero creo que por ahora voy a ignorarlo. Tengo demasiadas cosas encima. —Nella hizo una pausa. Pensó en mencionar lo de Colin, pero la frente arrugada de C. J. le dijo que seguramente no era buena idea.

—Si necesitas algo, avísame, ¿eh? Todavía no me he peleado con nadie en la oficina, pero no me importaría estar aquí cuando las grapadoras empezaran a volar.

Nella se rio mientras él retrocedía lentamente, lanzando algunos puñetazos al aire sobre su cabeza.

—Gracias, C. J.

—No hay de qué. Me alegro de verte, Nella.

—Yo también. En realidad, ¡espera! He olvidado una cosa. —Cuando C. J. reapareció, Nella le señaló la silla vacía de Hazel—. Es una noticia incluso más impactante: ¡una chica negra empezó a trabajar aquí hace algunas semanas!

Los ojos de C. J. se llenaron de reconocimiento.

—¡Oh, sí! ¿Sabes? Acabo de conocerla. Parece muy guay.

—¿Acabas de conocerla? ¿Cuándo? ¿Hoy?

—Sí, está por aquí, en alguna parte. Me la encontré en la fotocopiadora. —Asintió hacia su cubículo—. Es curioso que hayáis terminado juntas, ¿verdad? Es como si siempre tuviéramos un modo de encontrarnos. Sin importar dónde estemos.

Nella miró de nuevo a la mesa de Hazel, sin palabras. Tuvo que agacharse para verla, pero la bolsa de Hazel estaba allí, pulcramente guardada bajo su mesa como si fuera equipaje en un avión. Sería difícil verla a menos que la buscaras. Lo que era difícil de pasar por alto, habitualmente, era el aroma dulce que Hazel siempre llevaba con ella; aunque, ahora que lo pensaba, no recordaba la última vez que lo había olido. Seguramente se habría acostumbrado.

—No me di cuenta de que ya estaba aquí.

—Y dicen que no trabajamos. Ostras, miraos vosotras, las dos aquí desde el alba.

Era un halago, pero Nella estaba demasiado ocupada añorando el tiempo a solas con el que había esperado contar para apreciarlo.

—Me pregunto qué hace aquí tan temprano.

—Me dijo que quería darle un empujón a un manuscrito que tenía que leer. O editar. No lo recuerdo.

—Uhm. No sé a qué podría dar un «empujón» en la edición. Acaba de empezar a trabajar aquí, hace un par de semanas.

Y ni siquiera yo estoy editando todavía, añadió, solo para sí misma.

Nella había intentado mantener su tono tan neutral como fuera posible, pero C. J. se encogió de hombros exageradamente, sugiriendo que no había tenido éxito.

—No tengo ni idea de cómo funciona esto. Yo solo traslado paquetes. Pero te diré que parece estar trabajando tanto como tú.

—Bueno, nosotros sabemos cómo funciona: tienes que trabajar el doble para conseguir lo que quieres. —Nella recitó el mantra, pero se dio cuenta en cuanto abandonó su boca de que era mucho más cierto para C. J. que para ella, ya que, en su caso, su madre había pagado la mitad de sus créditos estudiantiles y no tenía sobrinos a los que ayudar con los deberes de Matemáticas cuando llegaba a casa después de un largo día de trabajo.

C. J. asintió y empezó a alejarse, esta vez más decidido. Su voz llegó hasta ella desde la esquina.

—Oye... ¿Sabes? Hazel llegó aquí sobre las seis. Podría estar trabajando *tres* veces más que tú. Será mejor que tengas cuidado.

Nella se irguió. No estaba segura de haber oído de verdad esas palabras, o si solo las había imaginado.

—¿Eh? ¿Que tenga cuidado con qué?

Pero las largas piernas de C. J. ya se lo habían llevado por el pasillo, dejándola dolorosamente sola con sus pensamientos.

¿Dónde estaba?

Nella echó una mirada de nuevo al pasillo, y esta vez dejó que sus ojos se detuvieran en el letrero que había fuera del cubículo de Hazel. Sus nombres, grabados en sencilla Arial de catorce puntos, estaban uno frente al otro en una especie de oposición. Nella miró las letras en negrita durante mucho tiempo, lo suficiente como para que estas se convirtieran en un bloque negro, grueso e indistinguible. Entonces cerró los ojos, tomó aire profunda y entrecortadamente, y lo exhaló. Se sentía incluso más perturbada que cuando se marchó de la oficina la noche anterior. No le gustaba cómo resonaba en sus oídos «Será mejor que tengas cuidado» (no diferente de «Oh, hola, Nella»; demasiado parecido a «Márchate de Wagner. Ya»), y desde luego no le gustaba que C. J. se hubiera tomado la nota tan en serio. Quizá tuviera razón.

¿Y no tendría razón también sobre Hazel? Ella tenía que estar exactamente donde estaba, por supuesto, justo fuera del despacho de Maisy, que justo estaba en la esquina de Nella del despacho. Pero, aun así... era curioso. Era curioso que, de todos los editores que podrían haber contratado a una asistente negra, hubiera sido Maisy, en lugar de alguien que trabajara en el lado contrario de la oficina, donde sin duda les vendría bien un poco de ambiente. Era como si la Providencia, encarnada en una empleada de Recursos Humanos de metro cincuenta y cinco llamada Natalie, hubiera tomado a Hazel y la hubiera dejado allí, justo delante de Nella...

—¡Hola, Nell! Las grandes mentes piensan parecido, ¿eh?

Eran palabras que ningún empleado madrugador deseoso de privacidad querría oírle decir a otro empleado, sobre todo cuando ese otro empleado sonaba tan alegre como Hazel.

—Oh... Hola, Hazel. El trabajo te ha llamado temprano esta mañana a ti también, ¿eh?

—Sí, abrí los ojos a las cinco de la mañana y no pude volver a dormir. Ya sabes.

Nella lo sabía, aunque, sin duda, sus razones para despertarse temprano eran muy distintas de las de Hazel. Y también su rutina matinal. Mientras que Nella se había limpiado una capa sorpresa de baba seca de la barbilla durante el trayecto, dándose cuenta de que apenas se había mirado al espejo, Hazel (fresca y animada) había encontrado tiempo para ponerse máscara de pestañas, delineador y un brillo de labios de color coral.

—Bueno —dijo Hazel, cambiando el enorme montón de papeles que tenía en las manos de un brazo al otro—, ¿qué estás haciendo aquí tan temprano?

—Yo tampoco podía dormir. Tenía muchas cosas que hacer que no pude terminar anoche, así que... pensé en dejarme caer.

Las palabras de su mentira escaparon de Nella como una masa de pasajeros enfadados saliendo de un tren elevado con retraso en la hora punta.

—¡Qué locura que a ambas nos haya pasado lo mismo! —exclamó Hazel, acercándose un poco más al cubículo de Nella—. Puede que haya algo en el aire.

—Puede. Bajas presiones, o algo así. —Nella agitó los dedos.

—Sí. Hablando de presión... —Hazel se rio con nerviosismo—. ¿Puedo hacerte una pregunta tonta? Dios, no sé cuándo voy a dejar de hacerte preguntas tontas...

—Ah, no te preocupes. No pasa nada —dijo Nella, relajándose un poquito—. ¿Qué pasa?

—Tengo un manuscrito al que debo echarle un vistazo y en el que debo hacer... No sé. «Comentarios editoriales». Estoy segura de saber qué es y cómo hacerlo… Bueno, ¡eso fue parte de la entrevista! Ya sabes. Pero estoy un poco preocupada por si meto la pata.

Nella se relajó.

—¡Esa no es una pregunta tonta! Puedo enviarte una muestra de lo que le envío a Vera cuando me pide que lea algo. Aunque sería más útil que miraras el manual de Maisy, ya que estoy bastante segura de que su estilo editorial es radicalmente distinto del de Vera.

—En realidad, lo que me envíes me vendrá bien. El informe es para Vera, no para Maisy.

La voz de Nella quedó atrapada en su garganta.

—¿Para Vera?

—Me ha mandado un libro que le gustaría que leyera. Quiere saber mi opinión al respecto.

Nella se quedó paralizada. Todavía no comprendía qué intentaba decirle Hazel. Después de un instante, dijo:

—*Por favor*, dime que no es el de Colin Franklin.

—Oh, no, no, no, gracias a Dios. —Hazel se rio—. No, es otro. *La mentira*. Lo has leído, ¿no?

Nella frunció el ceño.

—No. ¿Cuál es? —le preguntó, intentando en vano recordar algo con ese título que hubiera aparecido en su bandeja de entrada en los últimos días.

—Oh, lo siento. Creí que tú ya lo habrías empezado. Es el nuevo libro de Leslie Howard. Es una de las autoras de Vera, ¿no?

—Lo es, sí. Vera no… no me lo ha enviado todavía.

—Qué raro. Quizá por lo agobiada que has estado con el tema de Colin…

—¿Cuándo te lo envió? —la interrumpió Nella, con una banda de sudor que empezaba a mojar la línea de inicio de su cabello. Se la secó.

Hazel parecía preocupada.

—Anoche. Me topé con ella al final del día y recordé que me dijiste que es bueno que pregunte a otros editores qué están leyendo, conocer sus gustos, ese tipo de cosas. Lo hice. Entonces se ofreció a enviarme un libro que recibió ayer por la tarde. Creí que eso quería decir que me lo mandaría hoy, pero lo hizo anoche, a las once. ¿Es una de esas editoras que trabajan veinticuatro siete y también en vacaciones? Si es así, lo siento por sus hijos.

Nella ignoró la parte del soliloquio de Hazel en la que se preocupaba por los hijos de Vera, que no existían, y se concentró en el principio. «Al final del día» podía significar algo, y si Vera hubiera pasado todo el día reunida, lo que no era atípico en ella, ese lapsus le habría parecido una tontería. Pero había visto a Vera múltiples veces; cuando se marchó de la oficina, al final del día, Nella había pasado al menos una hora acumulada con ella.

—¿Nella? —Hazel golpeó la pared de su cubículo con la uña del meñique—. ¿Estás bien?

—¿Ehm? Sí. Creo que olvidó enviármelo.

Nella apartó los ojos de Hazel y movió su ratón para sacar su ordenador de suspensión. Cuando su pantalla se iluminó de nuevo, reunió coraje para mirar a Hazel, y la vio con la mirada perdida y una expresión lejana e indescifrable en sus ojos. Después de un segundo o dos, volvió a mirar a Nella.

—Lo siento. Solo estaba pensando… ¿Ella te envía *todo* lo que escriben sus autores?

—Sí.

—Bueno… se me ocurre… y podría estar equivocada, pero no puedo evitar pensar que está molesta contigo por lo de Colin.

—La idea también se me ha pasado por la mente, pero…

—Y puede que ni siquiera sea *consciente* de que está molesta. ¿Sabes? Eso explicaría que no te hubiera mandado el libro. Se siente así y ni siquiera se da cuenta…

—No he mirado mi correo electrónico desde que me marché ayer de la oficina. Apuesto a que está ahí y ni siquiera lo había visto.

Otra mentira. En realidad, Nella comprobaba su correo compulsivamente. Lo había mirado en el camino a casa desde McKinley's, sobre la medianoche, solo por si la persona que le había dejado la nota también había contactado con ella por e-mail.

—Claro. En ese caso, ¡estoy segura de que estará ahí! Yo no me preocuparía por ello.

—¿Yo? Oh... No estoy preocupada.

Nella no había pretendido que su voz sonara tan tensa, sobre todo cuando Hazel se había mostrado tan esperanzada y consoladora. Pero tampoco le apetecía disculparse. No en ese momento, y tampoco cuando pasaron cuarenta minutos sin que su vecina de cubículo pronunciara otra palabra.

Para entonces, el aire acondicionado se había activado y otros empleados de Wagner empezaban a aparecer, solos y en parejas, sorbiendo tazas de café, quejándose de los retrasos del tren y preguntando si habían visto la última crítica de este o aquel libro. Las puertas de la oficina, que habían permanecido cerradas durante dieciséis horas, ahora estaban abiertas; los teléfonos gemían pidiendo atención; el bajo de «Stand Back», la canción de buenos días favorita de Bridget, se oía de vez en cuando. Toda la planta parecía más animada y menos siniestra que cuando Nella llegó.

Vera apareció a su hora habitual, con su impermeable azul celeste salpicado de gotas de lluvia y la capucha todavía cubriendo su cabello.

—Oh, genial, ¡has llegado antes que yo! —exclamó, mirando a Nella con tanto asombro que esta se preguntó si todavía tendría otra mancha de baba en la cara.

Pero Nella no dejó que el saludo envenenado la afectara.

—Buenos días, Vera. ¿Está lloviendo? Hace un par de horas parecía que podía llover.

—Ha llovido la última hora, creo. Bastante desagradable.

—Ostras, qué mal. Oh, por cierto, Gretchen llamó esta mañana, sobre las ocho.

Vera se detuvo en su puerta.

—Oh, por Dios. ¡Tan temprano! ¿Qué podría ser tan importante para que un agente llamara *tan* temprano?

—Llamaba para preguntar por el pago del contrato de...

—Por el amor de Dios, le compramos ese libro la *semana pasada.* ¿No tiene nada mejor por qué preocuparse? ¿Como por qué el libro de

Mickey no se está vendiendo entre la gente de cuarenta a cincuenta años? —Con una floritura de desdén, giró el pomo de su despacho—. ¡Estos agentes! Te lo juro. Sé que pretendías hacer el bien, pero *sabes* que no tienes que responder el teléfono tan temprano. La próxima vez ignóralo, ¿vale?

—Entendido —dijo Nella, aunque su jefa estaba ya en su despacho y por tanto no podía oírla. Se rio, sin pretenderlo. *Aquella* era la Vera que había llegado a conocer y apreciar. Quizá su relación no estuviera acabada y Vera estuviera intentando mantenerla libre para algún otro proyecto importante.

Complacida y de algún modo aliviada, Nella caminó hasta la cocina y se preparó su segundo café del día. Mientras escuchaba el borboteo y los gemidos de la Keurig, pensó en los distintos modos en los que podía preguntarle a Vera por el nuevo libro de Leslie Howard. Sacaría el tema cuando se sentaran para su habitual reunión matinal de quince minutos, como si fuera algo que le preocupara haber olvidado. O diría alguna tontería y le preguntaría a Vera si había algo que estuviera leyendo que debiera «pasar a la parte superior del montón».

Se decidió por lo segundo mientras regresaba de la cocina, dispuesta a hacer una parada breve en la puerta de Vera para preguntarle si era buen momento para ponerse al día. Pero mientras pasaba junto al despacho de Kimberly y después por el de Maisy, algo hizo que se detuviera. Ese algo fue Hazel, que se había levantado de su mesa, con el cuaderno en la mano y determinación en sus hombros elevados.

Iba directa hacia el despacho de Vera.

Antes de poner un pie dentro, Hazel se detuvo y miró a Nella, que esperaba que se encogiera de hombros y pusiera cara de: *¿Qué otra cosa puedo hacer? ¡Me ha llamado!*

Algún tipo de disculpa.

Pero no hubo nada así. Solo una mirada fría y dura. Y, con ello, Hazel entró en el despacho de Vera, elevando el cuaderno como un ramo de novia recién atrapado.

—¡Vera! *Chica*. Este libro de Leslie Howard es tremendamente bueno. Me muero de ganas de que lo leas.

Nella se quedó más abatida que una dama de honor derrotada mientras caminaba lentamente los metros que le faltaban para llegar a su mesa.

—¿Estás segura de que no interrumpo tu trabajo? —oyó decir a Hazel, sus palabras cargadas de humildad—. Me encantaría charlar contigo unos minutos.

Nella se derrumbó en su asiento, cabizbaja. Oyó el recibimiento alegre de Vera, *Entra*, alto y claro. Oyó su tono ávido y enérgico; un tono que su jefa no había usado con ella no sabía desde hacía cuánto.

Y después, por fin, oyó el sonido de una puerta que se cerraba.

Shani

Al principio no la reconocí. Normalmente, en días como este (en los que me preguntaba cómo demonios había pasado de trabajar en una de las revistas más respetadas a barrer pajitas de papel en una cafetería del centro), el sonido de la puerta no significaba nada para mí. La puerta se abría con un chirrido, la puerta se cerraba con un chirrido; y un par de minutos después, ocurría de nuevo. El resultado era siempre el mismo: una sonrisa, un asentimiento. *¿Tenéis wifi? ¿Cuál es la contraseña del aseo? ¿Aceptáis tarjeta?*

El día había comenzado así. La miré una vez, despreocupadamente (su llamativo cabello, su túnica de cuello alto, sus destellantes aros dorados); supuse que era otra jovencita de Nueva York a la que la vida le iba mejor que a mí, y bajé la mirada.

¿Qué puedo decir? Encajaba muy bien. Y yo estaba segura de que habría seguido haciéndolo de no ser por su voz; un poco ronca y un poco demasiado coqueta con Cristopher, mi jefe de veintidós años. No reconocí el cabello, pero sí cómo lo agitaba, tan atrás que casi se rompió el cuello. Reconocí cómo se reía y fingía no saber la diferencia entre un café con leche y un café con leche fría, aunque la había oído hablar muy animadamente sobre sus conocimientos acerca del café con todos los peces gordos de la revista Cooper's.

Prácticamente se me cayó la escoba. Sí, aquella chica parecía ahora más mujer de mundo que la última vez que la vi en Boston; más Zara y menos J. Jill.

Pero era ella, sin duda.

Mi primer instinto fue acercarme y golpearla con la escoba. Cualquiera que hiciera lo que ella había hecho merecía ser apaleada por una chica con una escoba en una cafetería del centro.

Pero no lo hice. A pesar de lo que ocurrió en Boston, todavía me quedaba algo de orgullo. También sabía otras cosas: era frustrantemente lista, con un sentido de la oportunidad ingenioso. Si no quería que me derrotara en aquella nueva ciudad, tendría que ir tres pasos por delante. En Boston, mi mayor error fue ir tres pasos por detrás.

¿Qué fue lo que Lynn me dijo en la línea roja? *Os vi a las dos anoche, ¿sabes?* Algo así. Por supuesto, yo la había ignorado. Al principio. Pero ella no iba a dejarlo estar.

—Sé que no sabes quién soy. Pero solo quiero decirte que estás jodida.

La miré apenas un instante, el vistazo que necesitas para confirmar si alguien está hablando contigo, porque ella todavía no era Lynn para mí; solo era una extraña, una desconocida que estaba interrumpiendo mi trayecto matinal. Y cuando vi que era una mujer negra que se parecía un poco a mi tía Krystal (si la tía Krystal hubiera sido bastante valiente como para ponerse un piercing en el septum, claro), le pedí que me repitiera lo que acababa de decir en lugar de exigirle que me dejara en paz.

—He dicho que os vi a las dos anoche. En Pepper's.

—¿Cómo sabes que estuve en Pepper's?

—Y por lo que oí... —dijo, ignorándome—. Bueno... No pinta bien para ti.

Ante eso, doblé la esquina del artículo del *New Yorker* que estaba leyendo y respondí lo primero que se me pasó por la cabeza.

—Lo siento —le dije, después de creer que había reunido suficientes pistas para hacer una buena suposición—, pero no lo comprendo.

¿Vosotras dos estáis saliendo o algo así? Porque lo de anoche no iba de eso. Solo estábamos tomando algo, divirtiéndonos. Trabajamos juntas.

Lynn me miró fijamente un momento. Después se rio, una larga y fuerte carcajada que atrajo las miradas de la mitad de los viajeros alrededor. Yo aproveché ese momento para mirarla de arriba abajo, evaluando el tocado negro que llevaba en la cabeza y las gafas de sol que ocultaban cualquier rastro de su expresión.

¿Y bien? Diría que estaba buscando alguna confirmación de que estaba loca, aunque fuera inofensiva. Pero, en ese momento, también estaba buscando algún rastro de que fuera una mujer despechada.

—¿Quién eres? —le pregunté al final—. ¿Qué quieres de mí?

—Quiero que te unas a nosotros.

—¿Nosotros? —Miré al viejo ictérico que estaba pelando un huevo duro en el asiento de adelante—. ¿Él también está en tu equipo? ¿O tienes algún amigo imaginario en el vagón al que todavía no conozco?

No le pareció divertido. Solo negó con la cabeza.

—Estás jodida, chica. Has hablado demasiado.

Entonces comenzó a buscar en su pequeño bolso de cuero marrón. Fue una gran actuación; o, al menos, debía parecerlo, porque un tipo blanco de veintitantos años que parecía estar leyendo el mismo número del *New Yorker* que yo nos miró con atención. Sonreí con complicidad, pero antes de que mis labios pudieran completar el movimiento, la mujer misteriosa se aclaró la garganta, visiblemente insatisfecha. Y, cuando le presté atención, vi que estaba mirando al tipo blanco con el ceño fruncido; al menos, eso parecía que hacía tras sus gafas de sol.

Me puso un papel en la mano antes de decir:

—Toma esto.

—Me siento halagada —le dije, notando que me ponía colorada—, pero no me van las…

—Shani —dijo con firmeza. El sonido de mi nombre en la boca de una desconocida hizo que el trozo de papel y la revista se me cayeran al sucio suelo del vagón—. Tienes que espabilar. No estoy intentando ligar contigo, por el amor de Dios. Solo intento *ayudarte*.

El tren se detuvo lentamente.

—Tengo que regresar a Harlem esta noche, pero escríbeme a este número cuando salgas de trabajar. Querrás hacerlo, después de lo que ocurrirá hoy. Confía en mí.

Se levantó antes de que pudiera preguntarle su nombre, y no me dejó otra opción que agacharme y tantear alrededor del par de botas Sperry que había comprado tras descubrir lo implacables que eran los inviernos de Boston en realidad, para tratar de recuperar la tarjeta manchada.

Lynn Johnson resiste, decía. Google me dijo incluso menos cuando la busqué en el ordenador del trabajo. Decidí dejar pasar el incidente.

Pero la mierda no tardó mucho en golpear el ventilador, justo como Lynn me había prometido. El artículo estaba circulando. Mi jefa se encaró conmigo delante de *todo* el mundo. Me despidieron… delante de todo el mundo. Y eso fue todo entre Cooper's y yo y ese artículo en el que tanto había trabajado.

Escribí a Lynn en el camino de regreso de la oficina, por fin lista para escuchar. No tenía sentido negar que sabía algo que yo desconocía, y me comí todas las migajas que me lanzó desde su casa en Nueva York: las listas, los gráficos… Todo lo que Lynn y la Resistencia habían reunido en el transcurso de los últimos cinco años. Me prometió que me contaría más cuando llegara allí. Con el billete de autobús, recibí la cita para una entrevista de trabajo en una cafetería cutre de Manhattan donde tendría que… barrer el suelo.

Relajé las manos en la escoba. Estaba casi tan caliente como mis palmas, después de haberla agarrado con fuerza, con ansiedad. «Si alguna vez te cruzas con una OCN, camúflate», me había dicho Lynn. «Te irá mucho mejor si sabes dónde está ella y ella no sabe dónde estás tú».

¿Me había visto? ¿Sabía que trabajaba aquí?

Volví a barrer una esquina alejada de la estancia, escuchándola mientras intentaba convencer a Christopher de que Maroon 5 había mejorado con el tiempo. *Vaya.* En Boston habría estado dispuesta a tirarse de un precipicio por John Mayer.

Ese recuerdo me puso al límite. Saqué el teléfono de mi bolsillo trasero y le hice una foto tan disimuladamente como pude. Como salió borrosa, le saqué otra... y después otra, solo por si acaso. Estaba tentando a la suerte, podríamos decir, pero no me importaba.

La tercera foto salió bien. Gracias al ángulo en el que ladeó la cabeza de repente, coqueta (siempre se le habían dado bien los ángulos, eso se lo tenía que reconocer), la luz de última hora de la tarde que entraba por las sucias ventanas del Rise & Grind aclaró su profunda piel oscura y sus pómulos altos lo suficiente como para que Lynn pudiera comparar la imagen con las de sus archivos.

Rápidamente, guardé el teléfono y seguí barriendo. Pero no tenía sentido. Mis amplias y desordenadas pasadas por el suelo de baldosas rojas ensuciaban más de lo que limpiaban. Esperé, ansiosa, la respuesta.

Llegó minutos después, cuando estaba en el baño comprobando el jabón.

Sí. Es ella. Es Eva.

8

Nella no podía sacarse de la mente la mirada fría, glacial, de Hazel.

No era normal que se sintiera tan posesiva con su jefa. Nunca había necesitado serlo. Ningún otro asistente tenía razones para ganarse el favor de Vera.

«Sois tal para cual», le había dicho Sophie una vez, después de aparecer sin ser anunciada y leer uno de sus intercambios de e-mails sobre el hombro de Nella. «Ambas sois unas perfeccionistas».

No entendía cómo alguien que la conocía tan poco podía leerla tan bien, pero Sophie había tenido razón: durante la mayor parte del tiempo, Vera y ella habían sido un equipo, más que ninguna otra pareja de editor-asistente de Wagner.

Entonces ocurrió lo de Colin.

Nella hizo una mueca. ¿Para *eso* sería la lista de la impresora? ¿Sería la lista de las nuevas candidatas para *Vera*?

Se sentó sopesando esta nueva posibilidad, atenta por si escuchaba fragmentos de la conversación a través de la puerta cerrada de su jefa. Podría haber seguido así el resto de la mañana, pero entonces se levantó abruptamente, decidida. Estaba claro lo que tenía que hacer: hablar con Richard. Sí, era posible que hubiera dormido poco, y quizá no tenía ningún modo de saber si realmente eran candidatas; pero, en algún punto, desde que vio esos nombres hasta que la excluyeron del despacho de Vera, una sensación de profunda inquietud se había instalado en sus entrañas. Una sensación de que su jefa iba a despedirla, a cambiarla por otra persona. Por otra persona *negra*, nueva y mejorada, para que nadie pudiera recriminarle que se hubiera librado de ella.

Nella no estaba lista para abandonar el mundo editorial, como tampoco lo estaba para renunciar al seguro de salud, a las vacaciones pagadas y a los viernes de verano. No iba a rendirse tan fácilmente. Además, ¿cómo explicaría en el Bar Eight por qué de repente volvía a pedir rodajas de lima y cañas de cerveza?

Estaba decidida. Comenzó a caminar hacia el despacho esquinero de Richard, aunque nunca lo había hecho sin cita. Jamás. De hecho, habían pasado dos años desde que había tenido algún tipo de contacto personal con él, y ese momento difícilmente podría ser considerado espontáneo. Cuando un nuevo empleado firmaba todo el papeleo, pasaba el cursillo de orientación y dejaba atrás la fase de aprendiz, se le «exigía» que se sentara a tomar el té con Richard Wagner antes de su primer día oficial.

Casi nada en Wagner se exigía de *verdad*. Técnicamente, podías ponerte una camiseta con las palabras «Apoyo a los negros» si querías, ya que no había código de vestimenta especificado en el contrato. En Wagner había un acuerdo tácito de seguir los estándares «profesionales», y cuando un becario despistado rompía esta regla, los empleados se lo hacían saber levantando una ceja o con una mirada fulminante y gélida.

Asistir al té con Richard tampoco estaba en el contrato. Pero, como Nella había tenido la suerte de aprender de Katie, su predecesora, no le haría ningún favor a su carrera si rechazaba esa invitación.

Richard Wagner era un enigma para cualquiera que lo conociera. Tenía tanto dinero que no lo parecía. Era el más «editorial» en lo importante; iba por delante de las modas, al menos de las que importaban. Celebraba fiestas tan exclusivas que los asistentes buscaban razones para husmear en los despachos de sus jefes con la esperanza de encontrar una invitación que hubiera quedado descuidada sobre la mesa.

Pero lo que realmente diferenciaba a Richard del resto de los editores era que casi siempre estaba en su despacho. Rara vez salía antes los viernes de verano, y la última semana de agosto era tan importante para él como la primera del otoño.

Algunos suponían que esto se debía a que era el primer Wagner que se aventuraba con los libros en lugar de dedicarse a la política. La leyenda decía que, cuando estando en la universidad decidió que no quería ser senador, sus padres fingieron que no existía durante cinco años. Varios años después, cuando se jugó al fundar su propia editorial, algunas importantes figuras literarias aceptaron ayudarlo; y cuando Wagner abrió sus puertas por primera vez en 1972, toda la industria se peleaba por recibirlo. También sus padres.

Más de cuatro décadas después, Richard era *el* Hombre del Mundo Editorial al que todo el mundo quería complacer. Una conversación con él te marcaba para siempre ante sus ojos, y las charlas cara a cara eran pocas y espaciadas. Así que no solo tenía *sentido* tomar el té con él; era un imperativo absoluto.

«Si de verdad quieres ser editora», le había dicho Katie a Nella, «tienes que ser una estratega».

Ser una estratega era lo que la había llevado a Wagner, para empezar. No era una coincidencia que hubiera presentado su currículo en la editorial que había publicado su libro favorito. Había querido caminar por los pasillos por los que las dos mujeres que tan diligentemente había estudiado en la universidad habían transitado. Quería sentarse en la mesa ante la que Kendra Rae Phillips y Diana Gordon se habían sentado para hablar de correcciones.

Sin embargo, una parte morbosa de ella sentía una curiosidad especial sobre qué habría sido de Kendra Rae. Había desaparecido de la esfera pública después de que *Corazón ardiente* prendiera fuego al país, después de una especie de escándalo potenciado por los medios, y no se había sabido de ella desde entonces. A Nella le había costado mucho verificar los detalles de su desaparición, aunque el Twitter negro había ideado algunas teorías bastante creíbles. Pero de ninguna de ellas había pruebas. Y eso hacía que Nella se preguntara: ya que Diana Gordon había lanzado libro tras libro, año tras año, ¿qué había pasado con la mujer negra que había sido su editora? La mujer negra que, según las palabras de Diana, había tenido «una valiosa influencia al convertir a Evie en lo que es».

Naturalmente, esta pregunta volvió a acosar su cerebro mientras Owen y ella viajaban en el tren R en dirección al centro para conocer a Richard en su té de bienvenida, hacía dos años. Owen se había ofrecido a acompañarla hasta las oficinas de Wagner, bendito fuera su bondadoso corazón, ya que iba a hacer algunos recados en la ciudad mientras ella bebía té con uno de los hombres más influyentes de la industria editorial (según *GQ*).

—Bueno, sé que ya hemos hablado de esto, pero... ¿por qué *no* quieres preguntarle a Richard si sabe qué está haciendo ahora Kendra Rae? —le preguntó Owen, mientras sus rodillas chocaban y su tren se detenía en Prince, y después en la Octava—. Puede que siga en contacto con ella y pueda presentártela.

Nella negó con la cabeza.

—Eso no sería educado. No puedo entrar ahí con toda la artillería y preguntarle qué pasó con Kendra Rae Phillips. Podría pensar que soy una acosadora o que estoy obsesionada.

—¿Y no es verdad? —le preguntó Owen—. Creí que querías ser la próxima Kendra Rae. Por eso querías entrar en Wagner.

Nella se enfadó; él se dio cuenta. Viajaron sin decir nada más, hasta que él habló de nuevo.

—¿Puedo hacerte otra pregunta?

—¿Tengo elección? —respondió Nella, intentando sonar como si bromeara.

—No. ¿Por qué has quedado un domingo con un anciano editor blanco para tomar el té a solas en su despacho?

Nella se encogió de hombros.

—Es solo... lo que hay que hacer —le respondió. Owen le echó una mirada—. Cari, tienes que entender que es... la tradición.

Las palabras le habían sonado extrañas entonces, un simple mantra que había aprendido después de tres horas siguiendo a Katie. Eran especialmente desconocidas para Owen, que sin duda no encontraba aquella respuesta satisfactoria. Pero, en lugar de tirar del prometedor hilo suelto, le dijo:

—Bueno, ¿tienes ganas de ver el sitio donde se creó *Corazón ardiente*?

Nella podría haberlo besado por haber cambiado de tema.

—Joder, sí. Saber que voy a respirar el mismo aire que ellas es una locura.

—Quizá tengan una impresora con su nombre. O una sala de reuniones.

—Tal vez, el propio despacho de Richard. Bueno, eso *sería* muy enfermizo —replicó Nella. Owen se movió, incómodo—. ¿Qué pasa *ahora*?

—Es solo que... la idea de que estés sola en el despacho de ese hombre del que en realidad no sabes nada... Lo siento, Nell, no me fío. Puede que eso de *así es como funciona el negocio* hubiera colado hace diez años —añadió, mostrando un dedo antes de que Nella pudiera interrumpirlo—, pero en el mundo de hoy, yo sería Ese Tonto del Culo que tiene que explicarle a la gente por qué te dejé seguir con esto sin hacerte ninguna pregunta. Y no voy a vivir el resto de mi vida así.

Nella sonrió. La etiqueta Ese Tonto del Culo procedía de las muchas series de televisión sobre crímenes reales que veían. El Tonto del Culo en cuestión era el entrevistado que solía decir cosas como: «No, nunca me pregunté por qué tenía tres carnés de conducir».

Nella había visto demasiada televisión para que se la cargaran tan fácilmente, así que agarró la mano de Owen y le dijo que todo iba a salir bien.

Pero, veinte minutos después, cuando llegó el momento en el que él tenía que soltarle la mano para entrar en el edificio de oficinas, se la apretó de nuevo; un poco más fuerte de como lo hacía cuando solo intentaba ser dulce.

—¿Estás segura de esto, Nell?

—Owen. —Nella le apartó la mano con tanta cautela como pudo y se la colocó en la mejilla. No se había afeitado en casi cuatro días, así que su bozo castaño rojizo le arañó la palma de ese modo rasposo que siempre le gustaba—. Es muy viejo. No digo que los hombres viejos no sean capaces de cosas terribles, digo que tengo un spray de pimienta en el bolso. Y *sabes* que me crie en las calles. —Se golpeó el pecho para enfatizarlo, burlona.

—Te criaste a las afueras de Connecticut —dijo Owen, amargamente.

—Con un padre de Chicago que *no* se andaba con chiquitas.

—Creí que él también era de un barrio residencial.

—Además, recuerda, soy...

—Cinturón negro —terminó Owen, sonriendo de oreja a oreja—. Sí, sí, sí. Siempre lo dices, pero lo creeré cuando lo vea.

—Mira, ya te lo he *dicho*: se me perdió durante el divorcio. —Nella le dio un beso en los labios, evitando más palabras de protesta—. Te enviaré un mensaje en una hora.

Él la atrajo hacia sí cuando ella se apartó.

—Si no sé nada de ti dentro de sesenta y un minutos, echaré la puerta abajo y te buscaré yo mismo.

—No será necesario echar nada abajo. —Dejó que la abrazara un instante más antes de acercarse a la puerta de nuevo—. ¿Ves? La puerta se abre. Son las puertas de dentro, pasando la seguridad, las que tendrías que...

—¿Nella Rogers?

Nella giró la cabeza. Detrás de Owen estaba Richard Wagner en persona: un hombre alto y lánguido con un despeinado cabello blanco, una chaqueta beige y pantalones de rayas azul marino y verde. Era un atuendo que no tendría sentido para casi nadie más, pero con sus gafas con montura de carey y su maletín de cuero caqui, daba la impresión de ser un hombre importante cuyos muchos logros hacían irrelevante cualquier opinión contraria a la suya.

Tanto Owen como Nella se apartaron de su camino instintivamente.

—¡Esa soy yo! —exclamó Nella—. ¿Señor Wagner?

—Por favor, llámame Richard. Insisto. —Caminó hasta ellos y estrechó la mano de Nella. Después, avanzó hasta la puerta y la atravesó—. Te veré dentro en unos minutos, supongo —dijo sobre su hombro. No esperó una respuesta.

Nella se giró para mirar a Owen, esperando ver la cara que ponía siempre que tenía algo que decir y sabía que no debía decirlo, pero ya estaba alejándose por la acera. Sintió una punzada de decepción (quería preguntarle si le gustaría que le comprara unos pantalones de rayas como los de Richard, aunque en su talla), pero se despidió con la mano y se giró para entrar a su nuevo lugar de trabajo con la cabeza bien alta.

—Bueno —dijo Richard cuando dejaron atrás las presentaciones y ella aceptó su oferta de acomodarse en una butaca de cuero que la hacía sentirse más en terapia que en una editorial—, supongo que te preguntarás cómo supe quién eras.

El hombre parpadeó dos veces exactas antes de mirarla fijamente mientras esperaba una respuesta. Nella no se lo había preguntado; eso no podía estar más lejos de su mente mientras subía en el ascensor hasta la planta decimotercera, con el corazón latiendo en sus oídos. Pero consiguió decir, con una ligera sonrisa:

—Bueno, me han dicho que tengo cara de Nella.

Richard echó la cabeza hacia atrás y se rio. Su risa sonó hueca, pero aun así hizo temblar la habitación; un logro bastante impresionante, teniendo en cuenta el tamaño del despacho. Mucho más grande que el de Vera, notó Nella. El despacho se comía un trozo decente de una de las esquinas de la planta, y sus dos enormes ventanas (una en cada pared) proporcionaban más luz de la que el pequeño estudio que compartía con Owen había visto nunca. Como la butaca de paciente de terapeuta en la que estaba sentada, su decoración era exactamente lo que habría esperado de un editor jefe: se completaba con una enorme mesa de madera que parecía haber sido construida por un carpintero de verdad y no comprada en Ikea, y una majestuosa estantería tan resistente que seguramente podría trepar por ella con poca dificultad.

—Bueno, dime, Nella —dijo Richard—, ¿por qué decidiste entrar en el mundo editorial?

Nella pensó en el discurso ensayado que le había dado a Vera un par de días antes, sobre su amor por la lectura y la escritura, y que los libros pueden cambiar el mundo de una persona joven. *Sigue ese discurso. Te lo sabes muy bien.*

—Sinceramente… Estoy un poco obsesionada con Kendra Rae Phillips y *Corazón ardiente*.

Las palabras escaparon de su boca inesperadamente. La sorpresa inundó el rostro de Richard, seguida de diversión. Tomó un sorbo de té antes de mirarla de nuevo, sin decir una palabra.

Nella se acobardó y se odió de inmediato por haberlo hecho. Los ojos de Richard eran demasiado brillantes, penetrantes, con ese brillo artificial propio de las películas de ciencia ficción. Necesitaba algún tipo de distracción.

—¿La conoces? —le preguntó él al final.

Nella asintió con entusiasmo.

—*Corazón ardiente* hizo que me enamorara de la lectura.

—Uhm. Bueno, en realidad yo rechacé la oportunidad de editar ese libro —le confesó Richard—. Me encantó el primer borrador que leí y supe que iba a ser enorme. Pero cuando oí que Kendra Rae estaba interesada en trabajar en él ella misma, me aparté. Sabía que Kendra Rae sería la mejor editora para Diana.

—¿En serio? Vaya. Siempre creí que Kendra Rae la había descubierto. —Nella evaluó la piel de la frente y entre las cejas de Richard. Le había calculado cincuenta y tantos, pero *Corazón ardiente* fue publicado en 1983, así que debía tener al menos setenta—. Eso fue muy amable por su parte.

—Sí. Sabía que Kendra Rae era la mejor entonces.

Posó su mirada en una pequeña planta de plástico en la esquina de la mesa, con la impresión de que algún recuerdo se reflejaba en su rostro. La taza de té quemaba los dedos de Nella, pero ahora que los ojos de Richard habían encontrado un sitio donde detenerse, se sintió con valor como para decir:

—Debe echarla de menos.

Richard levantó la cabeza con brusquedad. Se aclaró la garganta. La confusión parecía extraña en alguien de su altura, pero Nella estaba segura de que, sí, había confusión en la expresión con la que la miraba.

—Sí. Quiero decir, no está... Ella sigue...

—No pretendía... Lo siento, yo... —Nella cerró la boca y solo la abrió cuando supo que no tenía sentido intentar convencerlo de que no pretendía insinuar que Kendra Rae Phillips estuviera muerta—. Solo el hecho de que se haya mantenido apartada del mundo durante tanto...

Richard se llevó el té a los labios y lo sopló.

—Puede que sea lo mejor. La vida pública... Ya sabes. Algunas personas no pueden soportarla, y ella... estaba claro que empezaba a perder el control. Incluso Diana, su amiga de la infancia, se lo aconsejó.

Nella no sabía qué otra cosa hacer excepto asentir, aunque no estaba totalmente segura de a qué se refería Richard con «perder el control». Recordaba haber leído a Diana diciendo que Kendra Rae había sufrido una especie de crisis, pero no había podido verificarlo.

—Bueno, ya es suficiente. Estamos aquí para hablar de ti. Háblame de ti.

Nella sonrió.

—No estoy segura de que haya mucho que decir —dijo—. Soy de Connecticut y viví allí dieciocho años, hasta que...

Se detuvo, totalmente consciente de que Richard había hecho una mueca cuando dijo «Connecticut». El nombre de un determinado estado a menudo provocaba fuertes reacciones en la gente, pero aquella extraña expresión, como si acabara de morder un limón, parecía un poco *demasiado* dramática... Incluso para un hombre con pantalones azul marino y verde.

—¿Va todo bien? —le preguntó.

Richard se puso en pie con rapidez.

—Sí. Sí. Lo... Lo siento mucho —dijo, metiéndose la mano en el bolsillo y sacando su teléfono móvil—, pero mi teléfono empezó a vibrar hace un momento. He intentado ignorarlo, pero creo que debería responder. ¿Me disculpas un momento?

—¡Oh! Por supuesto. —Nella soltó su taza y se levantó—. Esperaré fuera, en...

—Oh, no, no. Por favor, tú quédate. Volveré en un minuto, no más de tres. Disculpa.

Ella agitó una mano.

—No pasa nada. Tómese tanto tiempo como necesite.

Richard hizo una reverencia antes de salir de su despacho. Un momento después, un claro y aturullado «¿Diga? Sí» flotó desde el pasillo, pero al recordatorio de sus palabras se lo tragó la distancia que puso entre ellos.

Nella exhaló. Se sentía aliviada y contenta de estar sola unos minutos; eso significaba que por fin podría echar un buen vistazo a su alrededor. Había examinado el mobiliario, pero había demasiadas cosas colgadas en las paredes (al menos una docena) a las que solo había dedicado una mirada fugaz.

Pero ahora Richard no estaba. Y se sentía envalentonada. No lo suficiente para *no* comprobar la puerta, sino para rodear la mesa de café y caminar algunos pasos hasta la pared de la izquierda. Posó sus ojos en un documento enmarcado que, a juzgar por su texto mecanografiado, era tan viejo como ella. Quizá más. Una evaluación más atenta le dijo que tenía razón. La carta, con solo dos párrafos, tenía fecha del uno de noviembre de 1979 y estaba dirigida a «Mi editor, mi amigo y mi hermano, sin el que no sería nada».

Nella se saltó el resto del texto (con un encabezado así, ¿qué otra cosa necesitaba leer?) y pasó a la firma. Pertenecía a un ganador del Nobel de la Paz cuyo obituario recordaba haber leído apenas unos meses antes. *De acuerdo, Richard*, pensó, impresionada. *Eres un pez gordo de verdad. Me lo apunto.*

No totalmente satisfecha con haberse fijado en todo lo que merecía la pena fijarse, se dirigió a la siguiente pared, frente a la que estaba la mesa de Richard. Las pocas veces que se había atrevido a dejar vagar su mirada le habían sugerido que aquella era su cartelera de ganadores particular. De hecho, lo era. Los rostros llenaban cada marco, algunos en blanco y negro, otros en color. Algunas fotografías eran muy tontas: una mujer joven con un vestido de noche poniendo cuernos con los dedos a un joven con esmoquin; cuatro hombres elegantes con polos sonriendo en mitad de un bosque verde y suntuoso.

Era todo desquiciante, en realidad, todos aquellos ojos sin cuerpo que la miraban, y Nella estaba lista para alejarse, regresar a su té y a su cómoda butaca de terapeuta, cuando las nubes se apartaron y algo destelló en el rabillo de su ojo. Solo una vez. Levantó la mirada para descubrir que el sol de media tarde había atrapado una fotografía enmarcada en bronce, no mayor que una postal.

Nella se acercó para distinguir a las tres personas de la fotografía. Una era una versión más joven y menos delgada de Richard. Tenía las manos en los hombros de dos mujeres de piel oscura, y sonreía tanto que tenía los ojos cerrados; aunque, a juzgar por la rubicundez de bacanal de sus mejillas, estaba claro que no habría mirado al fotógrafo aunque los hubiera tenido abiertos.

La mujer sonriente del vestido blanco a la izquierda de Richard era sin duda Diana Gordon. Nella hizo una pausa, sorprendida por el parecido entre la Diana Gordon que había visto en una entrevista algunos meses antes y la Diana Gordon de aquella foto. La Diana vieja y la joven Diana tenían la piel tersa y sonrisas deslumbrantes.

Entonces sus ojos pasaron a la otra mujer negra, que estaba inclinada, solo un poco, hacia la derecha. Algo cruzaba también su rostro, pero no era una sonrisa. A alguien le podría haber parecido que la mujer estaba sonriendo, pero Nella estaba segura de que la expresión podía ser atribuida al Martini que sostenía en su mano derecha, no como una propuesta de brindis sino como una declaración. *Sigo aquí*, parecía estar diciendo, y el modo como miraba directamente a la cámara, sin que le importara lo alejada que parecía de sus dos acompañantes, lo confirmaba.

—Veo que has encontrado a tu heroína —dijo una voz a su espalda.

Nella se giró. Richard había vuelto a entrar, pero en lugar de regresar a su mesa se había detenido junto a la butaca en la que ella había estado sentada; el asa de su bolsa volcada había quedado atrapada bajo su pulido zapato izquierdo. La ponía nerviosa cómo la estaba mirando.

—Ocurre siempre —le explicó, señalando la pared de fotografías—. Demasiadas fotos, demasiados rostros. Siempre que tengo compañía, me gusta descubrir cuáles despiertan el interés de cada persona. Todo el mundo tiene gustos... diferentes.

—Lo siento, no pude evitarlo. Nunca había visto esta fotografía, esta de Kendra Rae y de Diana con usted. —Nella regresó a su butaca mientras Richard volvía a la suya.

—Esa fotografía seguramente vale miles de dólares. Kendra Rae apenas se hizo fotografías antes de... —Se encogió de hombros—. Como he dicho, a esa mujer no le gustaba ser el centro de atención. Me alegro de haber podido hacer esta foto, al menos. La tomaron en Antonio's la noche en la que celebramos el debut de *Corazón ardiente* en el número uno de la lista de los más vendidos del *New York Times*. Dios, esas fiestas eran las mejores. Bueno... —Cruzó las piernas por los tobillos—. ¿Qué estaba diciendo antes de ser tan maleducado? Oh, ¡sí! Que estábamos aquí para hablar de ti. ¿Has dicho que eres de Connecticut?

Desesperada por hacer algo con las manos, Nella tomó otro terrón de azúcar (el tercero, se dio cuenta, esperando que él no los hubiera contado).

—Sí, soy de Springville. Es una localidad pequeña a unos quince minutos en coche de...

—New Haven. Sí, conozco Springville. Comencé en la Yale University Press mientras terminaba mi último curso en Yale. Es un buen sitio. De cultura muy rica. Buena comida, buen teatro. Y el arte, ah...

—Uhm. Las galerías de Yale son increíbles.

Richard levantó la mirada.

—¿El Centro de Arte Británico?

Nella asintió.

—Pasaba mucho tiempo allí. Iba a menudo cuando estaba en el instituto, pero me gusta volver siempre que estoy de vacaciones.

—¿Sí?

Richard se inclinó hacia delante, con los ojos casi saliéndose de su rostro eternamente joven. Nella imitó su lenguaje corporal. Podría sonar peculiar, pero era en aquellos momentos en apariencia mundanos (cuando contaba a un hombre blanco algo tan básico sobre ella que hacía que se le salieran los ojos de las órbitas) cuando se sentía más cercana a toda la gente negra que había sido negra mucho antes que ella: a todos los hombres y mujeres esclavizados que impresionaban a los blancos porque sabían leer; a todos los hombres y mujeres negros que se convertían en médicos y abogados y otras cosas que la gente decía que no podían hacer. Garrett Morgan, Marian Anderson, Diahann Carroll. Barack Obama. Sus padres. Cada vez que alguien impresionaba a un blanco solo por existir. Y teniendo en cuenta el número de veces en las que los negros habían sido linchados, violados y apaleados en los últimos cuatrocientos años, deberían ser *todas* las personas negras.

—Debió ser agradable tener toda esta cultura de New Haven a tu disposición —estaba diciendo Richard, tomando otro sorbo.

—Oh, mucho.

—Pensaba que a la gente joven de hoy en día no le interesaban las galerías de arte. No con Internet e Instagram y lo demás.

—Supongo que podríamos decir que tengo el alma vieja.

Sintiéndose reforzada por su aprobación, aunque en realidad no la necesitaba, Nella cruzó las piernas y tomó el primer sorbo de su earl grey. En aquel punto, por supuesto, estaba frío (nunca acertaba con la estrecha ventana de palatabilidad del té), pero comentó cuánto le gustaba de todos modos.

—¿No está demasiado dulce? —le preguntó Richard, levantando una ceja.

—Fui a la universidad en la tierra del té dulce, Richard. Esto no es nada —bromeó, usando el mismo tono insolente que había usado con Owen cuando le dijo que se había criado en las calles. Una mirada de soslayo al marco de bronce detrás de la cabeza de Richard hizo que Nella repensara el movimiento descarado que acababa de hacer. Las bromas en un contexto profesional podían ser malinterpretadas: se podría pensar que era una chica negra que se mostraba insolente en un entorno laboral sin saber que no debía hacerlo, o una chica negra que estaba riéndose de las negras que lo hacían; y Nella no estaba segura de qué era peor. ¿Qué habría pensado Kendra Rae de su actuación?

No tenía modo de saberlo. Pero lo que sabía era que Richard estaba bebiendo con la expresión de un niño al que por fin le han explicado la procedencia del ruido inquietante que ha estado escuchando en el sótano. Nella había mostrado el movimiento de cuello perfecto, al parecer, y la cantidad precisa de insolencia. Notó cómo se relajaba el ambiente entre ellos; notó la tensión abandonando sus hombros.

Y entonces tomó otro sorbo, soltó su taza y se atrevió a admitir, tan suave como la miel, cuánto deseaba convertirse en la siguiente gran editora negra de Wagner.

A Nella le vendría bien una taza de té caliente, pero se decidió por una profunda y estabilizadora inspiración mientras se levantaba de su mesa intentando invocar la confianza que había sentido la última vez que se había sentado a charlar con Richard. Lo que estaba a punto de hacer podía estallarle en la cara. Ni siquiera estaba segura de que Richard estuviera al tanto del incidente de Colin. Nella había comprobado dos veces la cuenta de Twitter de Colin para asegurarse de que no había hablado sobre ello a sus quinientos mil seguidores, y Vera siempre había rechazado la idea de informar de sus asuntos a cualquiera… Sobre todo, a un hombre. Cabía la posibilidad de que Richard no supiera nada y, si no sabía nada, se arriesgaba a reventar su propio puesto sin razón.

Pero se dirigió a su despacho de todos modos. Lo más práctico que podía hacer era explicarlo todo y disculparse por el malentendido. Ella tomaría el control de la narrativa, contaría con su propia espada. Lo haría de un modo precioso y altruista, y él lo admiraría como había admirado su insolente movimiento de cuello en su primera reunión. Estaría seguro de que Nella seguía siendo la valiente y madura empleada a la que había conocido dos años antes. Vería que tenía una ética intachable y decidiría que no quería cambiar su ética intachable por la de nadie más.

Nella se acercó a la mesa de Donald con la cabeza alta y la boca abierta, lista para preguntarle si Richard estaba libre. Pero la cerró abruptamente cuando vio que Donald no estaba allí. Estaba su discman, pero él no.

Nella miró la sala. La luz de Richard estaba encendida, y la puerta de su despacho, abierta. Podía oírlo hablar, pero en voz tan baja que parecía estar hablando consigo mismo.

Miró de nuevo la silla de Donald, como si pudiera haberse materializado de repente en los últimos dos segundos. Pero todavía no estaba a la vista, así que se acercó al despacho de Richard, preparada para llamar a su puerta abierta y pedirle unos minutos de su tiempo. Algo hizo que cerrara la boca y se tragara sus palabras.

Fue su tono, susurrado y severo.

—... mitad del día. No puedo decir más ahora mismo. Te dije que el correo electrónico era mejor.

Silencio.

—Sí, lo sé. Pero...

Richard suspiró. Cuando habló de nuevo, su voz sonó mordaz.

—Mira, no *tienes* conciencia de repente. ¿Recuerdas de quién fue la idea?

Un silencio incluso más largo.

—Vale. Pero recuerda que tú has puesto la bola en movimiento. *Tú* decidiste ocuparte de Kenny como lo hiciste, y ahora...

Algo en el modo en el que escupió las palabras «ocuparte de» heló la sangre de Nella. Pero entonces recordó a Kenny Bridges. *Claro*. Había oído rumores de que este autor había dado muchos problemas al equipo de Publicidad. Su agente no lo había mantenido a raya, lo que explicaba el tono inusualmente enfadado de Richard. Aquel descubrimiento derritió las ideas de Nella mientras esperaba con impaciencia a que Richard terminara su llamada. Si alguien pasaba a su lado en aquel momento, resultaría muy sospechoso.

—De acuerdo —lo oyó decir—. Pero haznos a ambos un favor y deja de fingir que no necesitas un poco de ayuda. Vale. Yo también te quiero. Adiós.

Se oyó el clic de un teléfono seguido del suave murmullo de las palabras «maldita sea». Pero Nella estaba concentrada en la palabra con Q. ¿Había oído mal a Richard? No. *Ocuparte de Kenny*, había dicho, claro como el día. Estaba segura de que hablaba con la agente de Kenny.

Entonces, ¿a qué venía aquel «te quiero»? Todo el mundo sabía que la esposa de Richard tenía una cadena de tiendas de velas con sucursales desde el SoHo a los Hamptons. La esposa de Richard trabajaba con fragancias, no con autores quisquillosos. No tenía sentido.

A menos que la que estaba al teléfono no fuera la esposa de Richard. Y que él y la agente de Kenny Bridges fueran...

Nella contuvo el aliento, cubriéndose la boca. Estaba claro que había oído algo que no debía oír, y ese algo había puesto a Richard de mal humor. Aquel definitivamente no era el momento de entrar y empezar a hablar sobre cómo la había cagado con uno de los autores más importantes de Wagner... Sobre todo, si él todavía desconocía lo ocurrido.

El sonido de las ruedas de la silla sobre la madera sacó a Nella de su parálisis.

—¿Hola? ¿Hay alguien ahí? —llamó Richard, con una voz tan cantarina que debía haber visto la sombra de Nella en su entrada—. ¿Donald? ¿Has vuelto?

Nella no se quedó lo suficiente para descubrir si él seguía preguntando. Se alejó rápidamente, doblando la esquina a tanta velocidad que casi se le salieron las Keds.

9

Durante los siguientes días, Nella caminó por Wagner con la cabeza gacha y la boca cerrada. Sus ojos, no obstante, seguían abiertos. Había escudriñado todos los artículos de escritura que utilizaban sus compañeros. Y cuando alguien se detenía junto a su mesa (*cualquiera*), Nella anotaba la hora de la interacción y qué se había dicho.

Hazel no estaba exenta de la vigilancia. Nella tomaba nota de todas sus conversaciones, por benignas que fueran, y también de las interacciones de Hazel con Vera. Cuando regresó a su mesa ese día tras haber oído la conversación telefónica de Richard, le sorprendió descubrir que seguían hablando de *La mentira*. Cuando la puerta de Vera volvió a abrirse por fin (*aproximadamente 68 minutos después de que Hazel entrara*), Nella se había terminado la enorme bolsa de pretzels que guardaba en su cajón de aperitivos de emergencia. Se suponía que eran el Aperitivo del Sprint del mes (el snack que la ayudaría a aguantar las últimas horas del día durante al menos cuatro semanas), pero las risitas ocasionales que escapaban de la puerta cerrada de Vera, junto al pánico a que pudieran despedirla, la obligaron a terminar hasta con el último lacito.

Nella estaba a punto de vaciarse la bolsa en la boca, buscando los últimos trocitos salados, cuando la puerta de Vera se abrió y una animada Hazel apareció tras ella.

—¡Gracias, Vera! —dijo, con las páginas del manuscrito dobladas en sus manos—. Ha sido una conversación estupenda.

—Oh, ¡gracias a ti! Y gracias de nuevo por haberle echado un vistazo tan rápido, Hazel. Me encantaría saber qué opinas cuando termines... Si tienes tiempo, por supuesto.

La puerta de Vera estaba ligeramente abierta, pero asomó la cabeza para mirar a Hazel (con cariño y un poco atolondrada), y le recordó a Nella a una novia contemplando a su dama de honor en el probador de una tienda. Ella nunca había recibido una mirada así de su jefa.

—De acuerdo. Dime si te viene mejor almorzar mañana o el viernes. O un café —añadió Hazel, caminando hacia atrás hasta su mesa para no destruir el valioso momento que estaban teniendo—. Sé que entonces tendremos que hablar de más cosas, aunque acabamos de pasar... Dios, ¿qué hora es?

Nella tardó un momento en darse cuenta de que esta pregunta estaba dirigida a ella. Hazel la miraba amigablemente, como si las tres hubieran estado charlando como viejas amigas en el despacho de Vera. Vera también la miraba fijamente, aunque el Rolex de plata de su brazo derecho destellaba mientras se apoyaba en el marco de la puerta. Su alegría atolondrada de antes se había endurecido.

Nella miró el reloj en la esquina inferior derecha de la pantalla.

—Son las diez y veintisiete —dijo, tensa.

Eso hizo que se dispersaran. Hazel negó con la cabeza y silbó, asombrada, mientras regresaba a su silla para comprobar los mensajes de su teléfono; Vera sacó la cabeza de su despacho apenas lo suficiente para pedirle a Nella, en un tono más reconocible, que no la molestara nadie. Un autor acababa de entregar un manuscrito para cuya edición necesitaba toda su concentración, le dijo a Nella, y su puerta estaría cerrada el resto de la mañana.

Era una petición razonable. Nella habría hecho lo mismo, sobre todo teniendo en cuenta cuántas veces los empleados de Wagner veían las puertas abiertas como luces verdes, y cuántas veces había deseado ella misma una barrera que protegiera su cubículo. Una barrera más sólida, como una enorme pared de cristal que fuera del suelo al techo y que pudiera controlar con su teclado. Entonces, al menos, no tendría que fingir una llamada telefónica o poner la excusa de ir al baño para escapar de las interminables conversaciones incómodas que no quería tener. Un despacho propio sería lo segundo mejor, después de tener una asistente. Quizás incluso mejor.

Así que, aunque Nella quería hablar con su jefa, fue paciente mientras esperaba a que su puerta se abriera de nuevo, mientras recibía sus mensajes e imprimía correos electrónicos que le preocupaba que no viera en su bandeja de entrada.

Pero la puerta de Vera no se abrió. No esa mañana ni esa tarde, después del almuerzo. No salió ni un instante antes de las cuatro y media y, cuando lo hizo, llevaba su chubasquero y su bolsa acolchada colgada del hombro.

—Oh, vaya día. Nella, tengo que salir a hacer un recado. ¡Gracias por lo de hoy! Te veo mañana.

Entre bocados de los restos de melón que encontró en la cocina, y con el tono más patético que jamás había usado, Nella no tuvo más opción que decir:

—Buena suerte.

Eso ya había sido suficientemente malo. Pero entonces Hazel, con quien apenas había hablado en todo el día, afirmó:

—Dios, Vera es increíble.

Nella tomó lo que quedaba de la fruta y lo tiró a la basura. No dijo nada mientras pasaba una mano anhelante por el fondo de su cajón de aperitivos de emergencia, sin suerte.

Una ráfaga de aire le acarició la oreja. Hazel estaba de repente a su lado, con una bolsa de Bugles. Una oferta, quizá.

El estómago de Nella protestó mientras le indicaba: *No, gracias*. La barrera de cristal que había imaginado se materializó en su cabeza de nuevo; esta vez con Hazel al otro lado.

—Bueno, cuéntame. ¿Vera te ha enviado ya *La mentira*?

Hazel no hizo la pregunta como si intentara provocar a Nella. Parecía haber una verdadera preocupación en cómo agarraba sus aperitivos de maíz, con los ojos muy abiertos. Pero la pregunta le escocía tanto que estuvo a punto de mentir y decir que Vera le había enviado el manuscrito.

Tomó aire en profundidad. No, decidió, Hazel no era el problema allí. Vera *debía* estar intentando enfrentarlas para que Nella no se relajara.

—Vera todavía no me lo ha enviado —admitió—. ¿Te importaría...?

—¡Claro! —Hazel volvió rápidamente a su puesto—. Estoy segura de que se le ha pasado. Tiene un *montón* de cosas encima.

Nella escuchó los dedos de Hazel aporreando su teclado, y se sintió infantilizada. Vera nunca había compartido sus manuscritos con ningún otro asistente; de hecho, había sido una de las editoras más reservadas de Wagner. Rara vez hablaba de los libros que valoraba editar en una fase tan temprana, no hasta que había tenido tiempo de decidir qué opinaba sobre ellos.

A Nella le parecía extraño que hubiera enviado las páginas de Leslie Howard a una nueva empleada. No era normal. No a menos que hubiera intentado excluir a Nella a propósito. No a menos que siguiera cabreada por lo de Colin.

—¡Enviado! —Hazel giró su silla para mirar a Nella.

—Gracias. —Nella comprobó el reloj en su ordenador para saber cuánto tiempo faltaba antes de que pudiera marcharse—. Recibido.

Cuando miró a Hazel, unos segundos después, ella seguía observándola y esperando pacientemente.

—Oye, he pensado que quizá querrías saberlo.

—¿Qué?

—Mientras estuve en su despacho, Vera me mencionó *Agujas y alfileres* —le dijo. Nella se estremeció—. Sabes que yo no lo he leído, pero intenté respaldarte en lo de Shartricia tanto como pude.

—Oh. ¿Sí? Gracias. —Nella giró su silla solo un poco, para no quedar totalmente bloqueada por la pared de su cubículo—. ¿Y qué dijo *Vera*?

—Bueno, me dio las gracias por mi opinión. Después me envió por e-mail el borrador.

—¿En serio?

—Sí. Para tener una segunda opinión, supongo.

—Uhm. —Por una parte, era irritante que Vera no confiara en su juicio. Pero, por otra, ¿no significaba eso también que a Vera le importaba, aunque fuera un poco, lo que Nella había dicho? Puede que hubiera releído el libro y se lo hubiera pensado mejor—. Bien. ¿A Maisy no le molesta que estés haciendo tantas cosas para otra editora? Recuerdo que se puso súper posesiva con su última asistente.

Hazel se encogió de hombros.

—Maisy ha estado ocupada con cosas personales, creo. No sé exactamente con qué. Pero se ha marchado y me ha dejado para que me las arreglase sola. Creo que Richard le pidió a Vera que me diera algo que hacer para que no me aburriera. Todavía soy nueva, así que supongo que no creyeron que supiera qué hacer sola.

—Ah. —Nella se dio cuenta por primera vez de lo tranquila que había estado su zona los últimos días. Maisy había aparecido en la oficina antes, pero se había marchado misteriosamente no más de quince minutos después con más bolsas de lo normal bajo los brazos y los labios más apretados de lo habitual—. Supongo que no me he dado cuenta.

—Sí. Como tengo más tiempo, supuse que no me vendría mal leer la novela de mierda de Colin. Y en realidad —dijo Hazel, bajando la voz—, tener dos críticas negativas de Shartricia de dos chicas negras podría obrar milagros. No es que tu opinión no sea suficiente, por supuesto, claro que lo es, pero… Cuantas más lecturas, mejor. ¿No?

Nella asintió, y su pared de cristal invisible se desvaneció tan rápidamente como la había instalado.

—Totalmente.

Se había contentado con aquella narrativa durante el resto de la tarde, hasta que imprimió *La mentira*, reunió sus cosas y se dirigió a la estación, lista para abandonar Manhattan después de lo que le habían parecido días. El manuscrito de quinientas páginas recién impreso le pesaba en el hombro izquierdo mientras bajaba a las profundidades del metro, pero no le importó. Le parecía un peso con significado, como una bolsa llena de alimentos comprados para un frigorífico recién desinfectado. Su bolsa contenía sustancia. Se atiborraría con el texto de Leslie Howard de inmediato y asombraría a Vera con una crítica que ni siquiera le había pedido. Así de sencillo.

Aunque no lo era. Porque mientras Nella estaba en el andén, resuelta y lista para comenzar al día siguiente con buen pie, buscó en su bolsa para sacar el manuscrito y en lugar de eso sacó un sobre que no recordaba haber guardado allí.

Un sobre con su nombre. Su nombre, de nuevo escrito en mayúsculas. Su nombre, de nuevo escrito con bolígrafo violeta.

¿Cómo era el dicho? *Todos los días hay algo.* No estaba segura de que fuera un dicho tanto como una realidad de la vida, como la gravedad o la indigestión. El dicho era uno que su padre decía a menudo, sobre todo los últimos meses, desde que por fin se compró una casa en Chicago después de alquilar un sitio no lejos del hogar de ancianos donde la abuela había estado casi cuatro años. Justo la semana anterior, su padre le había descrito con gran detalle que por fin había arreglado el agujero del tejado cuando se dio cuenta de que la tubería que conectaba con la lavadora había decidido expresar también su malestar.

«Eso es lo que pasa cuando compras una casa», suspiró al teléfono, más para sí mismo que para ella. «Que todos los días hay algo».

Nella recordó esas palabras mientras miraba con el corazón desbocado el brillante sobre blanco. No podía ser el sobre que había recibido, leído y perdido el sueño por él unos días antes; ese estaba guardado en su armario.

No, esta segunda nota era, efectivamente, una segunda nota. Eso lo sabía. Lo que no sabía era cómo había llegado hasta allí, hasta su bolsa, mientras estaba en un andén de metro que empezaba a abarrotarse poco a poco. Miró sobre su hombro izquierdo y después sobre el derecho, aunque llevaba quince minutos entre las mismas dos personas, un hombre que apestaba a carne cruda y una niñera mayor que parecía lista para replicar si alguien la acusaba de malcriar a un niño.

Nella suspiró y, manteniendo el sobre cerca de su pecho para tener una privacidad imposible de encontrar en un andén de metro repleto en hora punta, levantó la solapa.

MÁRCHATE. CUANTO MÁS TIEMPO TE QUEDES,
MÁS DURO SERÁ. ¿QUIERES PRUEBAS?
LLAMA AL 518-772-2234.
NADA DE MENSAJES. LLAMA.

Una mano le acarició de repente la parte baja de la espalda, provocando que casi se le cayera el sobre a las vías. Se retorció para ver quién estaba tocándola, con la palabra *NO* formándose sin poder evitarlo en su lengua. Pero no era un rostro conocido de Wagner; solo la niña hiperactiva que generaba la ansiedad de la niñera.

—¡No, no, no! ¡Chloe mala! —gritó la mujer, con sus palabras envueltas en un indistinguible acento de Europa del Este. Rodeó los hombros de la niña con el brazo y tiró de ella—. Pequeña... para. Estás molestando a todas las personas de aquí. Incluyéndome a mí.

Nella normalmente odiaba que los adultos les hablaran a los niños con severidad. Sus padres le habían gritado a veces cuando era niña, pero habían sido respetuosos al hacerlo. No obstante, allí, en el andén colmado y codo con codo con una mocosa ansiosa y con el Apestoso Hombre Carne, se sentía inclinada a apoyar a aquella mujer europea. *No, no, no, no, no.*

Diana

Noviembre de 1983
Essex, Vermont

—¿Qué te parece? ¿Sí? ¿No?

Levanté la peluca castaña y la agité sobre mi cabeza como había agitado una salchicha poco hecha durante el desayuno. Dos horas atrás, él se había reído amablemente antes de tomar otro bocado de sus huevos. Pero, ahora, no se rio. Eso no me sorprendió. Había contado cuántas veces había pasado su reflejo ante mí en el espejo del baño (veinte), y cuántas veces había comprobado su reloj (muchas más). Incluso me ofrecí a humedecer algunas servilletas en el lavabo para que pudiera secarse las gotas de sudor que se reunían bajo su barbilla. Pero siendo quien era (Elroy K. Simpson, de cuello grueso y treinta y cuatro años, un hombre que nunca perdía los nervios delante de nadie, ni siquiera cuando se dio cuenta de que su cabello empezaba a escasear), me apartó la mano educadamente.

—Di. Cie... —Se acarició la barba suave y oscura que había empezado a crecerle mientras íbamos al colegio—. ¿Crees que es el momento de dirigirnos al centro? Ya son las diez y media, y creí que habías dicho que querían que estuviéramos allí a las once.

Suspiré mientras tiraba con cuidado de un tirabuzón. La última vez que me puse esta peluca en concreto (fue en Vancouver, creo), me había picado el cuero cabelludo durante días. Me rasqué durante la cena, y en el metro y en mitad de la noche, cuando el violento bamboleo de la cama hizo que Elroy maldijera mis nuevos muebles antiguos. Me había rascado durante las entrevistas al autor y observado cómo el espacio en el sofá parecía crecer a mi alrededor.

Me prometí que jamás volvería a ponérmela, pero aquí estaba de nuevo, una contendiente en medio de mis preparativos de belleza. *Las cosas tan difíciles que hacemos para tener un cabello fácil*, solía decir siempre mamá.

—Ya estoy maquillada —le dije a Elroy—. Y estoy vestida. Solo me falta el pelo. Cinco minutos.

—No te falta *nada*. Venga, vámonos. Vamos a llegar tarde.

—Te lo digo siempre, El. Cuando la gente que organiza estas cosas nos dice que estemos allí a las once, en realidad se refieren a las doce. Dicen «once» porque saben que vamos a llegar tarde. El tráfico, la gasolina... Ya sabes. Todas esas cosas.

Elroy se sentó sobre la tapa del retrete y negó con la cabeza.

—Si ese fuera el caso, nena, deberíamos habernos marchado de aquí hace media hora. Como *mínimo*. O llamado a un taxi.

Ella agitó una mano, descartándolo.

—Eh. Tú y tu perpetua puntualidad.

—No es puntualidad —dijo El a la defensiva—. Es solo que no sabemos cuánto tiempo vamos a tardar en llegar al teatro. Y no sabemos cuánto tiempo voy a tardar en conseguir un taxi por *aquí* —añadió, un modo más amable de recordarme que estábamos en aguas totalmente desconocidas. Vermont.

—Tonterías. La cuestión es que llegaremos cuando lleguemos. —Volví a sujetarme una parte del cabello tras la oreja para ocuparme de algunos mechones sueltos. Después abrí la peluca y me la puse—. Después de todo —continué, observando cómo el nuevo cabello se tragaba al antiguo—, no es que vayan a empezar la sesión de preguntas sin mí. Kenny no dejaría que eso ocurriera. Siempre ha sido la más terca de nosotras, ¿recuerdas?

Elroy gruñó. Como protesta indirecta, se desabrochó otro de los botones de la camisa de seda granate que le compré la semana pasada cuando estuvimos en el centro comercial.

—Ostras, Di —dijo—. ¿Sabes como quién empiezas a sonar?

Dejé de ajustarme la peluca lo suficiente para mirarlo a los ojos y sonreír.

—¿Como quién? —le pregunté, envolviendo mi voz en tanta purpurina dorada y cachemir como pude—. ¿Como Diana Ross?

Elroy emitió esa carcajada cubierta de miel que me hizo enamorarme de él en Newark, cuando nos siguió a Kenny, a Mani y a mí por el colegio intentando cantar y bailar como un miembro de Temptation; y de nuevo casi diez años después, cuando volvimos a casa para las vacaciones, recién licenciados en nuestras respectivas universidades. Pero incluso mientras las habituales cuatro arrugas formaban un paréntesis alrededor de sus ojos, podía ver que debajo había algo más afilado que la travesura. Reproche, quizá.

No me gustó. Ni siquiera cuando se levantó del retrete, se acercó y me besó la mejilla, retorciéndose para esquivar el alto respaldo de la silla de madera que yo había arrastrado al baño desde el dormitorio.

—No —dijo, envolviéndose uno de mis nuevos mechones de cabello en el dedo—. A Diana, no.

—¿Quién es más diva que Diana?

—Tu madre. Y todas esas amiguitas elegantes que solía llevar a tu casa. Esas de las que nos reíamos entonces, con los largos guantes blancos. —Elroy no debió ver mi mueca, porque continuó—: ¿Cómo se llamaba esa? La que tenía un traje pastel distinto para cada día de la semana. ¿Beverly Carter?

—Ajá. No. *Rebekah* Carter —le dije, quitando el cepillo y la pasta de dientes del medio para poder llegar a la plancha del pelo—. La esposa de Herber Carter Cuarto.

Fue el turno de Elroy de hacer una mueca, abrazando mi silla.

—Exacto. Rebekah con K. Siempre tan arrogante.

—Se dice Rebekah, no Rebe*kuh* —recordé, estallando en un ataque de risa tan agitada que casi me quemé la frente—. ¿Recuerdas la vez que la llamaste Re*se*kah en su cara?

—Era un niño terrible —admitió Elroy—. Me sorprende que tu madre me dejara ir a cenar tantas veces.

—No lo hacía. Bueno... no en realidad. ¿Recuerdas las noches que te decía que no podías venir porque estaba estudiando suajili en casa de Sidney?

—Sí.

—¿Alguna vez me has oído hablar una palabra de suajili? Elroy se rio.

—Tiene sentido. No podíamos dejar que el pequeño Elroy estropeara una cena de Gordon.

—Que llenara de barro las alfombras blancas de mamá.

—Que pusiera a todo el mundo al día de las malas noticias. Que llegara a segunda base en el porche... con todas las luces apagadas. —Elroy subió y bajó las cejas.

—Y no te olvides de cuando diste de beber Bubbles a los mapaches, ese vino espumoso. Y la vez que casi se lo dimos también a Jonathan.

—Oye, oye, que esa fuiste tú —dijo, sonriendo—. Jonathan y yo siempre nos llevamos bien. Era el único Gordon que me soportaba. ¿Tu padre? Quizás un poco. Pero tu madre... Señor, ten piedad, los puñales que esa mujer me lanzaba siempre que andaba por allí, solo porque mi padre era portero.

Miré a Elroy de nuevo. Algo había cambiado bajo su fachada, un recuerdo desagradable mezclado con una oleada de repulsa. Y así, nuestra evocación terminó. Sus manos seguían en el respaldo de mi silla, pero tenía los ojos cerrados y yo sabía que estaba en otro lugar totalmente distinto. Casi siempre era así: un cambio rápido de totalmente bien a tremendamente mal.

Me giré hacia mi reflejo, sintiéndome menos segura sobre lo que veía que unos minutos antes. Por primera vez, mi sombra azul parecía chillona; mi delineado era como si un niño me hubiera acercado un lápiz de cera a los párpados. Mi piel se veía demasiado pálida, del color de la arena seca, como la apariencia de una persona enferma.

¿*Esta* era quien iba a subir al escenario delante de trescientas personas? Se me revolvió el estómago. Debajo de esas luces brillantes parecería desvaída comparada con Kenny, que estaría preciosa, morena y refinada por Harvard.

Me pellizqué las mejillas esperando recuperar un poco el color, hasta que recordé que eso era algo que en realidad solo funcionaba en las mujeres blancas. Entonces me apoyé la cabeza en las manos e hice lo único que se supone que no puedes hacer antes de una aparición pública: comencé a llorar.

Elroy me apoyó las manos en los hombros y supe que había vuelto.

—Yo solo... Esta camisa de seda, que vayas a llegar tarde a tu propia fiesta... Todo parece un poco extravagante, ¿sabes? No quiero que te conviertas en una de esas...

Lo miré, parpadeando. Y él me miró.

—La comparación con Rebekah Carter *quizás* haya sido una exageración —continuó con cautela—, pero ya sabes a qué me refiero. Sabes el demonio engreído que era.

Tenía parte de razón. Rebekah, una mujer negra adinerada con la piel café con leche y zapatos de tacón distintos para cada ocasión, había sido habitual en mi casa casi cada mañana de verano desde 1959 a 1967. Supuestamente, estaba sola; supuestamente, el trabajo de su marido lo obligaba a viajar por todo el país. Lo único que yo sabía era que, siempre que despertaba y bajaba a desayunar, estaba charlando con mi madre ante la mesa de nuestra cocina, sobre política, música o el último cotilleo. A veces hacía algún comentario sobre mi físico o sobre lo deshidratada que parecía, como si tuviera que salir de la cama lista para buscar marido. Pero normalmente, por fortuna, me ignoraba, demasiado ocupada en ofrecer a este o a ese hombre negro que pudiera satisfacer la última necesidad de mi madre: un nuevo jardinero, un nuevo peluquero, un nuevo dentista.

Mamá siempre se refería a ella como su salvavidas. En la cena, cuando Rebekah no estaba presente y, por supuesto, cuando mamá estaba de buen humor, papá la llamaba su «chupavidas».

Levanté una mano para apretar uno de los dedos de Elroy antes de regresar a mi peinado.

—Bueno, sé que Rebekah, al menos hace quince años, no había terminado de leer un libro jamás.

Elroy se agachó y me besó de nuevo, esta vez sobre la cabeza. La sensación dejaba mucho que desear; apenas pude sentir el ligero beso a través de la peluca.

—También sé que tú eres mucho, mucho más guapa de lo que ella fue nunca. Y mucho más brillante. Y más abierta de miras: ella jamás habría dejado que un hombre le pusiera las manos en el...

—Bueno, ya —bromeé, señalándolo con el rizador mientras fingía huir del baño—. Deberías haber parado en «brillante».

—¡«Abierta de miras» también es sexy! —gritó Elroy sobre su hombro.

Resoplé.

—Oye, ¿adónde vas? No irás a marcharte sin mí, ¿no? Un minuto más. Lo prometo.

—Tranquila, mujer —gritó desde el dormitorio—. No voy a ir a ninguna parte. La luz es insoportable ahí dentro, eso es todo. Resulta claustrofóbico.

—Sesenta segundos —canturreé, haciendo girar otro mechón de cabello con el rizador una y otra vez en mi mano derecha, como le había visto hacer cada mañana a mi madre durante casi dieciocho años. Aunque había sido su propio pelo el que se quemaba, y no uno sintético. Siempre tenía cuidado de hacer esa distinción cuando me miraba en el espejo: que, aunque escondía mi cabello, al menos estaría sano si un día decidía mostrarlo en público. No empezaría a caerse como hizo el de mamá en sus últimos años, aunque supongo que la enfermedad habrá tenido algo que ver.

—¿Crees que esto es vulgar, El? —le pregunté, tomando el cepillo—. ¿Este pelo pelirrojo?

—Creo que es una trampa en la que no voy a caer porque te conozco bien.

—Pero ¿qué crees que pensará la gente de Vermont al respecto?

—Yo no pensaría demasiado en eso, Di —dijo Elroy—. Esos blancos ni siquiera se imaginan que no es tuyo. Y no es eso lo que han ido a ver, de todos modos. Estarán allí para ver a la brillante Diana Gordon y a la brillante Kendra Rae Phillips hablando de su brillante... No, *del primero de los que seguramente serán muchos y brillantes best-sellers...*

Su voz se detuvo abruptamente.

—¿Él? —Miré la puerta del baño, estirando mi cuello para verlo—. ¿Qué pasa?

No contestó.

—Sé que han sido más de sesenta segundos —dije, desenchufando el rizador—, pero es que... No sé. —Intenté sonreír a mi reflejo en el espejo, pero resultó más parecido a una mueca—. No me termina de gustar.

Esperé. Le había dado a Elroy una entradilla para que comenzara con otro de sus discursos sobre la belleza natural de las mujeres negras y con que todo ese maquillaje estaba en realidad pensado para los blancos, así que no sabía por qué me molestaba tanto. Pero lo único que oía era el goteo ocasional de la cisterna.

—¿Cariño? ¿Va todo bien? —Tomé mi carmín y mi espejo compacto—. De acuerdo, tú ganas. Ya podemos irnos —dije, dirigiéndome a la puerta.

Empezaba a pensar que quizá se habría marchado a buscar un taxi, ya que él siempre había sido el práctico, cuando vi que seguía en el dormitorio, encorvado a los pies de la cama.

—¿Qué miras? —le pregunté.

Elroy arrugó lo que había atrapado su atención durante los últimos momentos y lo escondió a su espalda. Su expresión preocupada había regresado.

—No voy a decir que no es nada, porque está claro que ese no es el caso. Pero, aun así... Di... —Exhaló—. En realidad, no es nada. Bueno, sí lo es, pero dejará de serlo. En un par de días.

Lo miré con recelo.

—Eso parece un periódico —indiqué.

Elroy dudó, al parecer pensando si merecía la pena mentir o no.

—Lo es —dijo, incómodo.

—Déjame verlo.

—Yo...

—No tenemos tiempo para esto —insistí.

Me lo entregó boca abajo (esa frustrante sensación equivalente a un niño tirándome una pelota de tenis a la cabeza después de haberle pedido amablemente que me la entregase) pero no dije nada mientras le daba la vuelta. Ni tampoco cuando mis ojos se encontraron con el rostro impreso en blanco y negro de la mujer junto a la que había sido el foco de la atención del país en las últimas tres semanas. La mujer que había sido mi mejor amiga durante veinte años, desde que nos conocimos en la clase de Ciencias de la señora Abraham, en séptimo.

Tragué saliva y tomé aliento.

—La editora del *best-seller Corazón ardiente*: «Si eres blanco, no estás de mi parte» —recité con claridad, como si leyera una tarjeta de cumpleaños. Me detuve un momento antes de mirar a Elroy de nuevo—. Jesús. ¿Qué ha hecho Kenny?

Elroy se mesó la barba. Tenía tantas respuestas como yo.

—No lo sé —me dijo—, pero seguramente querrás esperar hasta después de esta noche para descubrirlo.

—Pero ¿y si me hacen preguntas sobre eso?

Elroy se encogió de hombros.

—No estoy seguro de que la gente de aquí arriba lea el *New York Times*, nena. Yo solo lo leo por ti. —Después volvió a ponerse en acción, alcanzándome el par de tacones negros que yo había dejado junto al espejo de cuerpo entero que colgaba junto a la puerta de la habitación de hotel—. En tu lugar, yo me haría la tonta por ahora. Niégate a hacer declaraciones. Es lo mejor que puedes hacer, por ti y por Kenny. Después, quizá podrías hablar con ella para hacerla entrar en razón. Invitémosla a salir cuando todo esto haya terminado, en un par de horas.

Hice una mueca mientras él me quitaba el periódico y lo dejaba a los pies de la cama.

—No es lo ideal, lo sé. Pero esto no es bueno, Di. Es lo único que necesitas saber por ahora. Kenny la ha cagado. Ahora solo tienes que asegurarte de que no reparta la mierda por toda tu sala de estar.

Negué con la cabeza, atontada ante la idea de tener que fingir durante unas horas, aunque sabía que Elroy tenía razón. Tenía que dejar a un lado esa preocupación y ponerme los zapatos.

Justo entonces sonó el teléfono.

—No respondas —me pidió Elroy.

Nos miramos durante el segundo y el tercer tono. Al cuarto, le aparté la mano.

—Podría ser Dick —insistí, ignorando el modo en el que mi marido se encorvó al oír su nombre. Me acerqué el auricular a la oreja y esperé.

Y esperé.

—Di —susurró la voz al otro extremo—. Tenemos que hacer algo. *Ahora.*

10

10 de septiembre de 2018

—Así que te imprimí los cinco e-mails de respuesta de Sam Lewis sobre las cinco opciones de portada para *Alma de cristal*. Este de arriba es el último mensaje que recibí de Sam, el martes. —Nella buscó en las páginas de su regazo, pasando el dedo por el asunto del e-mail. El antiguo músico de rock le había enviado más de cinco correos, uno de los cuales solo contenía una palabrota como asunto. Pero, en aquella conversación, las otras respuestas no existían—. Esta mañana me dijo por teléfono que este diseño no le gusta tanto como el segundo, pero que le gusta *más* que el cuarto.

—¿*Cinco?* Vaya. De acuerdo. Está bien.

Vera le había pedido que lo imprimiera todo en alta resolución sobre papel brillante y lo llevara a su despacho, pero eso no había evitado que abriera cada uno de los adjuntos que Nella le había enviado por correo y los repasara con atención.

Nella miró las cinco portadas impresas, lamentándose en silencio por toda la tinta que se había malgastado, no solo con esta tarea, sino con todas las que alguna vez le habían pedido completar en Wagner. Nueve de cada diez veces, el papel terminaba en la papelera. ¿Cuánto dinero había ayudado a derrochar en los últimos dos años? ¿Suficiente para devolver el préstamo de la universidad? ¿Suficiente para comprar zapatos de marca?

—No sé si lo recuerdas, pero la última vez que hablamos con Leonard estoy segura de que dijo: «No voy a hacer ningún diseño de portada nuevo para *Alma de cristal*». La cuestión es: ¿hablaba en serio?

—Sí. Ese hombre me acorraló en el ascensor la semana pasada y todavía estoy traumatizada por ello.

La imagen mental era demasiado buena: Leonard, de uno sesenta, con su camisa de cuadros rojos y azules característica y un lápiz de golf detrás de la oreja; Vera, de uno setenta y cinco, vestida de negro y fulminándolo con la mirada. Nella tuvo que tragarse una carcajada.

—Suena horrible. Lo siento.

—Lo fue. No le has reenviado los correos de Sam, ¿verdad? Por favor, dime que no...

—Por *supuesto* que no. No. No. He reescrito todo lo que dijo.

—Genial. —Vera suspiró, masajeándose la sien—. Eso se te da muy bien. Gracias. Pero, de todos modos, la conclusión es que vamos a tener que trabajar para conseguir que Sam elija una de las que ya tiene. Eso o tercerizar, cosa que no podemos permitirnos. No hay suficiente dinero en el presupuesto.

—Ya, lo suponía. He pensado... avísame si te parece una locura, y espero que no te importe que haga esta sugerencia. Creo que deberíamos insistir con la segunda portada de Leonard. —Vera no dijo nada, pero la expresión de sus ojos no decía *deja de hablar*, así que continuó—: Porque encaja más con las portadas de sus dos últimos libros, y porque su respuesta a esa fue mucho más tibia. ¿Te parece bien?

Esa huele de verdad, le había dicho por teléfono, aunque no especificó qué tipo de olor era. No obstante, Nella se lo había tomado como una especie de alabanza.

—¿Qué? —le preguntó Vera. Su ordenador había emitido un pitido y se giró para ver qué lo había provocado.

—¿Insistimos en la segunda portada? La de las estrellas. Quizá Leonard podría cambiar el tamaño de la fuente antes de enviársela a Sam, para que fuera técnicamente una nueva versión. ¿Te parece bien?

—¡Sí! Espera. No. —Vera extendió una mano, con los ojos todavía fijos en la pantalla—. ¿Puedes pasármela, por favor?

Nella se inclinó hacia delante y le entregó el folio. Tragó saliva y dijo, con tan poca mansedumbre como le fue posible:

—Si quieres, podría acercarme a la mesa de Leonard y decirle que deberíamos tomar parte de lo que hay en la quinta portada y de algún modo mezclarlo con la segunda. Porque a Richard le gustaba mucho la quinta, ¿verdad?

Vera miró fijamente su pantalla durante otros treinta segundos, como si Nella no acabara de ofrecerse a meter el cuello en la jaula de un león desnutrido. La asistente aprovechó aquella distracción para examinar el despacho de su jefa sin que se diera cuenta. Miró la colección de bolígrafos y lápices por enésima vez aquella semana; ningún color excepto negro. La caja de plástico transparente con sobres y papel de carta junto al jardín zen era nueva en su mesa, pero eran caros y elegantes, definitivamente no lo que Nella había recibido. Brevemente, imaginó al culpable en la tienda Papyrus, vestido de negro, pensando en qué tarjeta expresaría mejor su mensajito racista.

Nella llevaba un tiempo sin ganas de reírse, pero tuvo que contenerse cuando Vera se giró para mirar la imagen que le entregó y le dijo:

—No, lo siento... Esta no es. ¿Puedes darme la primera portada, por favor? No recuerdo cómo era.

—Oh, claro. Toma.

—No... Gracias, pero quiero ver la primera portada que Leonard propuso junto a estas cinco.

—Claro —dijo Nella, aunque no sabía a qué «primera portada» se refería. Recordaba que Leonard había hecho cinco portadas, no seis. Se puso en pie apresuradamente, buscando en su cerebro un recuerdo que sabía que no existía—. Por supuesto. La imprimiré ahora mismo. Tengo una reunión rápida con producción a la que tengo que ir, pero podría...

—Está bien, pero entrégamela esta tarde, por favor, cuando tengas un minuto. —Nella exhaló mientras Vera entrelazaba sus manos sin emoción—. Lo que ese hombre necesita de verdad es un ultimátum. Leonard ha estado trabajando demasiado, y Sam debería entender que aquí tenemos gente muy cualificada.

Nella asintió. Ella había sabido todo aquello (o, al menos, una pequeña parte de ella lo sabía), pero ponerse firme con Sam no le había parecido una decisión que ella pudiera tomar. ¿Y si le salía el tiro por la culata, como había ocurrido en la reunión con Colin Franklin? Después de todo, en el aire todavía pesaban los resquicios de aquel incidente, a juzgar por el tono y el veleidoso contacto visual de Vera.

Nella vio que Vera había vuelto a concentrarse en su pantalla y se dispuso a marcharse. Pero, antes de hacerlo, se giró y dijo, de manera informal:

—Hay una cosa más que me gustaría mencionar.

—¿Sí? —dijo Vera a su ordenador.

He estado recibiendo notas de un desconocido diciéndome que abandone el trabajo. Me está asustando.

Pero no podía hacerlo.

—Acabo de terminar de leer *La mentira.*

La silla de Vera sonó como si fuera a descuajaringarse, de lo rápido que giró. El resplandor de su sonrisa era hipnotizante.

—¡Eso es *genial*! ¿Y? ¿Qué te parece? Te encantó, ¿verdad?

—Bueno… Me pasé la parada de metro mientras lo leía, si eso te sirve de indicador… —Nella se detuvo, con los ojos muy abiertos por una devoción fingida. *La mentira* estaba bien, nada que ella considerara para volverse loco, pero Vera no tenía por qué saber que esa era su opinión—. ¿Quieres que te envíe mi informe?

Vera asintió.

—¡Por favor! Sería genial. Estoy pensando en hacer una oferta por él. No puedo creer que se me olvidara enviártelo. Te lo habrá mandado Hazel, supongo.

Ahí estaba: una disculpa. Más o menos.

—Sí. No pasa nada. En serio.

—Por Dios, estoy muy avergonzada. —Vera hizo una pausa, agarrándose el cuello—. Oye… Como has terminado con ese tan rápido, ¿crees que sería posible que leyeras otro para mañana? Te lo enviaré ahora mismo, lo prometo. *Corazón de acero.* Es muy, muy bueno. Es *Orgullo y prejuicio* mezclado con *Yo, robot.*

Nella asintió y le dijo que por supuesto que podía, aunque recordó que Owen y ella habían quedado con sus madres, que habían llegado de Denver en la High Line aquella misma tarde. Se giró para marcharse, rezando por que el libro fuera corto, cuando Vera la llamó:

—¿Nella? Una cosa rápida más.

—¿Sí?

—Sé que he estado un poco distante últimamente. Y sé que debes estar pensando que se debe a lo ocurrido con... Colin. —Su voz sonaba lenta y medida.

Nella sacó y cerró la punta de su bolígrafo, incómoda, mirando a Vera desde la puerta.

—Y quizá fuera así, un poco. No estoy segura. Las cosas se han desmadrado totalmente... Me siento como si tuviera más trabajo que nunca... Como sea, este es mi modo inadecuado de decir que siento si te he hecho sentir incómoda. En algún sentido. Te pedí tu opinión y me alegro de que me la hayas dado.

Nella sonrió.

—No pasa nada. Yo también siento que haya ocurrido todo esto.

—Genial. —Vera dejó escapar una profunda exhalación—. Me alegro mucho de que aclaremos las cosas. He estado hablando con Colin casi cada día para saber cómo lleva la situación, y puedo decir que creo que él también se siente bastante mal por lo ocurrido.

—¿Sí?

—Sí. Pero *yo* creo... —Vera se apretó los dedos de una mano con la otra—. Creo que no sería mala idea que te disculparas con él de nuevo. Solo una pequeña disculpa. Y después, tabula rasa.

Nella dejó de meter y sacar la punta de su bolígrafo.

—¿Qué te parece esta idea?

Creo que ya me disculpé con él antes de que se marchara del despacho, cuatro veces.

—Creo que... Quizá necesite pensar en ello —dijo Nella, dándose cuenta de lo vacía que sonaba su voz—. Con todo el respeto, claro. Creí que ya lo habíamos dejado atrás.

—Bueno, con todo el respeto, Nella, debo decir que creo que tu disculpa fue un poco... —Vera movió la cabeza de lado a lado—.

«Siento que hayas pensado que te estaba llamando "racista"» es un poco como decir: «Siento que hayas pensado que atropellé a tu perrito con mi todoterreno». Es... un poco vacío. ¿Sabes a qué me refiero?

¿Sabes a qué te refieres tú?

—Pensaré seriamente en ello —repitió Nella.

Vera dijo que lo entendía, aunque la entonación de su última palabra decayó un poquito.

Nella apartó la mirada. Se dio cuenta de que había cruzado los brazos, así que los descruzó.

—Podría llamarlo, supongo.

—En realidad, ¿no sería mejor hacerlo por correo electrónico? Está en California ahora, rodando algo para su último libro. Pero, oye, envíamelo primero para que le eche un vistazo.

Una disculpa por e-mail no era exactamente lo que Nella quería hacer. Prefería hacerlo verbalmente, en parte porque no estaba segura de cómo formularlo e imaginaba que oír el tono de Colin la ayudaría. Pero también creía que era algo a lo que su madre se habría opuesto. *Nunca dejes que tu jefe tenga nada por escrito*, decía siempre.

Una imagen de Colin imprimiendo su correo electrónico y poniéndolo en su frigorífico para que lo vieran todos sus invitados mientras lucía su gorra multitejido atravesó la mente de Nella. Pero *ella* también podía poner cara de póker.

—Entendido. Lo haré —dijo con alegría.

Mantuvo la animación en su rostro todo el camino hasta el baño. Solo se permitió derrumbarse cuando cerró la puerta del aseo.

***

Más tarde, Nella tuvo que esforzarse mucho para convencerse de que estaba sola en la oficina. Eran casi las nueve y no había visto que ningún compañero hubiera pasado junto a su mesa desde las siete...

Pero ¿qué era el silbido que había oído al final de la sala?

Puso su música en pausa y miró alrededor. No se oía ningún silbido, ningún sonido. Todo estaba en su mente aturdida. Pero aquellas notas que habían aparecido en su bolsa y en su mesa no eran producto de su imaginación. Eran tan reales como las doscientas páginas de *Corazón de acero* que todavía tenía que leer. Y si la persona que había enviado las notas era efectivamente uno de sus compañeros, ya sabía que tendría que ser más taimado de lo normal si quería hacerle llegar la nota número tres.

Aun así, había pasado una semana sin recibir nada más.

Nella se derrumbó en su asiento y volvió a buscar un GIF para enviárselo a Owen. Quería uno que dijera: *Sigo en la oficina, pero lo siento y te quiero, y por favor saluda a tu familia de mi parte*, pero lo mejor que pudo encontrar fue un fragmento de un caótico programa de citas que había conseguido que él viera un par de veces. Presionó enviar y esperó que le hiciera gracia. Después volvió al libro que Vera le había pedido que leyera y frunció el ceño al ver cuántas páginas le quedaban todavía: ciento noventa y nueve.

La lectura era lenta. La autora había intentado mezclar los ideales del siglo diecinueve con el lenguaje tecnológico moderno, pero Nella prefería lidiar con los torpes diálogos robóticos antes que escribir la disculpa para Colin. Tenía que terminar ambas tareas antes de marcharse de la oficina, pero la segunda era tan desmoralizante que no soportaba la idea de empezar. Y, cuando concluyera con todo, tendría que tomar el tren de vuelta a casa sabiendo que no había podido salir con Owen y su familia, y ¿qué tendría a cambio? ¿Comentarios sobre un libro de mierda y una disculpa a un escritor de mierda?

Cuanto más pensaba en ello, más se enfadaba. La enfadaba tanto que, después de algunos frustrantes minutos más sin entender lo que estaba leyendo, entró en YouTube y buscó «Jesse Watson + por qué disculparse». Como la oficina estaba vacía (incluso Donald se había ido ya a casa), no se molestó en ponerse los auriculares. Se echó hacia atrás en su silla, levantó los pies sobre su mesa abarrotada y subió el volumen.

—*Decidme, por favor, ¿qué, en esta tierra verde de Dios, queréis de nosotros? ¿Siento que mi piel sea tan negra, que mi cabello sea tan grueso? ¿Siento que llevéis generaciones matando a mi gente, ge-ne-ra-cio-nes, tíos, y que hayáis dejado a los negros a los que no habéis matado económicamente debilitados y sin nada que legar a sus hijos? ¿Siento que hayáis traído a mis antepasados en esos barcos y que me obliguéis a vivir con los vuestros?*

Nella lo vio dos veces, disfrutando de cómo la indignación de Jesse se propagaba por las paredes de su cubículo. Después, abrió un nuevo archivo y comenzó a escribir.

Querido Jesse Watson:

Estoy segura de que recibes muchos mensajes como este, todos los días, y no me cabe duda de que ahora mismo preferirías hacer cualquier cosa en lugar de leer el e-mail no solicitado de alguien que quiere algo de ti. Pero, antes de que borres esto, quiero asegurarte una cosa: yo no quiero nada de ti. Quiero todo de ti. Para todos los jóvenes lectores negros que no sienten que la industria editorial cuente con ellos.

Creo que hay un libro en tu interior que podría

Algo le rozó suavemente la pierna. Gritó y se sacudió, dándose cuenta un instante demasiado tarde de que solo era Pam, la dulce chilena que limpiaba el edificio después del cierre, intentando vaciar su papelera.

—¡Oh, Pam! —gritó Nella, agarrando el brazo de la mujer—. ¡Lo siento mucho, mucho!

Pam le apartó educadamente la mano.

—No pasa nada, cielo —dijo, levantando de nuevo la papelera—. Este sitio también me pone de los nervios.

11

26 de septiembre de 2018

La sala de reuniones principal de Wagner estaba abarrotada de charlas triviales mientras docenas de empleados se reunían en la barra de desayuno antes de ocupar sus asientos: editores y otros empleados importantes, en la enorme mesa de piedra; todos los demás, en las cuatro hileras de sillas frente a esta.

Nella y el resto de los ayudantes de Wagner fueron ubicados en el «Callejón de los Asistentes», suficientemente cerca como para tomar notas sobre la primera reunión de marketing de la temporada, pero bastante lejos como para que nadie notara cuando se distraían. No estaban marginados; estos eran los de la última fila, que estaba ocupada (casi como protesta) por el equipo de Libros Digitales, un departamento subestimado al que nunca se tomaba tan en serio como se debería, y por Leonard, el diseñador de portadas gruñón. No obstante, Hazel había expresado su desaprobación por los asientos en el Callejón de los Asistentes que Sophie les había guardado, a ella y a Nella, cuando llegaron algunos minutos antes. *Hay asientos libres en la primera fila,* parecía querer decir. Pero entonces Sophie alabó repentina y muy sonoramente el recogido de Hazel, sin dejarle otra opción más que aceptar su asiento en la tercera fila con una sonrisa.

Nella se alegraba de no tener que explicarle que ningún asistente se había sentado nunca tan cerca de la mesa de piedra. Sencillamente, no se había hecho. Pero eso no evitó que se preguntara, mientras daba un bocado a su bagel, por qué *era* así.

—Bueno. —Hazel mordió su minibollo de canela y pasas, inclinándose hacia delante para dirigirse a Nella, Sophie y Gina, una asistente de Publicidad sabelotodo—. Todas vais a venir a mi reunión de Jóvenes Negras Literarias esta noche, ¿verdad?

Un músculo se tensó en el cuello de Nella. Aquella pregunta parecía dirigida a ella y solo a ella. Fingió estar interesada en probar la funcionalidad de su bolígrafo.

No era que *no* quisiera ir, porque lo había considerado más de una vez desde que recibió la invitación a través de Facebook un par de días antes. Había buscado Jóvenes Negras Literarias, la organización poética sin ánimo de lucro que la propia Hazel había fundado para las estudiantes de instituto de Harlem, y se dio cuenta de que era justo lo que Malaika y ella siempre hablaban de hacer: involucrarse en las comunidades en las que vivían; participar en actividades extracurriculares negras.

Descubrió que mucha otra gente se sentía igual cuando miró a su alrededor un poco más. JNL tenía aproximadamente quince mil seguidores en Instagram y veintidós mil en Facebook. «Desde 2012, nuestra misión ha sido dar voz a las adolescentes que tienen las palabras pero no el micrófono», decía su página principal. «Queremos promocionar a la siguiente generación de Mayas, Lauryns y Lucilles».

Su red iba mucho más allá de Nueva York; se extendía hasta Chicago y Los Ángeles, donde los educadores habían iniciado sucursales de JNL en sus propias comunidades. Lo más impresionante, no obstante, era el Twitter de JNL, que tenía casi treinta mil seguidores y una gran actividad, a veces hasta cinco tuits en un día: entrevistas con escritores negros de todo el país y todas las décadas; publicaciones dedicadas a los cumpleaños de los poetas negros, de muchos de los cuales Nella nunca había oído hablar. Tenía tanto contenido negro que Nella podría haberse acomodado en su cama de matrimonio y navegado por ella durante una hora. Dos horas, incluso.

Pero aquellos días no tenía tiempo. Desde su conversación sobre *La mentira*, Vera la había inundado de manuscritos. Estaba pensando en cuál comenzar a continuación, cuando Sophie dijo:

—¡Espera! ¿Eso de la poesía era *esta noche*? Lo había olvidado totalmente. ¿Dónde es?

—En Curl Central. Está en Bed-Stuy.

Gina frunció el ceño. Nella prácticamente pudo oír cómo bajaban las comisuras de su boca. La pelirroja, que era una especie de bola de cristal de lo que molaba y lo que no, entraba en la pequeña pero respetada categoría de publicitarios que, tras oír el nombre de cualquier sitio ubicado en la ciudad, te decía si lo consideraba suficientemente literario para alojar un evento con un autor, quisieras saberlo o no. Era un don que Nella no deseaba, pero que la impresionaba.

—Curl Central. Uhm. —Los labios de Gina se unieron en el lado izquierdo de su cara. Después de mucho pensarlo, concluyó—: Nunca hemos celebrado nada allí.

Hazel se rio.

—No creo —dijo con amabilidad, aunque Nella podía notar un destello de diversión en sus ojos, el mismo que había tenido cuando Maisy había intentado sentar cátedra sobre Harlem—. Es un café-peluquería. De la hermana de mi novio. Es la primera vez que celebramos un evento literario allí. Tiene espacio suficiente, así que pensamos ¿por qué no?

—Un café-peluquería —repitió Gina, tomando un sorbo de café mientras se lo planteaba de nuevo—. *Eso* es diferente.

—Yo me apunto, sin duda —dijo Sophie, prácticamente burbujeando de alegría. Sophie había estado yendo a la mesa de Hazel al menos dos veces al día a charlar, y Nella suponía que estaba loca con la idea de pasar un rato con ella fuera del trabajo, para variar.

—Genial —asintió Hazel. Cambió su atención, y esta vez, *clavó* sus ojos en Nella.

—Yo también iré, si se cancela lo otro que tengo —dijo Gina, con un poco de resignación—. Será agradable descubrirlo, ver si podemos hacer algo allí en el futuro.

—¡Estupendo! ¿Nella?

Cuando Nella levantó la mirada, los ojos de Hazel prácticamente estaban suplicándole. *Por favor, chica, no me dejes con estas blancas en una peluquería negra.*

—¿Y tú?

—Uhm…

Nella se pasó una mano por la nuca. Tenía planes justo después del trabajo aquella tarde, y no los que se inventaba cuando prefería irse a casa a ver una maratón de reposiciones de *Un mundo diferente*. Planes de verdad. Se suponía que iba a tomar algo con una joven y bien establecida agente a la que llevaba meses persiguiendo; después de eso, había quedado con Owen para ir al centro a ver *El terror no tiene forma*, una de sus películas favoritas de ciencia ficción, de esas tan malas que son buenas. Habían comprado las entradas para la película dos meses antes, casi un año en tiempo de Nueva York, y todavía estaba castigada después de haberse perdido de pasar un tiempo de calidad en familia, con sus madres. Se lo debía.

—¡Venga, será divertido! Además, tú querías venir al Curl Central, ¿verdad? Deberías acompañarnos. Puedes traer a Owen.

Algo en aquella sugerencia le pareció un poco raro, pero lo descartó.

—Quizá pueda. Esta tarde he quedado para tomar algo con una agente, pero con suerte no tardaré mucho.

—¿Con una agente? —Sophie prácticamente gritó—. ¡Genial!

—¿Qué agente? —le preguntó Hazel.

—Lena Jordan.

—He estado pensando en hacer más vida social con los agentes, pero no sé de dónde sacar el tiempo —se quejó Sophie—. ¿Sabes?

Aunque Kimberly todavía no había regresado a la oficina después de su operación, Nella asintió empáticamente. Se sentía aliviada por lo mucho que se había desviado la conversación del recital de poesía de Hazel.

—¿Es tu primera reunión con una agente? —le preguntó Gina, con renovado interés en la conversación.

—Sí. Solo he tardado dos años en conseguir que alguien me tomase en serio.

—Esa es la norma en edición, ¿no? En serio, no sé cómo podéis aguantar tanto —dijo Gina—. Si no me hubieran ascendido a asistente publicitario el año pasado, me habría largado a otra editorial.

Todas excepto Hazel asintieron, aunque todas excepto Hazel sabían que la única razón por la que Gina había sido ascendida tan rápido era porque uno de los de arriba había muerto.

—Es increíble, cuánto se tarda en subir la escalera —dijo Hazel, terminándose el bollito. Se detuvo hasta que acabó de masticar—. Pero, en serio… Depende un poco de cada uno, ¿verdad?

—¿A qué te refieres? —le preguntó Nella. Quizás Hazel sabría que el jefe anterior de Gina había muerto tranquilamente en su mesa de Wagner. Después de todo, todavía se hablaba de ello en la oficina.

—A que depende del asistente. Richard me dijo que a veces se hacen excepciones. A veces. No es que tenga esperanzas, ni nada de eso… —añadió rápidamente.

Sophie abrió los ojos como platos.

—¿Él te dijo eso? ¿Cuándo?

Nella buscó a Richard en la habitación y lo encontró con facilidad en la cabecera de la mesa de reuniones. Con sus ojos escudriñadores, su camisa de cuello alto de raso caqui y el tenue rastro de una sonrisa, parecía Macbeth examinando a los sospechosos potenciales en lugar de un comprensivo editor en jefe.

—¿Te dijo eso durante tu té de bienvenida? —le preguntó Nella, igualmente asombrada.

—No, no. En realidad quería contároslo, chicas… —Hazel se inclinó hacia delante en su asiento; de nuevo, parecía estar dirigiéndose solo a Nella—. Invité a Richard a un evento que celebramos hace un par de semanas para los colaboradores de JNL, solo para saber si estaba interesado en donar más dinero. ¡Y acudió! También vendrá a la lectura de esta noche.

—¡Eso es genial! —exclamó Sophie, tirándose de la trenza—. Necesitamos más jóvenes negros en este negocio. El otro día precisamente estuvimos hablando de lo raro que era que hubieran tardado tanto en contratar a otro asistente negro en Wagner. ¿Verdad, Gina?

Gina parecía estar muy interesada en sus cutículas.

—Sí, creo que recuerdo esa conversación.

—A ver, Hazel es muy inteligente. Y tú también, Nella —añadió Sophie, y luego negó con la cabeza—. Es solo que… *apesta* que esto sea tan blanco.

Durante quizá la décima parte del tiempo, Sophie citó el artículo de opinión que había corrido por *BookCenter* unos meses antes. Esta vez incluso dijo el nombre completo de la autora; un nuevo toque, notó Nella.

—La gente negra *realmente* necesita esta oportunidad. Punto. Que no veamos a los otros en estos espacios no significa que no puedan prosperar en ellos. ¿Verdad?

A Gina seguramente le pareció que «los otros» era una expresión inadecuada, ya que se encogió en su asiento. Hazel miró a Sophie, desconcertada.

Amy Davidson, la jefa del equipo de Marketing, las salvó.

—Un minuto más y comenzamos —exclamó. Un tercio de los asistentes, incluida Gina y Sophie, corrieron a rellenarse el café y a tomar uno o dos bollos más.

—Es impresionante que hayas fundado una organización para jóvenes escritoras negras —dijo Nella, mirando a Hazel—. Me habría encantado ser parte de algo así cuando estaba en el instituto.

—¡Gracias! Algunas chicas de mi instituto van a leer esta noche, así que estoy más emocionada aún. La mitad de los beneficios obtenidos con la comida y la bebida serán para los miembros del grupo, por cierto.

—Genial.

—Las chicas también están muy emocionadas —añadió Hazel, mirando a la distancia—. Y tienen mucho, mucho talento.

—Apuesto a que sí. —Nella dio otro bocado a su bagel para no tener que decir nada más. Sabía un poco a cebolla y un poco a un gusto que no había pedido—. ¿Y Richard de *verdad* irá esta noche?

Hazel asintió y miró el lugar donde Richard estaba sentado.

—¿Sabes? Al principio me pareció bastante intenso. Pero en realidad puede ser muy, muy guay. Creo que me lo gané con mis conocimientos sobre té. La obsesión de Manny me ha venido bien por una vez —bromeó.

—Richard es sin duda un personaje —asintió Nella. Ella también miró la mesa, pero el alto hombre calvo que ocupaba el asiento que tenía delante había regresado de servirse café y obstruía su vista. Suspiró, con un poco de mal humor trepando por su columna. No había tenido intención de acudir al recital de Hazel. No podía dejar tirado a Owen *otra vez*. Pero ahora que sabía que Richard estaría allí y que se hacían excepciones para los ascensos, no podía ignorarlo.

Nella tomó nota mental de enviar un correo electrónico a Lena Jordan para cambiar su cita de las seis y media a las cinco y media. No era lo ideal (había tardado meses en fijar aquella reunión), pero tenía que hacerlo. Además, ¿no se vería mal que una de las dos únicas empleadas negras de Wagner no apoyara los esfuerzos de la otra?

Amy aplaudió rápidamente para conseguir la atención de todos. Cuando sus palmas se encontraron por tercera vez, el silencio atravesó a las dos docenas de personas de la habitación.

—Ahora que todo el mundo está sentado —dijo Amy, quitándose sus gafas de cristales carmesíes—, creo que deberíamos empezar.

Se echó el cabello gris violáceo sobre los hombros y luego tomó las gafas de lectura con montura metálica que nunca estaban lejos del hueco de su codo izquierdo.

La leyenda decía que los cristales tintados de Amy, que llevaba a todas partes excepto en las reuniones en las que tenía que sentarse en la cabecera de la mesa, habían sido prescritos por un óptico cuando tenía veintitantos años. Pero Nella estaba casi segura de que eran parte de un juego de poder. Joder, todos los que llevaban en Wagner tanto tiempo como Amy (treinta y dos años en su caso) tenían algún tipo de singularidad que habría sido inexcusable para alguien nuevo en el negocio. O para alguien de color. Y, comparada con el resto de las peculiaridades, la de Amy no era la más rara. Hablar con ella sin verle los ojos no era tan malo como hablar con Alexander mientras él hablaba con alguien más a través de su auricular Bluetooth, o hablar con Oliver, un editor veterano que salpicaba cada conversación con citas de los autores con los que había trabajado.

—En la reunión de marketing de hoy expondremos un montón de grandes planes —continuó Amy, revolviendo los papeles que tenía delante—. Empezaremos con los dos títulos de otoño de Vera: uno de Kitty Kruegler y el otro de Colin Franklin. ¿Alguna preferencia sobre a cuál de tus autores debemos abordar primero, Vera?

—Sí, en realidad. Tengo una. —Nella oyó que decía Richard—. Comenzaremos con Colin.

—Empecemos entonces con la gallina de los huevos de oro, ¿verdad? —asintió Josh, siempre secundando. Había conseguido llegar a la reunión pronto y solo Alexander lo separaba de Richard, un logro notable.

Todos se rieron y asintieron con entusiasmo. Nella apuntó aquella pequeña broma; no el comentario de la gallina de los huevos de oro, sino el nivel de confianza que en Wagner mostraban todavía hacia Colin Franklin. Sabía que esto le gustaría la próxima vez que se sentaran con él para presentarle un informe de ventas, sobre todo porque los números de sus últimos libros habían sido bastante mediocres. Lo habían sido desde 2009, en realidad, cuando la actriz protagonista de la adaptación cinematográfica de *No es mi sacerdote* demandó a Colin por acoso unos meses después del estreno.

¿Quién aceptaría interpretar a Shartricia si su nuevo libro era adaptado? Nadie famoso, suponía. Seguramente una desconocida, esperando su gran oportunidad. Y quizás esta lo sería. Quizás la película la lanzara, la condujera a mejores papeles y consiguiera premios que ninguna actriz negra había conseguido todavía. Presentaría programas de entrevistas, se convertiría en la Ellen negra… ¿Ellenegra? Y después, tras algunos años, montaría su propia productora de cine para mujeres negras. Miles de millones de dólares, millones de seguidores, actriz multipremiada, un nombre famoso en el mundo entero. Y después de todo, tal vez nadie recordaría el papel de Shartricia que lo había hecho posible.

Quizá.

Pero seguramente, no. Los negros no lo olvidarían. No los que eran como Nella; no alguien que pasara más de unos pocos minutos hablando de representación negra en los medios.

Negó con la cabeza, pensando de nuevo en la disculpa que Vera le había pedido que hiciera. Se preguntaba qué pensarían los medios del nuevo libro de Colin cuando saliera… y cuán impotente se sentiría ella al respecto. Quizá debería haberse esforzado más en hacerse entender por él durante la reunión en el despacho de Vera.

—Pero lo más impresionante de este libro —estaba diciendo Vera— es que Colin ha sido especialmente proactivo en su búsqueda para llegar al interior de la mente de sus personajes. Y creo que los lectores de estas comunidades dañadas van a sentirse muy identificados. Porque a ellos está dirigido este libro. A la gente del Ohio rural y del resto de las zonas rurales de Estados Unidos.

—Pero ¿saben leer al menos? —susurró Sophie en la oreja de Gina, un poco demasiado alto. Gina se cubrió con la mano su risa muda.

Amy interrumpió el discurso de Vera.

—Creo que todo eso suena fabuloso, Vera. He leído el libro y debo admitir que es realmente diferente. Se aleja totalmente, si no te importa que lo diga así, de los temas en los que Colin ha trabajado en el pasado. Las escenas familiares me conmovieron de verdad. Son muy duras, muy profundas.

Amy se detuvo entonces, lo que significaba que la mujer había cerrado los ojos, como hacía a menudo mientras hablaba para enfatizar su punto de vista. Nella sentía los párpados pesados, lo que no era una respuesta inusual a la relajante voz de yoga de Amy.

—Cuando terminé el manuscrito llamé a mi hijo pequeño, a Yale, y le dije que lo quería por haber tomado las decisiones que había tomado. Y por las decisiones que no había tomado.

El calvo sentado delante de Nella asintió, de acuerdo.

—No obstante, tengo una pregunta. —Otra pausa. Nella se preguntó si Amy estaría a punto de pedirle a todo el mundo que se tumbara como un perro boca abajo—. Dudo sobre su *público*, y sobre cómo vamos a llevar este libro a las manos de la gente de esas comunidades destrozadas.

Sophie apretó el muslo de Gina, victoriosa.

—Lo siento, pero tengo que interpretar el papel de bruja sin corazón y preguntar a todos los de esta mesa, por mucho que me duela: ¿compra libros esa gente sobre la que Colin ha escrito? ¿O están más concentrados en comprar opioides?

Nella se estremeció. Oír la frase «esa gente» en referencia a un grupo predominantemente blanco era extrañamente satisfactorio. Se preguntó si Hazel se sentiría igual, pero estaba sentada demasiado lejos a su izquierda para verla por el rabillo del ojo.

—Creo que es una buena pregunta —dijo Josh—. Y también me pregunto, y me presento voluntario para ser el hechicero de la bruja Amy —hubo algunas risas demasiado generosas—, ¿estamos seguros de que el público no se ha hartado de este tipo de historias? La crisis de opioides llegó y... Bueno, no se fue, no exactamente, pero la verdad es que no parece que la noticia importe tanto como antes. Esto significa que realmente tenemos que pensar en cómo promocionar esta novela.

¿Los opioides siguen molando?, apuntó Nella. Lo traduciría en algo menos impertinente cuando lo reescribiera para Vera más tarde.

—Estoy de acuerdo, será complicado —dijo Vera, añadiendo un poco de contrabajo a su voz—. Y, sin duda, Colin también es consciente de ello. Pero planea hacer un montón de rondas de preguntas sobre el proceso de escribir este libro, algo que las plataformas de comunicación apreciarán. Y está dispuesto a ir a por los lectores adultos jóvenes. Quizá podría hablar en algunos institutos de la América profunda.

Maisy (con un ostensible tono bronceado), a algunas sillas de Vera, se aclaró la garganta. Cuando regresó al trabajo unos días antes, dijo a todo el mundo que solo «había necesitado unas vacaciones extralargas», aunque Nella no había olvidado el breve cameo que había hecho al entrar y salir de su despacho con todas esas bolsas.

—Me gustaría añadir algo, si puedo —dijo Maisy.

La buena gente sentada a la mesa asintió.

—He leído parte de esto... —Reajustó su postura para hacer contacto visual con Vera—. Como Amy, me sentí conmovida y le dije a mi hijo que lo quería y le pedí que siempre tomara buenas decisiones. Todavía está intentando descubrir cómo se dice «mamá», así que volveremos a hablar del tema dentro de dieciséis años, supongo. —Se oyeron algunas risas demasiado generosas más, la de Nella incluida—. Creo que hay algo en *Agujas y alfileres* que es realmente especial, y detenme, Vera, si ibas a abordar este tema, y es que muestra las distintas demografías que han sido golpeadas por la epidemia de opioides. No solo gente blanca, sino también negros.

—Sí —apuntó Vera—. Iba a hablar de eso. Gracias.

Nella se tensó. Una cosa era hablar de Shartricia en el despacho de Vera y otra muy distinta compartirlo con dos docenas de compañeros de trabajo. No quería escuchar a Maisy y a Vera divagando con entusiasmo sobre el buen trabajo que había hecho Colin al presentar personajes diversos. No quería ver a todo el mundo respondiendo con frenesí. Por un momento fugaz pensó en ir al baño, aunque llamaría terriblemente la atención al hacerlo.

Entonces lo recordó: ahora contaba con una aliada. Si algún compañero la miraba para saber si tenía alguna opinión sobre lo que se estaba diciendo, también miraría a Hazel. ¿Cómo había olvidado que no era la única chica negra de la sala?

Nella inhaló. La carga no había desaparecido, lo sabía. En absoluto. Pero al menos la compartiría y se reiría de ello más tarde. Quizás incluso invitaría a Hazel a tomar algo con Malaika la próxima vez que quedaran, y charlarían de ello.

Notó que la tensión abandonaba la parte baja de su espalda, que se elevaba sobre sus hombros y se evaporaba hasta el techo.

Pero fue un error bajar la guardia. Porque no estaba preparada para lo que ocurrió a continuación.

Primero, Vera pronunció el nombre de Hazel. Y después Richard también lo hizo, atreviéndose a dirigir su atención al Callejón de los Asistentes.

—¿Te importaría compartir algunas palabras con nosotros, Hazel?

Nella se quedó paralizada. Nunca había visto a Richard pedirle a un empleado ordinario que hablara en una de aquellas reuniones.

—Claro. Le pregunté a Vera si podía echarle un vistazo a *Agujas y alfileres*. He sido una gran seguidora de Colin Franklin durante un tiempo, y tenía curiosidad.

La voz de Hazel, toda juventud y ardor, era perfectamente audible, clara y nítida. Todos los de la sala se giraron para verla mejor, como si fuera algo habitual que una asistente tomara el micrófono en una reunión de marketing.

¿No me dijo Hazel que Vera le había pedido que lo leyera?, pensó Nella, mientras Oliver se inclinaba para susurrar algo al oído de Alexander. Alexander asintió con la cabeza en dirección a Maisy.

—Y mi opinión es esta —continuó Hazel—: Creo que los lectores de color, sobre todo aquellos que han lidiado con adicciones, se sentirán identificados con la protagonista negra y su familia. Mis padres crecieron durante la epidemia de crack de los ochenta y esto me ha hecho recordar historias que ellos me contaron... y lo poco que a los blancos parecía importarles.

Algunos asintieron. Amy emitió una nota de acuerdo adecuada para un coro de iglesia.

—Seré sincera. Hay un par de cosas en Shartricia que algunas personas podrían señalar...

Si Nella tenía alguna duda de que Hazel había echado una mirada en su dirección, la expresión incisiva del editor de Producción calvo que estaba sentado ante ella se la despejó. Podía sentir a todos los demás mirándola.

—Pero, en general, Colin ha hecho un trabajo realmente bueno presentándolo de un modo que creo que conectará con todos los lectores. Será curioso ver cómo se unifica todo.

—Gracias, Hazel —dijo Vera. Estaba sonriendo tan ampliamente que cualquiera habría pensado que su cachorrito se había levantado sobre sus patas traseras y había comenzado a escribir la próxima gran novela americana. Mientras, el editor de Producción seguía sin apartar los ojos de Nella. Los tenía entornados con una desconfianza dura e indiscutible.

Nella fingió toser en su codo.

—¡Ha sido un placer! Gracias *a ti* por dejar que le echara un vistazo. Y por darme la oportunidad de hablar hoy. —Hazel inclinó la cabeza.

Amy inclinó la suya en respuesta.

—Sí, gracias, Hazel, por tu opinión. Sin duda tendremos en mente también la perspectiva racialmente diversa. Es importante, ¿no?

—preguntó a la sala. Era una pregunta retórica, pero algunos se mostraron verbalmente de acuerdo de todos modos, no fuera que los confundieran con impíos. Richard aplaudió un par de veces.

—¡Genial! —dijo Vera—. De acuerdo. A continuación, Kruegler. Cuando conocimos a Kitty, era una autora novel sin pareja, sin hijos y con una deuda universitaria de setenta y cinco mil dólares. Pero cuando *Sombras translúcidas* vio la luz, todo eso cambió...

Nella se llevó un dedo a la cara, se presionó la fosa nasal izquierda y contó hasta diez. Los rabillos de los ojos empezaban a arderle y, ahora que el editor de Producción por fin estaba mirando hacia delante, lo único que podía hacer era concentrarse en su nuca brillante y calva. Estaba a punto de echarse a llorar, lo sabía, y aunque seguramente nadie se daría cuenta (todos estaban obsesionados con Kitty Kruegler, una chica que había abandonado la universidad y había terminado siendo profesora en Princeton), llorar no era una opción. Mostrar algún sentimiento no era una opción. Sabía lo que sus compañeros dirían. Lo que su *madre* diría. «Maldita sea, Nell, eres una asistente editorial de veintiséis años y trabajas en una de las mejores editoriales del país. No tienes nada por qué llorar».

Lo que Nella seguramente no podría haberle explicado a su madre era que las lágrimas que amenazaban con bajar por sus mejillas no eran de tristeza. Eran lágrimas calientes y pesadas de ira y de vergüenza. Apretó la mandíbula, intentando no mirar a Hazel. Se moría de ganas de ver qué expresión tenía, pero si movía la cabeza aunque solo fuera un centímetro, temía salir corriendo hacia la puerta o, peor aún, saltar de su silla, agarrar a Hazel por los hombros y zarandearla delante de todos.

Nella se mantuvo inmóvil durante los siguientes cuarenta y cinco minutos, concentrándose solo en su respiración y en el sonido de las voces de los editores. Cuando Amy se lanzó a sus habituales comentarios de cierre sobre el mercado y el clima social hacia los libros y lo importante que era el trabajo que hacían todos los presentes, el calor ya había abandonado el rostro de Nella y su mandíbula se había relajado. Tenía muchas preguntas para Hazel, pero sabía que su mejor opción era mantenerse callada y tranquila. Wagner no era un buen lugar para aquella conversación; sería mejor esperar hasta que estuvieran en Curl Central.

Resignada por el momento, Nella giró casualmente la cabeza a la izquierda, notando cómo se disipaba la tensión en ese lado. Cuando volvió a girarse, la sorprendió encontrar a Hazel mirándola fijamente, con el ceño fruncido y los ojos nublados, como si estuviera pensando en algo.

Puedes traer a Owen. En labios de Hazel, había sonado más como una orden que como una sugerencia. Pero no. No era esa la razón por la que aquellas palabras le habían resultado extrañas. Lo que la había aturdido en ese momento fue el sonido de su nombre saliendo de la boca de Hazel. Nella nunca se lo había mencionado, ni siquiera de pasada. Estaba segura de eso. Y no tenía a Owen en su Facebook; a él no le gustaban las redes sociales, bendito fuera su corazón indomable, y ella lo había mantenido alejado de su página respetuosamente. De todos modos, ya apenas usaba Facebook.

Nella sostuvo la mirada de Hazel, enviándole tanta descarada repulsa como pudo. Hazel lo resistió todo con un aire de neutralidad. Después, giró lentamente la cabeza hacia la parte delantera de la sala, con el inicio de una lenta y pequeña sonrisa reptando por su rostro.

Kendra Rae

26 de septiembre de 2018
Catskill, Nueva York

Tienes que ayudarme. Creo que me estoy volviendo loca.

Tomé una larga y profunda inhalación antes de levantar mi copa y dar un sorbo de vino incluso más largo y profundo. No podía seguir huyendo de aquel mensaje de voz. Había hecho todo lo que había podido para quitármelo de la mente. Me fui a dar una vuelta durante una hora; compré algunos alimentos y también una botella de pinot noir. Incluso había escrito un poco, solo para tener algo que hacer mientras bebía.

Pero no conseguí encontrar paz. Ni una vez. Seguía oyendo la voz chillona de esa chica en lugar de la mía.

Suspiré y pulsé REPRODUCIR. Su frenética diatriba llenó mi cocina por enésima vez.

—*Mira, no sé quién eres o por qué no dejas de contactar conmigo. Y, en realidad, ni siquiera sé por qué te estoy llamando a* ti... *estúpido bicho raro siniestro y acosador.*

Se oyó el ligero soplido, la inhalación que me dijo que estaba llorando.

—*Dios, soy un desastre. Mi* vida *es un desastre. Owen está enfadado conmigo. Vera cree que soy una ayudante incompetente, y sin duda voy a perder mi trabajo... Aunque, a decir verdad, ni siquiera sé si lo quiero.*

La persona que había llamado se detuvo de nuevo. Sequé la gota de pinot noir que se había deslizado desde la botella verde hasta la mesa, untándola sobre la madera de cerezo. Me lamí el dedo y lo froté de nuevo, contando los cuatro segundos que sabía que pasarían antes de que dijera:

—No. *Eso no es verdad. Yo... Lo quiero.* Quiero *ser editora. ¿Cuántas editoras jóvenes y negras hay? Ninguna.* —La chica suspiró—. *No dejas de decirme que me marche, pero no puedo. No puedo dejar que Hazel...* —Otro resoplido, esta vez más autocrítico que el anterior—. *Joder, no sé por qué te estoy contando todo esto... Seas quien seas.*

Yo tampoco sé quién eres, pensé la primera vez que lo oí, bastante irritada, *porque eres tú la loca desquiciada que me ha llamado.* La única persona con la que hablaba era Trace. Ella era mi salvavidas, la vena que me conectaba con mi dinero, con mi familia, con mi vida anterior. A todos los demás era mejor evitarlos: a mis excompañeros, a los pocos amigos que me quedaban de Harvard.

Incluso había dejado a Diana atrás, aunque esa parte fue más fácil de lo que debería haber sido. Sinceramente, había esperado que al menos ofreciera a Trace una disculpa vacía por haber dejado que me marchitara. Por haberme hecho sentir que ya no era bienvenida. Por haber intentado cambiarme.

Ostras, no me malinterpretes... Sé que no era el momento perfecto para lo que dije. Pero eso no le daba derecho a hacer lo que hizo.

Escuché mientras la chica desvariaba un poco más, esperando. Y entonces llegó: la razón por la que no había conseguido pensar con claridad en todo el día.

Wagner.

Oírlo por cuarta vez no lo hizo más fácil. Todo volvió a mí: las décadas que había pasado huyendo de su apellido, las amenazas de muerte, los padres negros que me escribieron para decirme que ya no me consideraban un modelo a seguir. Habían pasado años desde que me cambié el cabello, encontré un nuevo trabajo y me acomodé en una pequeña localidad al norte de Nueva York donde a la gente no le apetecía demasiado molestar a su nueva vecina negra... Todo para alejarme de aquel apellido. Pero entonces recibí ese mensaje de voz de la tal Lynn diciendo algo sobre Wagner y el trabajo que su «equipo» estaba haciendo. Y ahora allí estaba Wagner de nuevo, invadiendo mi vida.

¿Qué posibilidades había de que aquellos dos mensajes no estuvieran relacionados? ¿De que aquella chica no formara parte del grupo de Lynn, de que no la hubiera enviado ella para obligarme?

Bebí el resto de la copa, la rellené y pulsé REPRODUCIR, y luego otra vez, hasta que me formé una imagen borrosa: aquella joven anónima trabajaba para Vera Parini, una apocada y delgaducha blanca que era solo una humilde asistente editorial cuando yo la conocí en Wagner. Y ahora Lynn (o uno de los suyos) le había dado a aquella pobre chica *mi* número. Seguramente esperando que me convenciera de que volviera a la ciudad.

Suspiré y dejé descansar los ojos sobre los azules y dorados de la impresión de Jacob Lawrence que mi padre me había enviado apenas unas semanas antes de fallecer. Su funeral había tenido lugar en un día precioso, considerablemente cálido para marzo, y había estado tan lleno que mi madre tuvo que despedir a algunas personas. Al menos, eso fue lo que me contó Trace.

Yo no fui.

«Pero es *papá*», me había suplicado Trace el día antes del entierro. A través del teléfono, la sentí tirando de mi brazo como solía hacer cuando éramos niñas y quería mi atención. «Puedes ocultar la cara. Ponte una peluca. Lo que sea. No me obligues a hacer esto sola, Kenny».

Tragué saliva.

«Han estado vigilándoos para saber si regreso. Lo descubrirán».

Para cualquier otro (*casi* cualquier otro), habría sonado como una lunática. Pero Trace era de mi sangre, mi mejor amiga. Ella *tenía* que comprenderlo. Ella me vio los últimos días, antes de marcharme. *Ella* también notó el cambio. No había otra razón lógica para todos los años en los que me había ayudado a mantenerme lejos de Richard, de Diana, de todo ello.

Creo que me estoy volviendo loca... Mi vida es un desastre...

Mi teléfono se había callado, pero yo seguía mirándolo de todos modos mientras mis entrañas cambiaban de melodía. De repente, deseé no haber bloqueado su número. Quería que la chica me llamara otra vez, que me contara más. Su pánico no estaba provocado porque su lozana y egocéntrica vida de veinteañera no estuviera yendo según el plan; yo lo sabía. Sin duda, lo que aquella chica estaba experimentando la estaba afectando gravemente.

Me eché hacia atrás en mi silla, dolorosamente consciente de la batalla entre el miedo y la compasión que estaba socavando mis sentidos. Ser capaz de *sentir* el tira y afloja me sorprendió; durante mucho tiempo había dejado que mi deseo de permanecer escondida dictara dónde vivía, dónde compraba, con quién hablaba. Cuando Lynn contactó conmigo con sus grandes teorías sobre Wagner e incluso con su mayor petición, le dije con claridad que no estaba interesada en regresar a la ciudad. *Sería una locura arriesgarlo todo ahora. Por fin he encontrado la paz.*

Pero ¿lo había hecho de *verdad*? Los setenta no estaban lejos y aquí estaba, viviendo sola. Solo tenía algunos amigos (conocidos) y estaba enviándole notas a mi cliente con dos semanas de retraso. ¿La excusa de hoy? Me había emborrachado a solas un día entre semana.

Por mucho que quisiera ignorarlo, mis grietas no solo estaban apareciendo; estaban dominándome. Los fragmentos que *quedaban* de mí intentaban asomarse sin remedio, atizados por el soliloquio de aquella chica perdida.

Moví la copa de vino para acercar mi portátil y me identifiqué en la cuenta de Facebook de Trace, que me permitía usarla siempre que me sentía especialmente sola. No conocía el nombre de la chica de la llamada, pero sabía para quién trabajaba y con quién podía trabajar: con alguien llamado Owen y con una tal Hazel. Pero cuando introduje sus nombres en la barra de búsqueda, ambos expulsaron demasiados resultados como para encontrarlos.

Me apreté el puente de la nariz. Después de pensarlo un poco, entré en Google y busqué «Hazel» y «Wagner Books», esperando otra avalancha de resultados. Pero, a mitad de la página, había un enlace a un evento de Facebook organizado por una joven llamada Hazel-May McCall. Aquella misma noche, la organización de Hazel-May McCall celebraría un recital de poesía en una peluquería negra de Brooklyn.

Entre los asistentes confirmados estaba Richard Wagner.

¿Y el copatrocinador de este evento? Wagner Books.

Esta información cayó de manera extraña en mi estómago, amenazando con regresar junto con el vino que había tomado para almorzar. Desesperada, abrí la foto de Hazel. Sus rastas eran su rasgo más llamativo; lo siguiente era lo socialmente involucrada que estaba. Pero su cronología decía que llevaba en Wagner apenas dos meses.

O Richard había experimentado un cambio enorme de corazón, o, más probablemente, tendría Algún Interés. ¿Por qué otra razón daría tanto dinero y escribiría públicamente que se moría de ganas de «enfatizar la importancia de incrementar la diversidad en la industria editorial»? Era el mismo hombre que me había invitado a cenar en mi primera semana en Wagner para que su elegante esposa blanca pudiera decirme, «de mujer a mujer», que nunca llegaría a nada en la editorial si no me domaba el cabello y hablaba como si fuera de Northampton, no de Newark. El mismo hombre que me dijo, un par de años después, que *Corazón ardiente* estaba «demasiado encasillado» para llamar la atención del público general, pero que Diana era guapa y yo era lista, y que, si los negros podían ser estrellas de la música internacional, sin duda nosotras podíamos conseguir cierta notoriedad.

El mismo hombre que se desvió hasta nuestro plano en el momento en el que el libro se convirtió en un *best-seller*.

Consideré las rastas de aquella joven, su mano en la cadera. ¿Estaría Richard acostándose con ella? Era un pensamiento bochornoso, pero no inverosímil. No obstante, no tenía ese brillo fácil y suave que a él siempre lo atraía. Hazel emitía algo totalmente distinto.

Él seguramente no podría. *Ella* seguramente no podría. Esa chica parecía demasiado fuerte para él. Demasiado... *sólida*.

Pero también lo había sido Diana.

De repente, mis piernas se pusieron a trabajar solas, arrastrándome a mi sala de estar y dejándome ante la estantería de caoba que había comprado en un mercadillo poco después de mudarme a Catskill. Estaba pasando un dedo por los lomos desgastados de los libros que había reunido en el transcurso de los últimos cincuenta años cuando por fin me di cuenta de qué había venido a buscar.

Ralph Ellison y Toni Morrison me susurraron que los escogiera, que les diera otra vuelta, pero resistí la tentación y me puse de rodillas para ver mejor la fila inferior. Allí estaban las memorias de Gordon Park, una biografía de Billie Holiday y una colección de otros libros sobre artistas negros. Nunca comprendí a la gente que ordenaba sus bibliotecas por orden alfabético; yo solo creía en ordenar la mía por temas, e incluso *eso* era complicado. Así que leí cada lomo, examinando los viejos números de *JET* y de *Ebony*, hasta que encontré uno demasiado pequeño para leerlo.

Ahí estaba.

Tomé la fina recolección de páginas con prudencia, con cuidado de mantener intacto su lomo de cincuenta y tantos años de antigüedad. Allí estaba: el viejo programa del teatro con las representaciones de *El esclavo* y *El retrete* de Amiri Baraka que mis padres me habían llevado a ver cuando tenía catorce años. Lo sostuve en mis manos unos minutos, recordando cuántas veces me había recordado mi padre durante ese trayecto al teatro St. Mark que Baraka era también de Newark. Después abrí el programa, levanté la solapa y desenterré la prueba fotográfica que no había mirado en años.

Allí estábamos, Diana y yo, posando para la portada de una revista que nunca se publicó. Yo iba de negro y ella de rosa, y ambas teníamos unas hombreras tan afiladas que podríamos habernos cortado el dedo con ellas. El fotógrafo había sugerido que levantáramos los puños, lo que a ambas nos sonó demasiado trillado, así que acordamos posar espalda contra espalda con los brazos cruzados y las cejas levantadas; porque, por alguna razón, esa nos pareció la pose más natural en el momento. Abajo, escritas sobre nuestros tobillos oscuros, estaban las palabras: «¿Una Nueva Era en el mundo editorial?».

La puntuación del título me irritó ahora tanto como lo hizo entonces. «¿Por qué presentarlo como una pregunta?», inquirí ante el editor en jefe. El hecho de que estuviéramos en la portada de una prestigiosa revista era la respuesta. Para mí, al menos.

Pero entonces abrí la boca. Y entonces, retiraron la portada. ¿Y qué había sido de aquella supuesta Nueva Era?

Dejé la fotografía y el programa sobre el sofá y regresé a la cocina. Solo diez minutos antes, había querido tomar mi teléfono y decirle a aquella desconocida que ser editora *no merecía* la pena; que, si no tenía cuidado, podía convertirse en alguien como yo. O peor.

Al mismo tiempo, había querido estrellar el teléfono contra la pared.

No lo hice. En lugar de eso, me concentré en la impresión de Jacob Lawrence de nuevo, en los recios brazos negros que empujarían un carro de libros durante toda la eternidad, quizá más. Y llamé a Lynn.

PARTE III

12

26 de septiembre de 2018

Malaika sostuvo contra su frente un mechón de cabello sintético 4B que estaba teñido de celeste.

—Sabes que está intentando jugártela, ¿verdad? —me preguntó, acercándose a uno de los espejos que salpicaban el pasillo de tintes capilares—. Eso es todo. Está intentando joderte.

Nella tomó otro producto para el cabello, lo sostuvo a la luz y entornó los ojos. Habían entrado en Curl Central casi diez minutos antes, pero sus ojos todavía no se habían ajustado a aquella tenue iluminación lo suficiente como para leer las etiquetas de los frascos desde una distancia razonable. «Buen Rollito», se llamaba aquel. Supuestamente, masajearte el cuero cabelludo con ese producto dos veces al día te hacía sentir «buen rollito y diversión para pasar un rato agradable. Perfecto para la playa, para el bar, o para darte un atracón de Netflix en tu sala de estar».

Malaika resopló.

—¿Y para la oficina? Porque parece que la tuya necesita un poco de buen rollo. Tus colegas también podrían necesitarlo.

Nella se imaginó entregando a Sophie un tarro de manteca Buen Rollito, se la imaginó poniéndosela entre sus dos trenzas francesas en el baño femenino. Si hubiera estado de humor, se habría reído. Pero no era así. Seguía sintiéndose un poco avergonzada tras la reunión de marketing de aquel día (y su posterior crisis nerviosa). No le había contado a Malaika que había llamado al número anónimo, y tampoco planeaba hacerlo pronto. Malaika la juzgaría si se enteraba, y con razón.

—¿Cómo van las cosas, por cierto? No has recibido más notas después de la segunda con el número de teléfono, ¿verdad? —le preguntó Malaika, notando que su amiga se había quedado callada de repente.

—Uh, no. No he recibido más notas desde el siete de septiembre.

—Eso es bueno. Pero, joder, después de lo de hoy... *Tienen* que ser de Hazel, ¿no?

Nella solo se encogió de hombros, un gesto que Malaika no podía ver ni ignorar.

—Sabe que solo hay espacio para una chica negra y quiere ser ella. Creo que te quiere *fuera*, chica —continuó Malaika, tomando un mechón de pelo verde—. Está jugando contigo. ¿Por qué otra razón te habría mandado esas notas, sin que supieras que era ella? Y cómo te ha lanzado a los leones hoy, delante de todo el mundo.

—No sé. Quiero hablar con ella esta noche. ¿Te he contado que mencionó a Owen? Por su nombre. Aunque estoy segura de que nunca se lo había mencionado. Jamás.

Malaika abrió los ojos como platos.

—¿Nunca? ¿Estás segura?

—Totalmente. Mencioné que tenía novio, pero eso es todo. Y tú sabes que él no toca las redes sociales ni con un palo de tres metros. Las odia tanto que tiene becarios que hacen esa parte de su trabajo.

—Ya. Entonces, cuando dices que quieres «hablar» con Hazel, ¿te refieres a...? —Malaika fingió que se quitaba los pendientes uno a uno.

—No —dijo Nella, riéndose—. Me refiero a hablar de *verdad*. Es inocente hasta que se demuestre lo contrario.

Las palabras, agrias en la lengua de Nella, sonaron mucho más santurronas de lo que pretendía.

—Pero no puedes...

—Me pregunto qué tipo de químicos provocan «buen rollito» —comenzó Nella, cambiando de tema—. Pantenol, glicerol, fructosa...

Malaika resopló malhumorada, mientras volvía a toquetear el mechón de pelo verde.

Nella soltó el envase de Buen Rollito y se acercó al estante. Estaba decidida a mantener la calma aquella noche. No podía correr al baño de Curl Central y dejar otro demencial mensaje en el contestador de un desconocido.

—Esta línea de productos capilares es una locura. ¿Cómo es posible que exista algo así? Mira los nombres: «Pastillita pa' Dormir», «Colocada & Descocada», «Luce Palmito»...

—¿Qué lleva Luce Palmito?

—Seguramente lo mismo que Buen Rollito. ¿Y algo picante? No lo sé.

—Basura para el cuero cabelludo —dijo Malaika con desdén. Dejó el mechón de cabello verde en el estante junto al espejo, abatida—. Me muero de ganas de hacerlo.

—¿De hacer qué?

—Teñirme el pelo. Un tinte vegetal, evidentemente. Pero tengo ganas de un cambio, ¿sabes?

—Sí —dijo Nella, recordando el caluroso día de verano en el que pasó por una barbería de Bushwick y decidió cortarse todo su pelo alisado—. ¿Por qué no lo haces? Tu pelo sería la bomba en azul o en verde, sobre todo si te lo trenzaras como haces a veces.

—Aunque tuviera el valor de hacerlo, sé que tendría que escuchar a Igor durante un mes. Ya sabes lo que piensa de este tipo de cosas.

Nella asintió. Igor lo *había* pasado especialmente mal adaptándose al diminuto piercing verde esmeralda que Malaika se había hecho en la nariz por capricho el verano anterior. Había montado un numerito y le había dicho a Malaika de un modo nada sutil que «su decisión sobre la joyería de nariz podía alejar a cierto tipo de clientes». Malaika se quejó y refunfuñó, pero recibió el mensaje y se quitó el piercing. El sueldo era demasiado bueno, y tener su propio apartamento en Fort Greene era incluso mejor.

—De acuerdo, nada de tintes. Pero ¿quieres otra cosa de este pasillo? ¿Manteca para el cabello o algo así?

—Chica, sabes que no compro manteca. Es como comprar salsa barbacoa.

—¿También has empezado a hacer tu propia salsa barbacoa?

—Pinterest es un recurso de valor incalculable.

Nella se rio (una risa de verdad, esta vez) y golpeó juguetonamente el brazo de Malaika.

—Vamos, Mal. Quiero echar un vistazo al libro de Iesha B. antes de que esto empiece.

—¡La señorita Iesha B.! Oh, sí, por favor.

Malaika se movió por delante de Nella, con las franjas rosa neón de sus Air Jordan como la única parte visible de su sombra. Nella la siguió alegremente. Habían pasado una insana cantidad de tiempo haciendo bromas sobre la señorita Iesha B., preguntándose si comería filetes, si creería en los Illuminati o si estaría presente en el recital de aquella noche. Fue esta última razón la que animó a Malaika a asistir a la lectura, ya que la súplica de Nella para que lo «hiciera por la cultura» no la había emocionado. No en una noche entre semana, al menos.

—¿Tenemos tiempo antes de que empiece esta cosa de la poesía? —le preguntó Malaika—. Quiero saber si ese libro vale de verdad los diez pavos que cuesta.

Nella asintió. Había localizado tanto la estantería de libros como el baño tan pronto como llegaron, una costumbre cada vez que entraba en casa de alguien, y guio a su amiga por el camino hasta el fondo de la tienda, esquivando con destreza a dos jóvenes negras que miraban con atención una selección de resplandecientes espráis que servían como perfumes y como hidratantes. Una tenía la boca llena de brackets; la otra lucía un rizo diminuto que le recordó a Nella su propio cabello después de haberse hecho El Gran Corte.

—Se supone que este te quita ansiedad —dijo la chica de la boca metálica, cuyo gorro negro y trenzas africanas eran un claro homenaje a Janet en *Justicia poética*—. ¿Me ayudará esto con el examen de admisión?

—Nooo —contestó su amiga—. Pilla el espray Serenidad. Mi hermana lo usa, y ya sabes que ha conseguido entrar en Fordham Law.

Nella contuvo una carcajada ante la idea de un espray que prometía serenidad en un mundo condenado por horribles tiroteos escolares, absurdos bombardeos en la iglesia y un irreversible calentamiento global. Pero mientras Malaika y ella doblaban una esquina, la diversión ante su ingenua conversación se convirtió en envidia al pensar en su juventud perdida por culpa de los alisadores químicos. Qué grande sería su melena afro ahora si no hubiera odiado tanto sus raíces entonces.

No pudo meditar demasiado en eso, porque Malaika se detuvo de repente y dejó escapar un grito.

—Virgen santa. ¡Es incluso mejor de lo que había imaginado!

Nella se acercó para ver por qué flipaba Malaika. El grito estaba bien merecido. Ante ellas, bajo un brillante rayo de luz blanca, había una silueta de cartón a tamaño real de la propia Iesha B. A cada lado de la cabeza llevaba dos moños de color miel del tamaño de rollos de canela. Tenía los labios pintados con purpurina dorada, y apoyaba una mano enguantada en la cadera mientras con la otra agarraba un secador con el morro hacia abajo, al estilo Blaxploitation. De no ser por el delantal con estampado Kente que llevaba firmemente atado a la cintura o por la burbuja de diálogo que salía de su boca y decía LA AYUDA VA A TODA MECHA, Nella habría pensado que aquella mujer no era la señorita Iesha B., sino la heroína de una novela gráfica.

—¿Qué dem...? —dijo Nella, intentando contener la risa.

Malaika comenzó a reír a carcajadas con imprudente abandono.

—Mierda, ¿crees que venderán el delantal aquí? Preferiría gastar cuarenta pavos en eso en vez de en el libro.

A Nella le temblaban los hombros.

—*Shh*. Podrían oírnos.

—«La ayuda va a toda mecha». ¿Qué otras cosas crees que se les habrán ocurrido? Tal vez: «Pelo, ¿por qué no me pides ayuda?» o «Iesha B., tu amigable vecina psicópata, te dirá lo que haces mal con tu pelo».

—¡Malaika!

—Lo siento. Es que es demasiado gracioso. Lo siento —repitió, a todo volumen. Se giró para colocarse para un selfi—. Voy a mandarle esta a mi prima. Está estudiando cosmética.

Avergonzada, pero no lo suficiente como para silenciar de nuevo a su amiga, Nella tomó una copia de *Peloterapia negra: diez modos de encontrar el poder de tus rizos* y la hojeó buscando la verdad que la señorita B. conocía, según lo que prometía la página web de Curl Central. El estilo no estaba mal, pero a juzgar por la tipografía (tres veces demasiado grande, en su opinión), era bastante evidente que el libro había sido editado en el sótano de alguien. Le dio la vuelta para examinar su lomo. Era un hábito inspirado por Wagner que volvía a Owen un poco loco cada vez que lo hacía, sobre todo cuando estaban en casa de otra persona, y sintió una oleada de alivio porque él todavía no hubiera llegado a Curl Central.

Nella soltó el libro, lista para posar para la foto con Malaika y la señorita Iesha B., cuando una voz anunció:

—¡Recordad, todas las ganancias irán al instituto!

Se giraron rápidamente, sorprendidas. Era Juanita Morejón en carne y hueso, igualita que en la foto que Nella había visto de ella online, con una falda de cintura alta y un top corto, aunque esta vez con rayas horizontales negras y blancas.

—¡Y todas las compras incluyen una bebida a mitad de precio!

—Sí, eso me han dicho —dijo Nella, sonriendo alegremente y extendiendo la mano—. Es estupendo. Juanita, ¿verdad? Nella. Trabajo con Hazel en Wagner Books.

—¡Oh! *Tú eres* Nella. ¡Me alegro mucho de conocerte! He oído hablar mucho de ti —dijo Juanita. Antes de que Nella pudiera prepararse, Juanita la había atraído en un abrazo inesperadamente fuerte que no creía que se hubiera ganado. El abrazo olía un montón a manteca de cacao y la familiaridad del aroma la relajó un poco—. Hazel no ha llegado todavía. Creo que ha llevado a las chicas de Jóvenes Negras Literarias a cenar antes del recital. ¿No es dulce?

Juanita se detuvo demasiado, provocando que Nella contribuyera con un reacio «genial».

—Pero ambas nos alegramos mucho de que hayas podido venir. Me mencionó que esta noche tenías una cita importante con una *agente*. —Para enfatizar su última palabra, Juanita levantó sus uñas postizas, largas y afiladas, y las agitó.

—Lo hemos reprogramado. Resultó que la persona con la que iba a quedar no podía hoy en otro momento, y yo no quería perderme esto.

Malaika tosió a su lado; no porque estuviera incómoda por no haber sido presentada a Juanita en forma oficial, sino porque había sido especialmente franca con el sacrificio de Nella.

«¿Por un puñado de niñas de instituto a las que ni siquiera conoces?», le había preguntado Malaika.

«¡Por la cultura!», había repetido Nella.

—Esta es mi amiga Malaika. Ella tampoco quería perdérselo, es muy aficionada a la poesía.

Dos de las tres afirmaciones eran mentira, pero bajo la tenue luz Nella sabía que Juanita no podía ver la mirada traicionera que Malaika estaba echándole.

—¡Bienvenida, bienvenida, bienvenida! Me alegro mucho de que tú también hayas venido —dijo Juanita, apartándose uno de sus largos rizos con la afilada uña de su meñique. Por alguna razón, Malaika no recibió el abrazo de oso; era mejor así para ambas, Nella lo sabía—. Por favor, si tenéis alguna pregunta sobre alguno de nuestros productos, hacédmelo saber. Si es la primera vez que venís, os recomiendo que concertéis una cita con la señorita Iesha B. antes de hacer otra cosa. Ella os dirá qué productos deberíais probar para los altibajos de vuestro cabello.

Dejó de hablar un instante y miró de cerca el cabello de Nella.

—Y, solo para que lo sepas, tenemos un montón de acondicionadores hidratantes y de espráis para dar volumen a las raíces.

La mano de Nella subió hasta su cabeza, que, ahora que lo pensaba, parecía un poco seca.

—¡Qué bien conoceros a ambas! Una última cosa: si subís algo a Instagram, por favor, etiquetad a Curl Central. Pero aseguraos de que no salgan bebidas en la foto —añadió rápidamente—, porque todavía no tenemos licencia para vender alcohol. ¿Me entendéis? ¡Genial! Os veo pronto, señoritas. —Juanita dio una palmada y se dirigió hacia las chicas de instituto que seguían debatiendo sobre el espray Serenidad.

Nella se tocó las raíces de nuevo y después comprobó la expresión de Malaika. Era difícil saberlo, porque ya no estaba iluminada por el foco de la señorita Iesha B. Pero, antes de que pudiera preguntarle, Malaika se rio.

—Parece un personaje de *Mujeres Ricas*.

Nella también se rio.

—¿No tiene licencia para vender alcohol y sirve alcohol en un sitio donde van a leer estudiantes de instituto? No la juzgo, pero... la juzgo.

—Tú júzgala —dijo Malaika—, pero yo en parte he venido por eso.

Como era habitual en él, Owen apareció dos minutos antes de la hora a la que se suponía que debía empezar el recital, cuando casi todos los asientos estaban ocupados. Nella lo saludó con la mano, primero casualmente y, cuando este método no funcionó, espasmódicamente, hasta que él vio los tres asientos centrales que Malaika y ella se habían asegurado en la última fila.

—Es uno de los pocos blancos de este evento y llega en Tiempo GC —indicó Malaika mientras Owen se dirigía hacia ellas.

—¿No dijo Jesse que debíamos rechazar la idea del Tiempo GC?

—Oh, Dios, sí. «El tiempo es otro constructo más creado y mantenido por gente que no se parece en nada a mí. Algunos constructos son válidos. Otros se construyeron solo para evitar que fueran otros los constructos construidos». Uf, eso fue sin duda... —Malaika recibió un golpe imaginario.

Nella se rio y continuó donde Malaika lo había dejado con su mejor imitación del hombre negro.

—«Por tanto, hermanos y hermanas, tenemos que detenernos a pensar cada vez que usemos la frase "Tiempo de la Gente de Color". Cada vez que la usamos, solo estamos reforzando el estereotipo de que solo hay *un* tipo de "tiempo" y de que es un problema que los negros no se adhieran a él. Yo aparezco cuando aparezco. Es mi prerrogativa. Yo creo mis propios constructos».

—Tía, que le den. Hablar sobre el Tiempo GC es tan natural para los negros como adorar a Angela Bassett. No podemos negarlo. Puede que por *eso* esté tomándose un descanso de las redes sociales... porque al final ha aceptado que todo eso también es un constructo.

Tenía razón, pero Nella estaba más interesada en el avance de Owen que en seguir la conversación. Había tardado demasiado en pasar junto a la pareja negra con pinta de ratones de biblioteca que estaba debatiendo en forma acalorada; ahora, lo único en su camino era un grupo de cuatro negras eclécticamente vestidas. Mientras las esquivaba con educación, disculpándose sin cesar, ellas lo miraron con curiosidad, intentando descubrir dónde pretendía sentarse aquel joven blanco, de rostro rojizo y cabello castaño, y una de las dos únicas personas blancas en Curl Central aquella noche. Cuando se detuvo junto a Nella y a Malaika, la mujer sentada en el extremo opuesto de la fila dijo algo en voz demasiado baja para que Nella lo oyera. Otra mujer respondió animadamente, usando las manos para ilustrar su punto de vista, y todas asintieron con las cejas levantadas.

Nella intentó no preguntarse qué había decidido su corte mientras se levantaba un poco para darle un beso en la mejilla a su novio.

—¡Has venido!

—Lo siento. Tuve que ir a la oficina porque pasaba algo con Internet. Y, cuando llegué al cine, había una cola larguísima en la taquilla porque perdí el primer tren. —Nella captó un tenue olor a sudor mezclado con un poco de ira mientras Owen se quitaba su bolsa bandolera y la metía debajo de su silla plegable—. ¿Qué pasa, Mal?

—Lo de siempre. Bebiendo vino. Y a punto de «culturizarme».

—¿Has conseguido que nos cambien las entradas de *El terror no tiene forma*? —le preguntó Nella.

—No. La otra proyección estaba llena y, aunque no lo hubiera estado, el tipo de la taquilla me dijo que su política de devoluciones no incluía el cambio de hora de inicio.

Nella gimió.

—Joder, cari. Lo siento. Iremos a la siguiente, pase lo que pase. E invitaré yo.

—No pasa nada. Esta noche prefiero oír buena poesía. Una pensada para las *chicas de color* —dijo Owen, un poco menos cascarrabias—. Para cuando esta cosa haya terminado, quizás a mi alma le hayan salido alas y se haya alejado volando. Entonces, te perdonaré. *Quizá.*

—Valoro que hayas citado a Ntozake Shange —dijo Nella, juguetona— y no a Maya Angelou. Ntozake es una herida profunda.

—Eso demuestra que es un tipo profundo —asintió Malaika—. Vamos a quedarnos con tu novio, ¿vale?

—Creo que deberíamos. —Nella sonrió y apretó el muslo de Owen.

Owen puso los ojos en blanco, aunque era evidente que la charla lo había relajado. Seguramente no lo admitiría, pero Nella sabía que, en secreto, disfrutaba de la atención que Malaika y ella le proporcionaban. Después de todo, había pasado mucho tiempo desde su primer año juntos, cuando Malaika se refería a él como «el último chico negro de Nella», y no siempre a su espalda. Malaika, que era un cruce entre la hermana que Nella nunca había tenido y la madre que sí tuvo, había sido bastante escéptica sobre las intenciones de Owen. Había tenido suficientes experiencias con tipos blancos como para creer que Owen sacaría en algún momento al imbécil que Malaika presumía que la mayoría de los hombres blancos tenía en su interior.

Nella lo comprendía. Sus compañeras de la universidad la habían arrastrado a tantas fiestas de fraternidades blancas que, cuando conoció a Owen por Internet, le fue imposible no ser escéptica con él. Ser una de las pocas chicas negras en esas fiestas a menudo significaba que se fijaran en ella de inmediato; y, si estaba sola, lo que era muy habitual, significaba que se le acercaran con avidez. Sabía qué veían aquellos tipos al pasar: una chica negra de piernas largas con un top corto y ceñido y unos vaqueros de cintura alta aún más ceñidos. Una chica negra de piernas largas bebiendo sola. Una presa fácil. Nella soportaba sus charlas sobre en qué curso estaba, cómo había llegado a la fraternidad (en general con su compañera de habitación, Liv, pues prácticamente vivía en el centro de estudiantes). Pero para sorpresa, y decepción, de esos tipos, Nella replicaba con preguntas de verdad (no solo *de dónde eres* sino *cuáles son tus libros favoritos* y *cuál es tu modo predilecto de llegar al patio*) y de repente un tipo que pensaba que al final terminarían en el baño, con la cremallera de sus vaqueros de cintura alta entre sus dientes, acababa teniendo una charla seria sobre sus personajes literarios preferidos. A él le parecía desconcertante, pero le seguía el rollo y a veces se sinceraba más de lo que nunca lo había hecho en una fiesta de la fraternidad...

Hasta que se daba cuenta de que la cremallera de Nella no tenía intención de bajar. En ese momento las luces se apagaban, su vaso quedaba vacío y él se marchaba. Un caballo en busca de pastos más fáciles.

Cuando Nella estaba en los primeros cursos, este cambio la había decepcionado. En aquellos días todavía tenía la idea de que encontraría a alguien en la universidad; quizás en el comedor, cuando un tipo le preguntara si la otra silla estaba vacía, o en el patio, cuando estuviera sumida en sus pensamientos, contemplando ese «sobresaliente menos». Quizás incluso en una fiesta de la fraternidad, suponía la Nella de dieciocho años, porque eso era lo que les ocurría a las chicas en las películas y en las series de televisión.

Después se licenció, se mudó a la ciudad y maduró. Descargó algunas aplicaciones de citas en su teléfono móvil y dejó de intentarlo en los bares. Muchos hombres todavía pulsaban ese interruptor cuando la conocían (no solo hombres blancos) y al final encontró a uno que no lo hizo. Desde sus primeros intercambios en OkCupid hasta las cervezas que compartieron en The Jeffrey, Nella tuvo claro que Owen no tenía nada que cambiar: solo tenía un modo (profundamente interesado), y cuando se quedó cerca el tiempo suficiente para demostrarle que su relación no era solo un picor que se estuviera rascando, los sentimientos de Nella por él cristalizaron.

Las riendas de Malaika también se habían soltado. No dejó de llamarlo el Último Chico Blanco de Nella, pero lo trataba como a un pretendiente que merecía la pena, e incluso empezó a bromear con él sobre sus ángulos ciegos como hombre blanco heterosexual. A cambio, Owen parecía (a veces paradójicamente) cómodo. Si la gente iba a reírse de él, prefería formar parte de la broma, y esa fue la razón por la que Nella se sintió a gusto repitiéndole la broma de Malaika sobre el Tiempo de la Gente Negra.

—Supongo que me lo estás contagiando —replicó, riéndose—. Oye, ¿qué tal el trabajo? ¿Y cómo te ha ido con la agente literaria? ¿Va a empezar a mandarte un montón de «mierda comercial pero aun así literaria»? Es su descripción del género, no la mía —añadió Owen en respuesta a la ceja levantada de Malaika.

Nella evitó el contacto visual con su amiga, sabiendo que la expresión en la cara de Malaika no era tanto por la definición de Owen como por la verdad.

—El trabajo, bien —mintió—. Te lo contaré todo de camino a casa.

—Genial. —Owen se abrió su chaqueta bomber negra y echó un buen vistazo al espacio, examinando primero la multitud de cuarenta y tantos invitados y después la hilera de cuatro lavacabezas llenos de hielo y latas de Red Stripe y PBR—. Innovador. ¿Crees que me dará tiempo a pillar algo de beber?

Los tres miraron al frente; la hilera de sillas reservadas para Hazel y las poetisas estaba vacía. Otra valoración de los blancos sentados entre el público sugería que Richard tampoco había llegado.

—Tienes tiempo de sobra —suspiró Nella.

Owen no parecía convencido.

—¿Esa no es Hazel? —preguntó, señalando con la cabeza en dirección a Juanita. Estaba inclinada sobre un asistente a algunas hileras de distancia, riéndose y echándose hacia atrás el cabello con sus uñas brillantes. El líquido rosa de su vaso de plástico transparente se agitaba en su otra mano cada pocos segundos, amenazando con derramarse sobre su vestido, pero no parecía preocupada por ello. Ni por el hecho de que Hazel no hubiera llegado todavía.

—No. Esa es la dueña de Curl Central.

—Ah. —Owen se levantó—. De acuerdo, entonces. Voy a por algo para beber. ¿Vosotras queréis algo?

—¿Otro Red Stripe? Por favor. —Nella le apretó el muslo de nuevo, esta vez con una súplica. Si le clavó las uñas demasiado en la pierna Owen no lo notó, porque dijo:

—Entendido. ¿Mal?

—Yo estoy bien, gracias.

Owen pasó ante Nella y después ante las cuatro mujeres, que fueron mucho menos indulgentes que la primera vez. Todos empezaban a impacientarse. Los asistentes se habían quedado hacía mucho sin temas de los que hablar con sus vecinos de silla, y habían llegado al punto en el que se habían cansado de intentarlo. Eran las siete y cuarto y Juanita todavía no había hecho ningún anuncio para reconocer lo que todos parecían saber: que iban con retraso.

—¿No sabe nada de lo que ha estado pasando en el trabajo? —le preguntó Malaika.

—Bueno... No se lo he contado exactamente.

—¿*No le has contado* lo de las notas? ¿O que Hazel te ha desautorizado de todos los modos posibles? ¿Que se adueñó de la mujer de los pañuelos de recepción en tu cara? ¿Que incluso se ha quedado con Vera, aunque nosotras en realidad no la quisiéramos?

—No.

—Pero ¿por qué no?

—No estoy segura de que vaya a comprender lo de Hazel. En cuanto a lo de las notas... Sé que flipará y que me dirá que haga algo que no quiero hacer.

Además, me reprendería por haber llamado a ese número de teléfono, pensó, *y tú también.*

—¿A qué te refieres exactamente?

—A informar de ello a Recursos Humanos.

—¿Y a estas alturas no te parece buena idea?

—Ya te lo he dicho. Todavía tengo la sensación de estar caminando sobre hielo con los peces gordos. Seguramente debería solucionar esto sola.

Malaika cruzó una pierna sobre la otra y comenzó a rebotar el pie; una señal clara de impaciencia.

—¿Quieres saber algo?

—Ya lo sé. Estoy siendo irresponsable.

—Error. Bueno, sí. Pero *iba* a decir que podrías haberte reunido con esa agente para tomar algo. ¿Ves qué hora es?

—Por favor, no —gruñó Nella. Estaba a punto de comprobar la hora en su teléfono móvil cuando la puerta de Curl Central se abrió. Hazel apareció como una deidad literaria, con un jersey de cuello alto negro, un par de gafas con montura dorada y un ceñido peto de pana violeta. La seguían las jóvenes poetisas, ruborizadas y con sonrisas culpables, mientras corrían a los cuatro asientos vacíos de la primera fila.

La tensión de la habitación se fundió en una lluvia de aplausos. Y alguien gritó:

—¡Ahí estás, Hazel-May!

—¡Adelante, chica! —aulló otra persona.

Nella tardó en unir sus manos.

—No ha venido —dijo, esforzándose un poco para ser oída sobre los saludos.

—¿Quién no ha venido?

—Richard Wagner.

Malaika la miró sin expresión. No le gustaba aplaudir ni esperar, y se detuvo después de unos segundos para descansar de nuevo su brazo libre sobre su torso.

—Mi jefe-jefe. La verdadera razón por la que he venido en lugar de haberme reunido con esa agente.

Malaika se encogió de hombros.

—Pensaba que tu misión principal era enfrentarte a esta nueva chica negra. No irás a echarte atrás ahora, ¿verdad?

—No. Pero puedo tener *dos* misiones —le espetó Nella, sonando un poco infantil mientras Owen pasaba ante ella de nuevo para sentarse. Él la miró inquisitivamente mientras le entregaba un Red Stripe, pero no dijo nada.

—¡Chicos, lo siento *mucho*! —Alguien le entregó a Hazel unos auriculares y ella comenzó a hablar al estilo de las charlas Ted, por la parte delantera de la sala—. Estaba comiendo con estas chicas increíbles y nuestro autobús se retrasó. La MTA, gente, ¿no tengo razón?

El público murmuró colectivamente, mostrándose de acuerdo.

—Bueno, antes de comenzar me gustaría contaros algo. ¿Os parece bien? ¿A alguno de vosotros le importa que os cuente algo primero?

—¡Habla, hermana! —gritó una mujer, seguramente la misma que había dicho: *¡Adelante, chica!*

—Antes de venir aquí estuvimos en Peaches. Todos conocéis Peaches, ¿verdad? —Algunos miembros de la audiencia lanzaron aullidos—. Y dejad que os diga que hemos comido realmente bien. Tomates verdes fritos, bagre... Ya sabéis. Todos los platos típicos. Os lo juro, cuando alguien me pregunta qué cocina es mejor, si la de Harlem o la de Bed-Stuy, tengo que traicionar a mi abuela, Dios la tenga en su gloria, y decir no hay como la de Bed-Stuy.

Un par de vítores más y un *no puede ser*. El estómago de Nella gruñó. Los taquitos de queso que Juanita había preparado para el evento no eran buñuelos de maíz, pero empezaba a arrepentirse de no haberse guardado algunos en una servilleta, como hizo Malaika cuando llegaron. Se había resistido porque no quería que le oliera el aliento cuando hablara con Richard. Pero ahora que Richard no estaba a la vista, creía que podría comerse un puñado entero de quesos pepper jack y cheddar, con palillos de madera y todo.

—Apuesto a que no va a venir —gruñó, inclinándose para susurrar al oído de Malaika.

Su amiga levantó las manos como si dijera: *¿Qué le vamos a hacer?*

—... Peaches, con un caballero para el que comencé a trabajar hace casi dos meses —continuó Hazel—. Richard Wagner. ¿Alguno de vosotros lo conoce? Puede que no, personalmente. Pero conocéis sus libros y conocéis a sus autores, estoy segura. Conocéis *Cielo azul* y conocéis *Ir, irse*. Conocéis *La despedida de Jimmy Crow*. Y sé que todos vosotros conocéis también *Corazón ardiente*, de Diana Gordon.

Alguien sentado detrás de Nella dejó escapar un grito de alegría. Al oírlo, Hazel levantó la copa que le habían entregado en algún momento durante su monólogo. Otros la imitaron, en solidaridad.

—*Corazón ardiente* fue una luz brillante en un valle de oscuridad. O debería decir de *blancura* —continuó Hazel, y algunas personas asintieron—. Se ocupa de algunos temas muy difíciles, y ahora todos somos mejores gracias a ello. Así que, cuando por fin entré en Wagner, aproveché la oportunidad y le pregunté qué le parecería ayudar con el mecenazgo de nuestras chicas. Un pequeño dato que algunos de vosotros conoceréis: la señora Gordon *y* su editora, Kendra Rae Phillips, eran adolescentes cuando descubrieron su pasión por la palabra escrita. Es una época impresionante, ¿no os parece? En cualquier caso, lo que le estaba pidiendo a Richard me parecía importante. Pero, para mi sorpresa, no solo se mostró entusiasmado por la idea, sino que donó diez mil dólares.

La audiencia aulló.

—Por todos los santos —dijo una mujer calva sentada delante de Nella, a nadie en concreto. Malaika intentó compartir una mirada con Nella, pero esta la evitó.

—¡Además, me emociona decir que Richard igualará cada dólar que ganemos esta noche en la venta de productos capilares! Y... —Otra ronda de aplausos del público. Hazel esperó a que se acallaran, sonriendo y cerrando los ojos como un político curtido y satisfecho. Cuando el ruido cesó por fin, continuó—: Lo sé, es genial. El dinero es genial. Pero hay algo más. Algo incluso más perdurable, más valioso. Richard Wagner también me ha prometido que reorganizará el modo en el que los editores de su empresa contratan a nuevos candidatos. Va a hacerlo concentrándose en un criterio más actual, mediante un acercamiento holístico. Y hará un análisis completo de cada libro que Wagner haya comprado en los últimos diez años, a fin de compararlo con las características demográficas de nuestro país.

»Para todos los que no estáis al tanto de cuánto ha luchado la industria editorial por solucionar este problema de diversidad, esto es enorme. *Enorme.* Wagner ha sido predominantemente blanco durante mucho tiempo y, bueno... Todos sabemos que hemos estado esperando demasiado por nuestro siguiente *Corazón ardiente.* Y como Wagner está en la delantera, ¡esto sin duda impactará en el modo en el que otras editoriales plantean sus publicaciones! Mi gente... este es *solo el principio.*

—Vaya. —La sorpresa en la voz de Owen fue apenas audible sobre la atronadora ovación que atrapó a la audiencia. Agarró la rodilla de Nella mientras decía—: Esto es muy importante, ¿no?

Nella asintió, aunque se le había helado la sangre. Por segunda vez aquel día, sintió que empezaban a arderle los ojos mientras la gente aplaudía sobre sus cabezas. Los que tenían vasos de plástico se golpearon los muslos frenéticamente, ovacionando a Hazel. Incluso Malaika estaba sonriendo y chasqueando los dedos, como hacía siempre que escuchaba *The Read.*

Se suponía que Nella también debía estar entusiasmada. No, no solo entusiasmada; debería haberle dado a Hazel una ovación, haberse puesto de pie, dando pisotones y moviendo la cadera, y emitiendo uno de esos silbidos con dos dedos que no sabía hacer pero que siempre quiso aprender. O podría haberse acercado a Hazel para quitarle el micrófono y soltarlo todo. Podría haberle contado a todo el mundo que ella había intentado organizar unas reuniones de diversidad en Wagner y que había fracasado, que la única vez que sus compañeros se mostraron especialmente atentos hacia la idea de diversidad fue durante el Mes de Historia Negra de febrero, cuando le pidieron que negrificara el Twitter y el Instagram de Wagner. Podría haberles hablado del pequeño grupo de gente que estaba tomando grandes decisiones sobre qué libros merecía la pena publicar y cuáles no, y cómo esto, a cambio, afectaba a qué tipos de libros verían en las estanterías durante los años siguientes. Podría haberles explicado qué títulos no habían conseguido llegar al público sencillamente porque ese pequeño puñado de tomadores de decisiones no preveían que ciertos grupos los compraran.

Podría hablarles de Shartricia.

Un par de veces (sobre todo cuando comenzó a trabajar en Wagner) intentó defender libros sobre negros escritos por negros. Amablemente, la habían desautorizado. Voces blancas discrepantes que no solo venían de Vera, sino también de otros editores y de Amy. Sus razones eran bastante abstractas para acallar sus recelos; al menos, lo eran hasta la siguiente vez que se reunía con Malaika para ponerse al día. Con un par de copas, hacía su mejor imitación de aquellas voces blancas; lo que, por alguna razón, a menudo significaba poner un pijo acento británico, a pesar de que ninguno de sus compañeros era británico. *Desde un punto de vista financiero, este libro no parece merecer la pena. No he llegado a conectar con los personajes. El estilo no era bastante potente.*

Nella encontraba esta última excusa especialmente divertida, ya que era una frase que podía decir, y a menudo decía, literalmente cualquiera tras leer cualquier cosa en cualquier momento. Como si el estilo *no fuera* subjetivo; como si cualquiera que leyera un primer borrador de cualquier libro estuviera totalmente seguro de que iba a convertirse en un *best-seller.* El modo en el que sus compañeros «hacían números» la había sorprendido, cómo comparaban libros que estaban pensando comprar con libros que ya habían sido publicados, como si la cultura fuera algo estático y predecible, como si los números pasados dictaran el éxito del futuro.

Pero Nella había mantenido la boca cerrada. Lenta pero segura, con la esperanza de que su viaje fuera un poco más fácil (con la esperanza de conseguir un ascenso), había aceptado cualquier excusa. Había elegido sus batallas sabiamente, si es que se atrevía a elegir alguna. Después de todo, eso era lo que le habían enseñado: a quedarse quieta durante tanto tiempo que, cuando comenzara a correr, estuvieran tan perplejos que ni siquiera la siguieran. Bueno, eso era lo que Nella había estado haciendo. Quedarse quieta.

Y ahora allí estaba Hazel, a kilómetros por delante.

En aquel momento no importaba que su nueva compañera hubiera descubierto sin ayuda de nadie cómo poner boca abajo el *statu quo* en solo un par de meses. No importaba que Hazel hubiera encontrado un modo de abrir la puerta de Wagner para otra gente de color. En lo único en lo que Nella podía pensar era en que se sentía superflua.

Total y completamente superflua.

Le fue imposible quedarse a solas con Hazel después del recital. Nella lo intentó dos veces.

La primera vez, Hazel la saludó con la mano antes de continuar su conversación con una mujer que parecía ser la madre de una de sus estudiantes. Nella lo dejó estar.

La segunda vez, unos quince minutos después, vio a Hazel dirigirse al baño en la esquina trasera de la tienda. Se excusó ante Malaika y Owen, y afirmó que ella también tenía que ir al aseo. Pensó que esperaría en la fila a Hazel y después se abalanzaría, pero un tirón en el brazo cuando estaba a apenas cinco pasos de distancia del baño la disuadió de su misión, y de repente se encontró en una conversación con Juanita y un joven negro de piel clara al que había visto sacando las sillas plegables antes del comienzo del evento. Tenía cara de niño, un gorro desteñido y lo que parecía una funda de oro en los dientes inferiores.

—¡Hola, chica! Pensé que podrías ofrecerle a Andre algunos consejos —dijo Juanita al espacio sobre la cabeza de Nella. Estaba visiblemente borracha, quizás incluso con algo de coca encima, y el líquido rosa de antes había sido reemplazado por un Miller High Life—. Andre, esta es Stella. Trabaja con Hazel-May en Wagner. Nicole, este es Andre... Es uno de los que mejor barre por aquí. Acaba de empezar la universidad en Brooklyn y está intentando publicar su novela.

—Estoy en segundo —dijo Andre, al mismo tiempo que ella decía:

—Nella.

Ambos se miraron sin expresión, sin saber qué acababan de decir pero sin necesitar una aclaración.

—¡Perfecto! Entonces podéis charlar un poco. ¡Hablad! ¡Conversad! *¡Parlez!* Tengo la sensación de que esto va a ser muy productivo. —Juanita les dio una palmada en la espalda y se alejó.

A Nella le gustó la tranquilidad de Andre (le recordaba un poquito a su primo pequeño), así que le concedió quince minutos. Fueron suficientes para que él le contara la sinopsis de su libro («parecido a *Haz lo que debas*, pero es una secuela y va de... lo que hubiera ocurrido si Mookie hubiera matado a Sal en lugar de ayudarlo después de que Radio Raheem fuera asesinado por la poli. Y ambientado en Baltimore»), y suficientes para que ella le dijera lo que le decía a cualquier escritor que le presentara su novela, que lo primero sería buscarse un agente, antes de pagar a cualquiera de Internet ochocientos dólares para que diseñase una portada increíble.

Nella le deseó suerte y empezó a alejarse, todavía sin saber si el destello de su boca era una funda completa o solo algunos dientes de oro. Pero entonces él le preguntó si podría echarle un ojo a su manuscrito. Cuando ella le dijo que sí y le dio su correo electrónico del trabajo, él sonrió. Nella regresó con Malaika y con Owen sintiéndose reconocida, y mucho más tranquila de lo que había estado quince minutos antes.

—Guay —dijo Malaika sin ganas cuando Nella le habló de *La venganza de Mookie* y, más importante, del *grill* de Andre—. Pero ¿has hablado ya con la colega? Se está haciendo tarde y quiero empezar a pensar en cómo voy a volver a casa.

Nella buscó el brazo de Owen para mirar su reloj. Eran casi las diez y habían desviado todos los trenes debido a las obras nocturnas. Con cada minuto que pasara, su camino de vuelta a casa se convertiría menos en un camino y más en una odisea.

—Tengo que hablar con Hazel. Dadme solo diez minutos, ¿de acuerdo? Owen, ¿te parece bien diez minutos?

Owen se pasó una mano por la mandíbula.

—No sé, Nell. Estoy muy cansado… y ya sabes que mañana tengo que levantarme temprano…

—Diez minutos —le prometió—. Si tardo un minuto más, yo pagaré el trayecto. ¿De acuerdo?

Malaika levantó las cejas.

—El de todos —le aclaró Nella.

—Vale —dijo Malaika—. Pero *solo* diez. Yo también madrugo mañana, tengo una reunión con Igor. —Malaika examinó a los asistentes, lo que no le llevó demasiado tiempo ya que apenas eran un tercio de los que había inicialmente. Muchos habían empezado a marcharse apenas media hora antes, después de acercarse a Hazel para darle un abrazo y desearle buena suerte—. La víbora está allí.

Nella se giró. Hazel y Juanita estaban junto a las ventanas que daban a la calle, riéndose de algo con el puño en la boca.

—Gracias. Volveré.

—Avísame si necesitas algo, chica —dijo Malaika, fingiendo quitarse los pendientes de nuevo—. ¿Qué? —preguntó cuando Owen hizo una mueca.

—¿Por qué es una «víbora»? ¿Tienes algún problema con ella, Nell?

—Te lo contaré todo a la vuelta —dijo Nella, un eco de sí misma. Una vez más, fue una verdad parcial. Le contaría a Owen que Hazel se la había jugado con Shartricia, pero no lo de las cartas.

Él seguía mirando a Nella fijamente, como si notara que estaba mintiendo. Porque *claro* que lo notaba. Vivían juntos, después de todo.

—Creo que hay algo más de lo que no me estoy enterando —dijo Owen con lentitud.

Pobre Owen: un hombre al que Nella amaba, pero que casi siempre iba medio paso por detrás.

—Es solo que ha hecho algunas cosas turbias últimamente, cari —dijo, tan tranquilizadoramente como pudo—. Solo quiero hablar con ella de un par de temas del trabajo y después nos marcharemos.

Comenzó a alejarse, pero Owen habló de nuevo.

—¿Turbias? Eso es difícil de creer. La chica parece bastante... —Se detuvo, con los ojos fijos en Hazel y en Juanita.

Eso detuvo a Nella en seco. No le gustó la irritación que tenía cada parte de su ser, y sobre todo no le gustó el modo en el que Owen miraba a las dos mujeres negras junto a la ventana. Era su culpa. Ella había creado aquella ansiedad; no esa noche, sino semanas antes, cuando conoció a Hazel y envidió su ropa y su confianza en sí misma.

Y después estaban sus rastas. Un año después de empezar a salir, mientras hacían cola para comprar unos perritos calientes en Coney Island, Owen le había preguntado si alguna vez había pensado en hacerse rastas. *Estarías muy sexy con ellas*, había argumentado.

No había salido de la nada: frente a ellos había una mujer ligeramente mayor con un vestido ceñido y gruesas rastas que bajaban hasta su trasero.

A Nella también le había llamado la atención su cabello. Antes del comentario de Owen, incluso había pensado en preguntarle a la mujer si se las hacía ella misma. Pero aquel comentario (de algún modo mitigado por la cariñosa mano de Owen en su cintura) había hecho que se sintiera insegura de su propio cabello, de su propio atractivo. Se había liberado de los alisadores hacía relativamente poco y su cabello, de cinco centímetros como mucho, seguía sin decidirse por un tipo de rizo concreto. Lo último que Nella necesitaba era que su novio se la imaginara con el pelo largo, fuera natural o no.

—¿Parece bastante qué? —le preguntó Nella—. ¿Cómo podrías saberlo tú?

—Hemos hablado un poco. Cuando te marchaste. No sabía qué estabas haciendo... Me mencionó que quizá podríamos unir fuerzas para un futuro proyecto, las Jóvenes Negras Literarias y App-rendizaje, y pensé...

—Unir fuerzas —repitió Nella, incrédula.

—Parece bastante simpática. Y realmente optimista sobre su trabajo en Wagner...

—Al contrario que yo, ¿verdad? Porque yo me quejo sobre mi trabajo continuamente. *¿No?*

Se cruzó de brazos. Odiaba cómo sonaba (brusca, cortante, como una de esas novias obsesivas de las que siempre se quejaban los amigos de Owen), pero no le gustaba cómo estaba hablando su novio sobre Hazel.

Owen apartó los ojos de ella con demasiada rapidez.

—Solo digo que parece agradable. Eso es todo. No importa, vete.

Eso rompió el hechizo.

—Lo siento, Owen —dijo, acercándose a él para tomarle la mano—. No debí... Yo...

—No pasa nada. Ve —repitió, pero esta vez, la orden fue mucho más suave. Miró su reloj—. Ha comenzado la cuenta atrás.

Nella asintió. Tendría que ser más amable con él después. Entonces se giró y se dirigió al punto donde habían estado Hazel y Juanita un momento antes, aunque ahora solo estaba Hazel, con los brazos relajados a sus costados. Miró a Nella directamente mientras se acercaba, como una estatua de tranquilidad, como si esperara que aquello ocurriera justo en el momento en el que lo hizo.

—¡Nella! Has venido.

Hazel siempre parecía muy tranquila y compuesta, pero aun así a Nella le sorprendió lo insoportablemente uniforme que sonaba su voz. Intentó pensar antes de hablar, sintiéndose estúpida de repente por no haberlo planeado en el trayecto hasta allí. No se le ocurrió nada.

—Me alegro de que al menos *una* de mis compañeras haya podido estar aquí esta noche —continuó—. Joder, Gina y Sophie me enviaron un mensaje de *Lo siento, no voy a poder ir* un minuto después de marcharse de la oficina esta tarde. Una mala jugada, ¿eh? Creo que les daba miedo venir a Bed-Stuy después de que oscureciera.

Nella se había olvidado de ellas. Antes habían parecido entusiasmadas por asistir. Las tres habían incluso intercambiado números de teléfono, algo que ella jamás había pensado hacer con Gina o con Sophie.

—¿Qué te ha parecido el recital? —le preguntó Hazel. Por primera vez, Nella notó que se había cambiado el pequeño piercing de tachuela de la ceja por un aro diminuto—. ¿Y el sitio? Es genial, ¿verdad?

Nella dio medio paso hacia delante y susurró, antes de perder los nervios:

—¿De qué *coño* vas?

—¿Perdón?

—¿De qué coño vas? Con lo de Richard y esas notas, y lo del libro de Colin…

Nella estaba temblando; no podía evitarlo. Le molestaba que su vergüenza se hubiera impuesto sobre el resto de sus emociones, multiplicada por diez, y quería empezar aquella interacción de nuevo. Se suponía que debía relatar sus ofensas tranquilamente, una a una. Se suponía que no debía decir «coño». Pero Hazel y ella no estaban en la cocina ni en sus mesas de trabajo, y la palabrota había salido de su boca con mucha facilidad, con fluidez.

—¿Qué? Lo siento, chica, pero vas a tener que explicarte un poco más. —El brillo de los ojos de Hazel era demasiado cómplice, había demasiada satisfacción y deleite en ellos como para sugerir que hiciera falta una explicación.

Pero Nella continuó:

—Y todo eso sobre Richard... ¿Es verdad? ¿De verdad va a intentar que Wagner sea más diverso?

—¡Sí! Ya hemos empezado a hablar acerca de qué modo podríamos contratar a gente de color.

Ahí estaba. Sus suposiciones habían sido correctas. La lista que había encontrado en la impresora incluía a las jóvenes negras que Richard estaba pensando en contratar.

Hazel la miró con los ojos entornados.

—¿Qué? No te he oído.

Nella no se había dado cuenta de que había dicho lo que estaba pensando en voz alta.

—He dicho —repitió— que no lo entiendo.

—¿No entiendes qué? —El rastro de una sonrisa se cernía justo bajo la superficie del rostro alucinado de Hazel—. Un poco más despacio. Debes estar refiriéndote a la reunión de marketing de hoy.

—Me dejaste como a una idiota —le dijo Nella—. ¿Qué te hizo cambiar de opinión tan pronto?

Hazel se rio.

—Eso no tuvo nada que ver contigo. Terminé *Agujas y alfileres* esta mañana, y adivina qué. No me disgustó. Ven, siéntate a hablar un minuto. ¿Te parece bien? ¿Tienes un minuto?

Señaló las sillas plegables que habían colocado para la lectura. Andre había empezado a apartar algunas de ellas, pero lo distrajo de su tarea la única Joven Negra Literaria que se había quedado después del acto. Los dos bebían algo rosa que casi con seguridad no era limonada; estaban en una esquina, aproximándose cada vez más. Aunque no le parecía buena idea, Nella se sentó frente a Hazel.

La única otra persona cerca de ellas era la mujer que había mentado a los santos durante el discurso de Hazel; miró sobre su hombro un segundo para ver quién se había sentado allí y después volvió a mirar su teléfono. En el lado derecho de su cabeza afeitada, Nella distinguió una cicatriz rosa de tamaño mediano. Tenía forma de medialuna, como si alguien le hubiera clavado una uña de gel. La idea hizo que a Nella le doliera el cuero cabelludo.

Hazel también la miró. Frunció el ceño un segundo, quizá fijándose ella también en la cicatriz rosa, antes de tomar asiento.

—Nella, voy a ser sincera contigo, ¿de acuerdo? —dijo, bajando la voz—. De chica negra a chica negra. El libro de Shartricia no es genial. La verdad es que está bastante mal escrito. Artificioso. Es caricaturesco. Tú lo sabes. Yo lo sé. Y estoy totalmente segura de que cualquiera que tenga sentido común también lo sabrá. Esa mierda es ofensiva. Es vergonzante.

Nella tragó saliva. Después de la reunión de marketing, un puñado de colegas habían asomado la cabeza en el despacho de Vera para decirle cuánto le gustaban los libros de Colin. Esos mismos colegas habían pasado más tarde por el cubículo de Hazel para hacerle preguntas personales sobre sí misma y sus padres, que crecieron en los ochenta en Harlem; preguntas que a Nella le habían parecido invasivas, pero que Hazel parecía más que dispuesta a contestar.

Nella lo había oído todo de refilón, incómoda, a unos metros de distancia. Había intentado recordar la última vez que alguien le preguntó por su vida personal y decidió que seguramente fue cuando era ella la chica nueva, pero incluso entonces, esas preguntas no habían ido en realidad más allá de: *¿De dónde vienes?*

—Entonces, espera —dijo, confundida—. ¿Lo que dijiste en la reunión de marketing era...?

—¿Un papel? —dijo Hazel—. No, no del todo.

—Entonces, ¿por qué lo hiciste?

—Bueno. —Hazel miró a su alrededor. Satisfecha por lo lejos que estaban los demás, bajó la voz—. Te lo contaré todo. Pero no puedes decírselo a nadie.

—Vale.

—Ni siquiera a tu amiga. *Ni* a Owen.

Nella se mordió el labio. Oír su nombre en boca de Hazel no sonaba más normal ahora que en la reunión de marketing de la mañana.

—Lo digo en serio…

—Vale. Adelante, habla.

—Esto va a parecerte una locura, así que escúchame, ¿de acuerdo? —Hazel retorció una de sus rastas y miró el techo. Después de cinco segundos así, dijo, con recelo—: Hay una cosa. No estoy segura de si alguna vez has oído hablar de ello.

Hazel miró la espalda de la chica que estaba sentada cerca. La cicatriz seguía de cara a ellas, y ella seguía enfrascada en su teléfono móvil.

—Esto… es una especie de fenómeno social. Se llama… —Inhaló profundamente, y después exhaló a través de los labios fruncidos y se inclinó hacia adelante—. Alternancia de código.

La punta de las orejas de Nella empezó a arder mientras Hazel se disolvía en risas.

—Déjalo —murmuró, empezando a levantarse.

Hazel se secó una lágrima.

—Lo siento, lo siento. Vamos, tienes que admitir que ha tenido gracia. Ha sido demasiado fácil. —Al ver que Nella no sonreía, añadió—: ¿Qué pasa? ¿Ahora te arrepientes de haber dicho lo que te parecía el libro de Colin Franklin? ¿Eso es lo que está pasando?

—No —dijo Nella. Al menos, no creía que fuera eso. Lo que en realidad le molestaba, cuando pensaba largo y tendido sobre ello, era que tenía la sensación de que el hecho de que Hazel no odiara el libro de Colin Franklin (y de que la hubiera mirado precisamente a ella al afirmarlo) había roto algún tipo de compromiso tácito e inherente. Inherente debería haber sido el disgusto de Hazel por el libro de Colin Franklin. Y el compromiso tácito era que Hazel más o menos respaldaría públicamente a Nella en todos los asuntos raciales que surgieran en la oficina; o al menos, que hablaría con ella al respecto primero. ¿No era eso lo que se suponía que los negros debían hacer, unirse? ¿No había insinuado *Hazel* esa lealtad cuando se acercó a ella para que la pusiera al día sobre los asuntos de Maisy?

Nella no sabía qué decir.

—Me habría gustado saber que ibas a ponerlo por las nubes.

—No esperaba que lo de Vera se enredara *tanto* —dijo Hazel con un suspiro—. Lo siento. Y no lo siento. Sin duda voy a decirle a Vera dónde podría Colin hacerlo un poco mejor con Shartricia. Solo voy a ser un poco más suave con él, eso es todo. Es el único modo de que escuche.

Nella miró a Hazel, impasible.

—Si quieres, puedes enviarme tus notas y las agregaré a las mías antes de compartirlas. ¿Qué te parece? No le diré a Vera que son tuyas.

A Nella no le gustaba la idea de no ser reconocida por todo el tiempo que había pasado leyendo el manuscrito, aunque Hazel intentara ser de ayuda. Todavía se sentía incómoda sobre Hazel en general. ¿Era posible que su compañera fuera tan buena alternando el código que pudiera convertirse en alguien capaz de escribir mensajes de odio a su colega negra? No estaba segura.

Pero sí estaba segura de que se estaba haciendo tarde, y de que tenía que irse a casa.

—Tengo que irme —dijo sin más, levantándose de su asiento—. Mis amigos me están esperando.

—Lo comprendo. Dick acaba de llegar, por si quieres acercarte y despedirte de él al salir.

—¿Quién?

—Ah, lo siento… —Hazel fingió llevarse la palma a la cara mientras también se levantaba—. Me refiero a Richard.

—¿Está aquí?

Nella se giró. Richard Wagner acababa de entrar, con una chaqueta vaquera oscura casualmente echada sobre su hombro derecho. Caminaba sin detenerse hacia ellas, como si no hubiera aparecido tres horas tarde al evento principal, como si eso no importara, ya que había donado diez mil dólares a la organización.

—¡Richard! ¿Qué pasa?

—¡Hazel, hola! —la saludó alegremente, sin llegar a mirar a Nella—. Siento mucho haberme perdido esto. Cometí el error de enfrascarme en una conversación con un autor sobre los pros y los contras de incluir el artículo al principio del título de su siguiente novela. No hace falta decir que tardamos más de una hora, y después tenía algunas otras cosas importantes de las que ocuparme y... Bueno, el tiempo se me fue de las manos.

—¡Vaya! —exclamó Nella.

—¿Era Joshua Edwards? —preguntó Hazel en ese mismo momento.

Richard se rio y le dio una palmadita a Hazel en el hombro.

—Lo has adivinado.

—¿Joshua Edwards? ¡Es todo un personaje! —se oyó decir Nella, un poco demasiado alto, con un tono considerablemente animado.

Richard la miró (por primera vez, en realidad), y sonrió con debilidad.

—¡Nella! Qué agradable sorpresa. —Después se giró para mirar a Hazel una vez más con sus ojos como dos zafiros pulidos—. Por favor, dime que has grabado el recital de las chicas en vídeo. Creo que me gustaría incluirlas en la página web de Wagner de algún modo, o quizás incorporarlas a nuestras redes sociales.

—¡Eso suena genial! Creo que Juanita lo grabó todo. Te la presentaré ahora.

Richard aplaudió en respuesta a ello.

—Estupendo. Por cierto, ¿este sitio? Es incluso mejor de lo que me dijiste. ¿Sabes? Estar aquí me recuerda un poco a esa película... ¿Cuál era la película de los noventa en la que el joven afroamericano era poeta, y la mujer de la que se enamoraba era fotógrafa?

—¿*Love Jones*? —aventuró Hazel.

Richard se dio una palmada en el muslo.

—¡Exacto! Esto me recuerda a esa película.

Hazel apoyó su afirmación mientras Nella lo estudiaba con ojos cautos. El hombre parecía verdaderamente conmovido. Como si fuera a llorar. «¿Qué sabes tú sobre *Love Jones*?», preguntó una Angela Davis perpleja en la cabeza de Nella. «Ni una maldita cosa».

Pero Nella no se atrevió a pronunciar palabra. Quizá sentiría debilidad por las comedias románticas de los noventa, o por Nia Long.

O... Quizá Richard estuviera saliendo con su propia Nia Long. Quizá la agente de Kenny (su amante) fuera la causante de su interés. Nella sonrió, sin pretenderlo, cuando Hazel le dijo a Richard:

—¿No es genial este sitio? He estado haciendo una lista mental de todos los autores que podríamos traer para dar conferencias y todo eso, si quieres que hablemos sobre ello.

—Vamos a organizarlo. ¿Qué te parece antes de que termine la semana?

Nella fingió un sonoro bostezo y se abotonó la chaqueta.

—Bueno, se está haciendo tarde.

Richard asintió mientras dirigía su atención a algo en la pared a su espalda.

Curiosa, Nella se giró para ver qué era tan importante. Se trataba de un póster grande de una mujer preciosa con el cabello liso recién secado. Una preciosa mujer *negra*.

—Uhm… Me marcho a casa —dijo Nella—. Me alegro de haberos visto a ambos.

Se demoró tanto como le permitió su dignidad, que resultó ser la misma cantidad de tiempo que Richard tardó en señalar el póster, volverse hacia Hazel y preguntarle:

—¿Esa mujer trabaja aquí?

Nella se alejó, indispuesta. El desaire le dolía más que el de Vera e incluso más que el de India, porque no solo había sido un desaire. Había sido un manotazo en la muñeca, un castigo, una respuesta a la pregunta que había estado inquietándola durante semanas: sí, Richard estaba al tanto de sus problemas con el libro de Colin; quizá se lo habría contado Vera, aunque también era posible que hubiera sido Hazel. «Ojalá todos nuestros asistentes editoriales trabajaran tanto como tú», solía decirle durante el primer año, con un destello en los ojos cada vez que la veía trabajando hasta tarde. «Vera tiene mucha suerte de tenerte».

El sentimiento parecía haberse disipado en el aire.

Sintiéndose un poco maltratada, Nella examinó la sala hasta que encontró a su novio y a su mejor amiga. La saludaron con la mano, emocionados por la perspectiva de marcharse, antes de bajarla abruptamente. Owen se acercó a Malaika y le susurró algo, y la chica negó con la cabeza y cerró los ojos.

Nella notó que le tocaban el hombro.

—Oye… Chica.

Nella se giró. Era Hazel de nuevo. Tenía un pequeño tarro azul en las manos.

—Quería darte esto antes de que te marcharas —le dijo, entregándoselo—. ¿Recuerdas que me contaste lo secas que se te ponían las puntas en otoño? Esto te ayudará.

Nella lo aceptó y lo giró en sus manos bajo las luces más cercanas. No tenía etiqueta ni lista de ingredientes, solo el azul del plástico.

—¿Qué es? —le preguntó, abriéndolo y olfateando el contenido. El olor se parecía al del Brown Buttah, pero era un poco más dulce. Una inhalación más profunda la embriagó con el empalagoso olor de la melaza.

—Se llama *Suavecito*. Le tengo fe a esta cosa. Juanita también la usa.

Así que *aquella* era la manteca que Hazel llevaba siempre. Aunque la textura era más parecida a la de la gomina que a la de la manteca, notó Nella al meter la punta de la uña de su meñique en la sustancia.

—¿Es un acondicionador sin aclarado?

—Sí. Úsalo dos veces al día, o solo una si lo prefieres. Es genial.

—Gracias. —Nella se secó la manteca que había reunido en su uña con la servilleta que todavía tenía arrugada en la mano—. Quizá la pruebe cuando se me acabe el Brown Buttah.

—Deberías. Sinceramente, yo en tu lugar empezaría a integrarlo ya en mi rutina. Retiene la humedad, te prepara para la sequedad del invierno, ¿sabes? Y es *mucho* mejor que el Brown Buttah. Podrías empezar usando mitad y mitad.

Era la versión de Hazel de una rama de olivo, pero Nella no dijo una palabra mientras guardaba el frasco en el bolso. Cuando levantó la mirada de nuevo, se dio cuenta de que la mujer rapada se había desplazado hasta la puerta del Curl Central. Sus ojos se encontraron brevemente antes de que Hazel empezara a hablar de nuevo.

—Sé que las cosas se han puesto un poco raras entre nosotras, pero solo quería decirte que no tienen que serlo.

—Yo...

—Espera —dijo Hazel, levantando un dedo—. Déjame terminar. —Suspiró, echando un vistazo a Richard sobre su hombro. Después bajó la voz—. Es que... es realmente *injusto*. La gente blanca nunca tiene que mostrarse tan súper consciente de sí misma como nosotros. Cuando entran en una sala, no tienen que comprobar de inmediato la demografía y analizar lo que ven. No tienen que ocuparse de representar los muchos millones de perspectivas negras que hay en este país, solo porque el jefe de personal fue demasiado perezoso para traer a algunos más. Pueden entrar en una tienda pequeña sin temor a que los sigan. Nunca tienen que preocuparse por tener problemas con el coche en el sur mientras conducen por carreteras secundarias por la noche. Ni en ningún otro momento del día, en realidad. ¿Sabes?

Nella asintió.

—La mayor parte del tiempo, no pienso en ninguna de estas cosas —continuó Hazel, levantando la barbilla—. No conscientemente. Pero ese estrés, esa ansiedad... ese peso subyacente está ahí. ¿Verdad?

—Lo entiendo —dijo Nella—. De verdad que sí. Pero volviendo a lo de Shartricia... tú *debes* entender por qué me siento como si me hubieras convertido en el poli malo en el trabajo. Todo el mundo está hablando de...

—Lo entiendo, pero confía en mí —dijo Hazel—. No les hagas caso. La cuestión es que, al final, el libro de Colin va a mejorar. Gracias a ti y a mí. *Nosotras* lo hemos conseguido, hermana. Juntas. De todos modos... Supongo que lo que quiero decir es que no tenemos que vernos como competidoras. Ya tenemos suficiente estrés siendo dos jóvenes negras en un demencial entorno blanco. Y por eso... —Hazel puso la mano en el hombro de Nella—. ¿Qué vas a hacer el veinticinco de octubre?

La pregunta resultaba extraña.

—¿El veinticinco de octubre? Uhm. No estoy segura.

—Algunas amigas van a venir a casa para una fiesta del cabello natural. Solo será una pequeña reunión. Un poco de vino, un poco de queso. Un poco de Maxwell. Juanita vendrá y nos mostrará nuevos productos de Curl Central, y mi prima Tanya nos hará trenzas gratis. Podría incluso pedirle a Juanita que trajera algunos pañuelos, si quieres aprender a colocártelos.

—Suena divertido —dijo Nella. Y era cierto, aunque le doliera admitirlo.

—Genial. Hablaremos de ello mañana en el trabajo. Puedes traer también a tu amiga. ¿Cómo se llamaba? Algo con M.

—Malaika.

—Malaika, exacto. —Hazel le dio una palmada en el hombro. Nella lo tomó como una señal de que su conversación había terminado, pero antes de que pudiera desearle buenas noches de nuevo, Hazel volvió a hablar—. Por cierto —dijo, tirando de uno de sus mechones—. Has dicho algo sobre unas «notas», y me preguntaba a qué te referías.

—¿Notas?

—Dijiste algo cómo «de qué coño vas con lo de Richard y las notas...».

—Oh. Ya. —Nella no había querido que se le escapara, pero las palabras salieron de sus labios y consiguieron llegar a conocimiento de Hazel—. He estado recibiendo notas extrañas de una persona anónima —dijo, tan despreocupadamente como pudo.

—¿Notas extrañas? ¿Cuán extrañas?

—Básicamente han sido notas pidiéndome que me marchase.

—¿Que te marchases de *Wagner*?

Nella examinó a Hazel. La chica había palidecido y su rostro había cambiado del saludable tono de la nuez pecana al enfermizo de la nuez a secas. Por primera vez aquella noche, Nella descubrió que el carmín rojo intenso de su labio superior, que estaba casi siempre imposiblemente perfecto, se había desvanecido.

—Sí —dijo Nella—. En una de ellas me decían que me marchase de Wagner.

Hazel la miró. Después, inesperadamente, se rio; unas carcajadas profundas y resonantes que eran más fuertes que cualquier otro sonido que Nella la hubiera oído emitir.

—¿Y pensaste que había sido *yo*? —casi gritó—. ¡Qué locura! Yo jamás haría algo así. Tú lo sabes, ¿verdad? Ya debes saberlo, sin duda.

Nella la miró un momento.

—Sí. Lo sé —le dijo al final, aunque no lo sabía.

—Es un delito de odio, ¿sabes? —replicó Hazel, metiéndose las manos en los bolsillos de su peto de pana.

Nella se encogió de hombros y dijo lo único que se le ocurrió decir:

—No mencionaba la palabra con N.

—Aun así...

En ese momento, Nella recordó al abuelo de Hazel, el que había muerto en la manifestación del 61. *Aun así*, sí.

—Y *tú* no has recibido ninguna nota, ¿verdad?

—No. Pero ¿sabes qué? Ahora que lo pienso, hace poco oí a algunas chicas en el baño hablando de tu asunto con Colin. Parecían bastante molestas.

—Las noticias corren rápido en Wagner.

—Sí. No obstante, tengo la sensación de que, si te disculpas con Colin, esto se desinflará. Piensa en ello como un ejercicio de alternancia de código.

Nella se puso a la defensiva.

—Me lo estoy pensando.

—Bien. ¿Sabes qué? Olvida a los de Recursos Humanos. Deberías contarle a Richard directamente lo de las notas. Solo para que sepa lo que está pasando —dijo Hazel, con la voz cada vez más animada—. Puede que incluso incorpore lo que está ocurriendo en algún tipo de discusión sobre diversidad con los empleados de Wagner. Convertirlo en un momento de aprendizaje, más o menos. Lo de Colin también.

Nella iba a negar con la cabeza y a decir que no, que aquella le parecía una idea horrible, pero ya no sabía cuál era una idea horrible y cuál no.

—Vale... Bueno, sé que se está haciendo tarde, así que buenas noches. —Hazel miró sobre su hombro para buscar a Richard. Cuando lo encontró, sin embargo, no se movió.

Nella tampoco. Estaba demasiado ocupada examinando los movimientos de Hazel. Algo en aquella conversación le había parecido raro... Toda la noche lo había sido, en realidad. Pero entonces oyó su nombre a su espalda, seguido de un resoplido.

—Nos vemos mañana —dijo Nella, mientras se giraba para unirse a sus amigos—. Y gracias por la manteca.

Shani

Reglas. La Resistencia tenía muchas reglas. Pero con ninguna nos insistían tanto como con las dos más importantes: *Mantente ilocalizable* y *No le digas nada a nadie.*

Justo después de decirle a Lynn que vendría a Nueva York, pasó casi una hora entera contándome por qué tenía que prometerle que cumpliría estas dos reglas fundamentales. Quizá más. Y cuando terminó, había empezado a preguntarme si de verdad quería tener alguna relación con la Resistencia, sobre todo si iban a ser tan rígidos.

Pero entonces me envió la lista de las cambiantes identidades de Eva, el mapa que documentaba su salvaje trayectoria y la destrucción que de algún modo siempre conseguía dejar a su paso. Eso fue suficiente para mí. Me borré de Twitter, Facebook e Instagram. Me corté años de cabello. *Años.* Y le dije a Ma que mi razón para dejar Boston con tanta prisa era que había experimentado algo «horriblemente racista» en el trabajo. «Quiero empezar de nuevo», le dije, «¿y qué mejor lugar para empezar de cero que Nueva York?».

Ma se tomó la noticia sorprendentemente bien. Suponía que lo haría; ella misma había «empezado de cero» varias veces, una de ellas cuando se mudó a Detroit poco después de quedar embarazada de mí. Siempre me decía, cuando era niña, que Nueva York había sido su primera opción. «Terminamos viviendo en Queens con tu tía

Whitney. Intenté ganarme la vida allí», me dijo. «Pero no lo conseguí».

Ma no me hizo demasiadas preguntas cuando no solo afirmé que yo *podría* conseguirlo, sino que iba a hacerlo. Ya tenía un billete. Y cuando llegó el momento de que mi tía Whitney me recogiera en la estación de Penn, sus ojos pasaron de los míos a mi cabeza rapada y después de nuevo a mis ojos sin una palabra. Ella tampoco me hizo ninguna pregunta.

Me alegré de ello. No sabía cuánto tiempo podría mantenerme callada si la tía Whit me preguntaba por qué ya no llevaba mi largo y precioso pelo recogido en una trenza hasta mi trasero. O (si nuestra conexión por Skype fuera menos borrosa) si Ma hubiera captado los resquicios de algo horrible en mis ojos. Solo un pequeño «qué ha pasado» podría haber terminado conmigo entonces, porque mi salida de Cooper's seguía caliente y fresca en mi mente. La traición. La vergüenza. La deshonestidad de Eva cuando le envió furtivamente ese artículo a todo el mundo mientras yo atendía la llamada telefónica más importante de mi carrera... Lo que explica por qué yo no lo vi, lo que explica por qué, cuando Anna me arrastró a su despacho, yo no tenía ni idea de por qué estaba enfadada.

Dios. Qué idiota debí parecer, sentada en su enorme despacho acristalado con una sonrisa tonta e incómoda en la cara después de que me dijera que recogiera mis cosas.

—Pero acabo de conseguir hablar con alguien de la Concejalía de Vivienda de Boston —le dije entonces a Anna—. Cuatro personas distintas que residen en viviendas sociales han aceptado hablar conmigo. ¿Qué va a pasar con ese artículo? Íbamos a prepararlo para que fuera *el* Reportaje de Febrero.

«Pero me necesitas», le estaba diciendo en realidad, porque ¿qué otra persona iba a escribir las Historias Negras? ¿Qué otra persona iba a traerle las Voces Negras de Boston?

—Encontraremos a otro para ese artículo —me había dicho Anna—. Además, no creo que puedas ser feliz si sigues trabajando aquí un día más, rodeada de un puñado de... ¿Qué es lo que nos has llamado?

«Salvadores blancos, vanidosos y chupasangre, cuya definición de "diversidad" es escribir sobre gente negra y mestiza que no hacen nada más que herirse y sanar».

Me lanzó esta última frase tan rápido que pude sentirla en el fondo de mi garganta, obstruyendo mi tráquea. Era una cita textual de lo que yo había dicho justo la noche anterior. En Pepper's. A Eva.

Eva.

Miré a la izquierda y después a la derecha, buscándola en el mar de rostros que se habían acumulado rápidamente fuera del despacho de Anna. Yo era el animal exhibido en el zoológico, y la gente con la que había trabajado durante casi dos años (gente a la que públicamente llamaba «amigos», pero a la que en privado también llamaba «chupasangre vanidosos» porque, en la vida corporativa, aquellas cosas no se excluían mutuamente) tenía la nariz aplastada contra las paredes de cristal y se reía mientras veían cómo comía mi propia mierda.

Lo único peor que eso era saber que docenas, o tal vez cientos, de otras jóvenes negras estaban experimentando aquel mismo tipo de humillación... y que otras jóvenes negras eran la causa. Cientos de jóvenes negras, seguramente más, estaban sufriendo graves cambios de personalidad en todo el mundo. El grado en el que cambiaban variaba de persona a persona. Algunas hablaban de un modo distinto, otras se vestían diferente. Pero lo más importante era que el cambio no era superficial. Llegaba a todas y cada una de sus almas.

OCN. «Otras Chicas Negras», las llamaba Lynn, «porque no son de las *nuestras*». Ellas eran otra cosa. Algo parecido a un extraterrestre, aunque Lynn no estaba tan pirada como para sospechar que aquellas OCN (o lo que las estuviera cambiando) hubieran llegado aquí del espacio exterior. Solo sabía que había una explicación más profunda sobre por qué esas jóvenes de repente ya no estaban en deuda con nadie más que consigo mismas y con los blancos para los que trabajaban. Por qué estaban tan obsesionadas con el éxito... y con llevarse por delante a cualquier mujer negra que se interpusiera en su camino.

Dos veces al mes, Lynn celebraba una reunión en Joe's para contarnos lo que había descubierto gracias a la gente que vigilaba otras partes del país. El veredicto era que las OCN se estaban expandiendo, y que estaban haciéndolo rápido. Cuando Lynn descubrió la existencia de las OCN cinco años antes, su radio de acción se limitaba a algunas ciudades del noroeste: Nueva York, Boston y Filadelfia. Pero ahora había avistamientos desde el sur, en Miami, hasta el norte, en Portland, y el oeste, en Los Ángeles.

El propio Joe lo confirmó en nuestra última reunión, después de haber visitado a su hija en California. Tenía los ojos húmedos mientras ocupaba el punto habitual de Lynn al frente de la sala y explicaba que era como si a su hija le hubieran arrancado una capa, y se la hubieran reemplazado por una película falsa y transparente que no se parecía en nada a la persona que él había criado.

—Y sé que lo que la ha cambiado no son solo las gilipolleces y frivolidades de Hollywood —les prometió con vehemencia—. Su maldito agente hizo que se presentara al casting para tres papeles de esclava solo este mes. *Tres*.

Con el bolígrafo sobre su característico cuaderno naranja, Lynn había insistido para que Joe le contara los síntomas que exhibía su hija. ¿La sonrisa y el asentimiento? ¿El encogimiento de hombros que denotaba impotencia? ¿La mirada vidriosa?

—A veces se quedaba mirando con los ojos vidriosos. Pero cuando le pregunté si sabía qué estaba haciendo, mi hija me dijo que no le gustaba la idea de interpretar a una esclava. Pero comenzó a explicármelo todo… justificándolo. Me soltó toda esa mierda sobre «conocer las reglas del juego» hasta que ya no necesitara seguir jugando. Me dijo que les dejaba pensar que *ellos* tenían las riendas, cuando en realidad las tiene *ella*.

Esto preocupó a Lynn. A todos nosotros. Eso significaba que las OCN estaban mezclándose con facilidad con las que no lo eran. Si se mezclaban, significaba que su número estaba aumentando. Eran radicalmente distintas ahora de como eran hace veinte años, cuando Lynn empezó a sospechar de la existencia de las OCN, o de alguna forma de ellas. Pero al menos entonces se mostraban reservadas. Se movían con la cabeza gacha y los ojos en la cima. Ahora, cualquiera que se interpusiera en su camino a la cumbre terminaba pisoteado.

O peor, si no tenía cuidado.

Cuando busqué a Eva entre la multitud que esperaba fuera del despacho de Anna, la encontré al fondo, con los brazos cruzados con fuerza y dos esferas de duro ónice por ojos. Oí el chirriante sonido que hizo la que había sido mi vida, al detenerse; las palabras, narradas en voz baja pero con certeza, de la mujer a la que había conocido en el tren unas horas antes: *Has hablado demasiado. Estás jodida.* Solo entonces me di cuenta, muy, muy tarde, de que algo iba mal con Eva. Ninguna mujer negra le haría eso a otra mujer negra. No sin estar profundamente perturbada. No cuando parecía a la vez tan afectada. Tan humana.

«Tendremos que idear modos más complejos de desligarnos de ellas», dijo Lynn. Y deberemos vigilar aún más mi Regla de la Resistencia menos favorita: *Nunca te enfrentes a una OCN o potencial OCN a menos que te lo ordenen.*

Esa regla evitó que abordara a Eva cuando la vi con Nella en Nico's, en agosto, y después anoche, cuando escuché su sermón sobre la solidaridad y la diversidad ante todo el mundo en Curl Central. De hecho, tuve que contenerme para evitar saltar de mi asiento, agarrarla por una rasta y pedirle que me contara esa mierda petulante sobre solidaridad una vez más.

Todavía estaba imaginando lo bien que me habría sentado elevar un mechón de cabello de Eva sobre mi cabeza como una bandera capturada, cuando Lynn me llamó para pedirme el informe.

Me tragué la sonrisa y me llevé las piernas al pecho. Era inusual que tuviera todo el sofá para mí, pero estaba tan acostumbrada a apretarme para dejarles espacio a los demás que ya me salía natural.

—Hasta ahora, sigue bien. Estuve sentada en la primera fila y Ev... Perdón, *Hazel*, apenas me miró. Ya sabes cómo es. Los paranoicos no ven lo que está justo bajo la luz. Solo ven lo que hay en las sombras.

Lynn lo sabía.

—¿Y Nella?

—Nella no está en riesgo. Las vi manteniendo una conversación bastante intensa al final de la noche, pero estoy segura de que está bien.

Emitió un ruido, pero no levantó la mirada de sus notas.

—Bueno —dijo, intentando sonar neutral—. Pam dice que, desde que le dejó esas notas, Nella se ha quedado en la oficina hasta tarde prácticamente cada noche. Al parecer está intentando conseguir que Jesse Watson escriba un libro para Wagner. Dudo que eso ocurra, pero ese hombre es impredecible, así que quién sabe *qué* está dispuesto a hacer...

Lynn me señaló para que fuera al grano.

—Me pregunto si la semana que viene no deberíamos hacer contacto por fin. Tal vez pueda fingir que soy una prometedora escritora e intentar concertar una reunión con Nella. Dudo que se tome demasiado bien que nos acerquemos a ella en el tren, porque parece muy inestable, pero si vamos con la excusa de la publicación, quizá...

—No —la interrumpió Lynn.

—¿Por qué no?

—Porque «estoy segura de que está bien» no es suficiente. A menos que notaras alguna otra señal que yo deba saber.

Me encogí de hombros.

—Nella sigue saliendo con su novio blanco, Owen.

—Eso no significa nada. ¿Y si ya ha terminado, pero él todavía no se ha dado cuenta? Muchos jóvenes blancos se pierden por las OCN —dijo Lynn, haciendo una mueca.

Me mordí el labio y empecé a jugar con el borde desaliñado de uno de los cojines que tenía más cerca. Notando mi silencio, Lynn me miró por fin y me preguntó, esperanzada:

—¿Viste al novio blanco hablando con Hazel en algún punto de la noche?

—Durante unos minutos. Pero me pareció inofensivo.

—Uhm. De acuerdo. Volvamos con Nella y Hazel. ¿Oíste algo de lo que dijeron?

—No. Pero Nella *parecía* querer estrangularla durante la mayor parte de la conversación.

Lo había visto todo a trozos, por el rabillo del ojo, para que no fuera tan obvio.

Seguí jugando con el cojín cuando algo más se me pasó por la mente.

—¡Oh!

—¿Qué?

Cuando me marché, vi que Hazel le entregaba algo. Parecía un producto para el cabello, algo así.

—¿Viste si le entregaba algo a alguien más?

—Sí. Si hubiera estado más cerca, seguramente me habría dado uno a mí también.

—Probablemente solo fueran regalos para publicitar su organización. O la tienda. —Lynn suspiró mientras anotaba aquello—. Shani, no podemos asumir que Nella está bien. Sigue en Wagner. Incluso acudió al evento de Hazel. Hemos visto suficiente para saber que debemos tener mucho cuidado, ¿verdad? Piensa en lo que te pasó en esa revista. Y supongo que no tengo que recordarte mi programa de la Facultad de Medicina. Esa OCN sigue cosechando todos los beneficios de la investigación que yo hice. Todo el dinero que malgasté en *no* conseguir un título...

—Lo sé —dije, apretando los dientes. Conocía aquellas palabras al dedillo—. Pero lo que digo es que... todo eso ocurrió hace cinco años. Y aquí estamos. Escondiéndonos en las sombras. Todavía no sabemos nada nuevo, Lynn, más allá del hecho de que están causando estragos en Hollywood. No sabemos cómo cambian a las chicas negras. Solo sabemos que son *monstruos* egoístas que cada vez consiguen más premios por sus actuaciones.

—También sabemos que se les da bien cambiar a otras mujeres negras cuando quieren —añadió Lynn—, que es por lo que necesitamos mantenernos cerca.

—Mira. —Aparté los cojines y me senté derecha—. Ser parte de todo este espionaje con vosotros ha sido... una experiencia. Me encantó pasarle esas notas a Pam; es la mujer más dulce del mundo. Y respeto todo lo que intentáis hacer. Solo quiero saber por qué he venido a Nueva York si no vamos a hacer nada con respecto a la situación entre Nella y Hazel. Podría concentrarme en otra cosa. En otra *persona*. En mí. No en Nella, y sin duda no en Hazel. Ni siquiera deseo volver a estar en la misma habitación que ella después de lo que me hizo.

No pretendía que sonara como si Lynn y la Resistencia no hubieran hecho suficiente para detener a las OCN. Pero debió sonar así, porque Lynn dijo, en voz baja y fría:

—Lo respeto. Pero en todo esto de Nella hay mucho más de lo que tú puedes entender. —Después, cerró su cuaderno y volvió a dejarlo en la estantería.

Al día siguiente me pidió que acudiera a la barbería de Joe tan pronto como saliera del trabajo.

—Tenemos que hablar.

Nada más y nada menos. Acepté.

Cuando salí de Rise & Grind, saludé a Joe y a sus clientes y subí las chirriantes escaleras traseras; ya se me había metido en la cabeza que Lynn iba a decirme que mi tiempo en la Resistencia había terminado.

Pero, cuando abrí la puerta, no vi a Lynn. Vi a una mujer que, a juzgar por el halo de rizos plateados que caían en cascada sobre sus hombros, parecía mucho mayor que la gente que habitualmente pasaba por Joe's. Estaba delante de la estantería, de espaldas a mí, mirando una de las abarrotadas paredes violetas de la habitación.

Me detuve en la puerta un momento, sin animarme a interrumpir. Yo también me había sentido hipnotizada por las paredes la primera vez que las vi. Estaban llenas de fotos de activistas negros; algunos conocidos, otros no. De los que conocía, Malcolm X era el que más destacaba; al menos el treinta por ciento de las fotografías que cubrían las paredes eran de él. Muchas eran imágenes en blanco y negro que había crecido viendo en los libros de Historia y en los periódicos, pero algunas eran imágenes contemporáneas que no recordaba haber visto: Malcolm en estilo pop-art, con luces de neón en tonos azules y naranjas; Malcolm como un superhéroe de cómic.

La pieza más llamativa representaba a Malcolm con la mano pensativamente en su sien, en variaciones de rojos, blancos y azules. Por si alguien no sabía qué estaba homenajeando, una versión en tamaño postal de los carteles HOPE de Obama que se exhibieron durante su primera campaña presidencial estaba a su lado, como una coma después de una frase muy larga y poderosa.

—¿Sabes? Sigue siendo uno de mis héroes. Lo echo de menos. Todavía recuerdo ese día...

Las palabras sonaban suaves y bajas, pero perfectamente enunciadas. Tardé un segundo en darme cuenta de que era la mujer del cabello plateado la que estaba hablando, y de que estaba hablándome a mí. En realidad, no me lo creí del todo hasta que se giró para mirarme.

Mi primer pensamiento fue que me recordaba a alguien; a un miembro de mi familia, quizá. El típico familiar al que solo ves cada tres años, en alguna reunión. Mi segundo pensamiento fue que tenía muy buen aspecto. Apenas alguna arruga, y estaba delgada (en forma, incluso), con un par de vaqueros pitillo negros bajo una túnica sin mangas también negra.

—¿Obama? —conseguí decir, cuando me di cuenta de que había esperado demasiado antes de contestar—. Sí. Yo también lo echo de menos.

—No —me interrumpió mientras caminaba hasta el sofá más cercano y se sentaba—. Malcolm.

Solo pude asentir.

—Oh, Shani... Genial. Por fin os conocéis.

Lynn había entrado en la habitación. Había algo en su rostro que parecía una sonrisa, pero no especialmente contenta; una expresión que la mujer de cabello plateado también llevaba cuando se giró y me miró.

—En realidad, no —admitió.

Me acerqué para remediar la situación, extendiendo la mano.

—Shani Edmonds.

La mujer me la estrechó.

—Kendra Rae. Kendra Rae Phillips.

Vio cómo mis ojos se llenaban de reconocimiento y cómo este atravesaba el resto de mi cara como una llamarada de vergüenza.

—Oh, Dios mío —dije, agitando su mano con lentitud—. Señora... Phillips. Hola. No sabía que estaba... en la ciudad.

O en cualquier otra parte, pensé.

—Nadie lo sabe —dijo Kendra Rae, con tanta firmeza como sus dedos agarraban los míos—, y pretendemos que siga siendo así. ¿Verdad?

—Claro.

—Bien.

—Entonces, uhm… —Señalé la habitación—. ¿Cuánto tiempo lleva…? ¿Ha…?

Me detuve y comencé de nuevo mientras Kendra Rae seguía mirándome fijamente. No llevaba maquillaje, pero seguía siendo preciosa (atemporal, incluso), con unos ojos tan suntuosos y castaños como el sirope de maíz Karo.

—¿Qué está haciendo… *aquí*? —conseguí decir al final.

Entonces, la expresión impasible de Kendra Rae se derrumbó en una pequeña sonrisa deslumbrante. Yo se la devolví, aliviada. Apenas había conseguido evitar que se me salieran los ojos de las órbitas, pero la mujer no parecía desalentada por ello. Parecía disfrutarlo, como una margarita girándose hacia el sol por primera vez en quién sabe cuánto tiempo.

Kendra Rae sacó un artículo periodístico y un cuaderno de un pequeño bolso de retales que no había visto que llevara.

—Lynn me hizo llegar no hace mucho una información muy interesante —me explicó, alisando el artículo sobre su regazo—. Así que estoy aquí para contaros a ambas algunas cosas sobre el tiempo que pasé en Wagner Books. Pero primero… ¿Shani?

Se detuvo y me miró a los ojos.

—¿Sí?

—Tienes que contarme qué le dio Hazel a Nella en Curl Central.

13

17 de octubre de 2018

¡Hola, Nellie!

Lo primero, primero... ¡Mis más profundas y sinceras disculpas por responderte tan tarde! Te prometo avisarte para tomar algo tan pronto como tenga una fecha disponible.

Mientras, ¿te importaría enviarme la información de contacto de Hazel-May McCall? (¿La conoces? Trabaja con Maisy, ¿verdad?). Acabo de ver el fantástico artículo sobre su programa de tutorías en BookCenter y he pensado en darle un toque. ¡Te estaré agradecida por siempre!

¡Muchas gracias! xx Lena

Nella miró sobre su hombro una vez más antes de darle otro violento puñetazo a la Keurig, pero la maldita cosa no balbuceó ni borboteó como se suponía que debía hacerlo. No dejaba de sisear.

Se cruzó de brazos y la miró fijamente un momento, sopesando otros modos de conseguir que la Keurig se sometiera. Sin duda no era así como Jocelyn lo había hecho, pero como ella no iba a regresar a Wagner (se rumoreaba que había vuelto para siempre a Alemania), a Nella le parecía que cualquier método para arreglar la cafetera sería válido.

Ya había usado el puño con la máquina, pero se preguntó qué ocurriría si empleaba la cabeza. Este método le parecía especialmente atractivo, teniendo en cuenta lo bien que había memorizado el irritante correo electrónico de Lena Jordan. *Mis sinceras disculpas*, había dicho Lena. *Aunque le daré un toque a Hazel.*

Y quizá la peor parte de todo: *¡Hola, Nellie!*

Nella había cometido el error de leer y releer la nota de Lena antes de tener la oportunidad de hacer algo razonable aquella mañana, como tomar café o ir a la cafetería a por un bollo. Las palabras de Lena se habían reproducido en su mente en un bucle, como el brillante letrero de una bodega, puntuado de vez en cuando por aquellas dos equis sin sentido.

¿De verdad era tan difícil para Lena darle una o dos fechas en las que estuviera disponible? ¿Y *de verdad* era el nombre de Nella tan complicado?

Nella miró el reloj del microondas para evaluar el daño. Eran las diez y cuarto, lo que significaba que no tenía tiempo para bajar y llevarse un café de la cafetería al otro lado de la calle. Derrotada, llenó su taza con agua caliente y buscó una caja de té verde. Tendría que sentarse descafeinada en la reunión de las diez y media para discutir las portadas con Vera, Leonard y Amy. Sería un tostón, pero menos que llegar cinco minutos tarde.

Nella intentó mantener las manos firmes mientras vertía un lento hilo de miel en su taza humeante. Las reuniones para decidir las portadas habían sido lo mejor de la semana cuando empezó a trabajar en Wagner. Normalmente llegaba un par de minutos antes para poder sentarse en la esquina junto a la ventana, con la mejor vista de los bosquejos de Leonard para Amy, Richard y los editores. Entonces, esas reuniones le habían parecido la parte más mágica de la publicación. Se sentía mareada al comparar las representaciones artísticas del diseñador con las hipótesis que ella había imaginado mientras leía el libro, y la emocionaba el momento de la gran revelación de cuál sería la portada definitiva.

Incluso participaba en reuniones en las que se analizaban las portadas de libros en los que no estaba trabajando, para escuchar atentamente cómo Amy discutía con los diseñadores sobre el color y el equilibrio, o sobre el tamaño de la tipografía y el interletraje. Y tomaba abundantes notas, que planeaba internalizar para el día en el que fuera *ella* quien se sentara en La Silla del Editor. Claro, de vez en cuando había un autor que sofocaba una parte diminuta de la magia, pero eso nunca impedía que sintiera cuán aleccionador era estar a unos metros de la concepción de una imagen que adornaría miles de copias de libros y que sería distribuida por todo el mundo. Poder expresar su opinión sobre las portadas hacía que se sintiera poderosa, aunque Vera tuviera la última palabra.

Pero la reunión que se avecinaba en nueve minutos era diferente. *Aquella* reunión era para la portada de *Agujas y alfileres.*

Nella se secó el vapor de la cara con el dorso de la mano, recibiendo una vaharada de manteca de cacao en el proceso. Hizo una mueca, pues no se lo esperaba. No había planeado usar la manteca capilar que Hazel le había regalado hasta agotar el resto de los productos que tenía en casa, pero mientras subía en el ascensor aquella mañana hacia la oficina se dio cuenta de que no se había puesto ningún hidratante desde hacía más de una semana. Cuando buscó en su bolsa y descubrió, para su alegría, que el pequeño tarro de manteca seguía allí, se decidió y se masajeó el cabello con una porción del tamaño de un guisante.

Huele muy fuerte, murmuró a su reflejo en el espejo del baño, y de nuevo en la cocina mientras tomaba tres inspiraciones lentas y profundas… un hábito que había desarrollado en las semanas anteriores, desde que Hazel había alabado a Colin en la reunión de marketing. En parte gracias a ella, *Agujas y alfileres* nadaba en un mar de rumores tan profundo que el título ahora era conocido en la empresa como un «*best-seller* seguro» del que incluso tuitearía Oprah «si consiguiéramos venderlo bien».

Nella empujó la bolsita de té con el fino palito de madera, y el cuarto empujón fue tan fuerte que una parte se abrió. Observó, molesta, cómo los diminutos fragmentos de jazmín se liberaban y nadaban por su taza. La Keurig siseó a su espalda, un dulce y burlón recordatorio del poco control que tenía sobre todo en aquellos días.

Nella había recibido este mensaje de otros modos; para empezar, por la ausencia de invitaciones para almorzar con Gina y con Sophie. Habían dejado de pedirle que comiera con ellas después de que hubiera rechazado cinco ofertas en el transcurso de dos semanas (solo porque tenía demasiado trabajo pendiente) y habían optado por invitar a Hazel. Algo mágico tuvo que ocurrir durante su primer almuerzo juntas; después de eso, empezaron a merodear por su cubículo, hablando con entusiasmo del último proyecto artístico de su novio o del libro favorito que estaba leyendo esa semana. Incluso Gina (la ambigua, desinteresada y para nada impresionable Gina) se había desviado de una de sus conversaciones en un día especialmente frío para decir que quería un par de Timberland de plataforma como las de Hazel. Mientras, Hazel devoraba la atención como una profesional. Por supuesto.

Nella no sabía qué pensar de todo aquello. El estatus de celebridad que Hazel había alcanzado en un periodo tan breve la molestaba de un modo que le preocupaba, y le preocupaba que le preocupara, sobre todo porque Hazel y ella se suponía que estaban en el mismo equipo. Odiaba lo decepcionada que se sintió cuando los editores empezaron a pedirle a Hazel lecturas sensibles, en lugar de solicitárselo a ella. Nella nunca había recibido ni una pizca de la atención que todo el mundo le prestaba a Hazel. Si era sincera, debía decir que no creía haberla recibido nunca. Y, si mentía, diría que nunca la había querido.

Pero la validación era importante para Nella, y ver a Hazel moviéndose por Wagner como un cuchillo a través de nata montada la hacía empezar a cuestionarse su presencia allí. *Quizá debería haber atendido las notas anónimas que recibí el mes pasado*, pensaba a veces, y en una ocasión, en un arranque de desesperación, incluso había intentado llamar a ese número de nuevo. Pero, para su alivio (y su desazón), el teléfono estaba apagado.

En cierto sentido era como si, de algún modo, ya se hubiera ido. Sus compañeros sin duda la trataban como si fuera así. Pasaban por la mesa de Hazel para charlar cada vez con mayor frecuencia, y Nella empezaba a comprender qué había querido decir Hazel exactamente cuando mencionó la alternancia de código. Sabía qué significaba la expresión, por supuesto; ¿de qué otro modo habría sido capaz de leer el último incidente de brutalidad policial en las noticias y después ir a trabajar a las nueve con una sonrisa en la cara?

Pero Hazel... Había algo raro en ella. Una sensación. Nella no confiaba del todo en cómo llevaba la alternancia de código a otro nivel, o en cómo le preguntaba constantemente a Vera por los libros que estaba editando ni en la manera en que siempre alababa los pantalones de cuadros de Josh. Una vez, mientras Nella estaba calentando los restos de la cena en el microondas, incluso pilló a Hazel hablándole a Amy acerca de sus abuelos.

«¿Se conocieron en una manifestación? ¿Y él murió en una manifestación? Vaya, vaya», canturreó Amy, tomándose un inusual momento para quitarse las gafas con cristales carmesíes y frotarse los ojos. «Eso sí que es desarrollar un personaje».

A Nella, que fingía estar concentrada en su teléfono móvil, le había parecido un comentario bastante desagradable. Pero, para su sorpresa, Hazel había estado de acuerdo.

«De hecho, he estado pensando en contratar a un escritor para que tome sus diarios y su correspondencia y escriba una historia de amor alrededor de sus vidas dedicadas al activismo».

Después estaba C. J.: estaba deslumbrado por Hazel, consumido. Se colgaba del borde de su cubículo y coqueteaba con ella durante cinco o diez minutos cada vez, sonriendo con esos ojos enormes que en el pasado solo eran para Nella, y Hazel (la bondadosa y amable Hazel) le devolvía la sonrisa. Juntos, formaban un dúo precioso que parecía sacado de una comedia romántica negra de los noventa, en lugar de coincidir en la decimotercera planta de un edificio de oficinas del centro.

Mientras, Nella se sentaba en silencio al otro lado del pasillo intentando no oír sus conversaciones. Pero fragmentos de información autobiográfica se filtraban en su cubículo de todos modos, partes jugosas que C. J. nunca le había contado a ella en los dos años que hacía que se conocían. No podía evitar preguntarse por qué. Ella había sido mucho más amistosa con él que con India. ¿No le habría hecho las preguntas adecuadas? ¿O acaso él habrá supuesto que Nella, criada en un barrio residencial de clase media por sus padres (padres con un matrimonio disfuncional, cierto, pero que seguían juntos), nunca llegaría a «pillarlo»?

Cualquiera que fuera la razón, no importaba. Lo que más le preocupaba era la extraña sensación que la embargaba cuando los oía recordar su infancia en vecindarios negros. La devolvía a sus días de instituto, cuando los chicos negros la veían de la mano de su novio blanco en el pasillo o almorzando con sus amigos blancos en la cafetería, y susurraban, no muy discretamente: «Ahí va la Oreo». No era su culpa que las clases avanzadas estuvieran abrumadoramente llenas de estudiantes blancos y asiáticos, de que ellos fueran lo único que conocía, y por eso fingía que no los oía. Al menos una vez al día, fingía que no le preocupaba no ser «suficientemente negra».

Su fuente principal de consuelo había sido la creencia de que esta sensación desapareció cuando fue a la universidad. Pero ahora había regresado para levantar su fea cabeza, arrojándole encima todas las inseguridades que creía que había superado.

Nella se inclinó hacia delante para examinar las briznas de jazmín que flotaban en su taza. Después comprobó el reloj de nuevo: las diez y veinticuatro. Todavía le quedaba tiempo para pescar algunas.

Estaba buscando una cuchara metálica en el escurridor cuando unos pasos a su espalda acallaron el chisporroteo de la Keurig.

—¡Hola, Hazel! ¿Cómo vas?

Nella se giró y vio a Sophie, con las mejillas coloradas debido a la vergüenza.

—Oh, mierda —dijo—. *Nella*. Lo siento mucho. Creí que eras...

—Sí —replicó Nella, fulminándola con la mirada—. Creo que sé qué creíste.

Metió la cuchara en la taza, pilló un poco de jazmín y lo tiró al fregadero.

—Es solo que... —Sophie se detuvo—. Bueno, ¿te has dado cuenta de que las dos lleváis el mismo color hoy?

—¿Sí?

Nella miró el jersey berenjena que se había puesto algunas horas antes. Odiaba aquel jersey; le quedaba demasiado pequeño y picaba, y la etiqueta siempre se asomaba por la espalda. Pero apenas había tenido tiempo para elegir otra cosa. Últimamente, su cuerpo despertaba en cualquier momento en mitad de la noche y, cuando el sueño acudía a ella, en general era media hora antes de tener que levantarse.

—El jersey de Hazel también es púrpura —señaló Sophie, aunque la pregunta de Nella había sido retórica.

—Es un tono muy distinto.

—¿Sí? Creo que en realidad son bastante parecidos.

—No —insistió Nella, con demasiado énfasis—. Estoy segura de que Hazel va de lila.

Estaba segura porque aquella mañana se había descubierto mirando con envidia el jersey con mangas de campana de la chica, cuando esta se acercó haciendo rodar su silla para preguntarle cómo preparar una videoconferencia. Nella la había ayudado, dándole el mismo discurso que a los asistentes nuevos, pero había sido duro. Su descontrolada autoestima había empezado a comerle terreno a su cordura; su cordura, a su sueño; y su sueño, a su habilidad de ser una persona funcional en el trabajo. Una persona funcional que podía perdonar y olvidar el hecho de que una compañera la hubiera confundido con una chica con rastas que era diez centímetros más alta que ella.

Se trata de un fenómeno social. Se llama «alternancia de código»...

Habían pasado semanas desde que Hazel había pronunciado aquellas palabras, pero una punzada de ira se clavó en el costado de Nella de todos modos. Sí, lo sabía todo sobre alternancia de código y sobre ser flexible y campechana y no tomarse nada personalmente, pero mientras Sophie seguía bailando tap alrededor de su metedura de pata, divagando sobre un artículo que había leído sobre cómo ve el ojo los colores, Nella se sentía demasiado cansada como para seguirle el rollo. No se molestó en asentir o en reírse de las bromas de Sophie. Sencillamente se quedó allí, inexpresiva, sacando briznas de jazmín de su taza una a una, y esperando a que la chica dejara de hablar; o, al menos, a que dejara de tropezar consigo misma y se diera cuenta de que no iba a deshacer lo que había hecho.

Al final, Sophie se detuvo a tomar aliento. Miró a su izquierda, notando que la Keurig llevaba los últimos minutos haciendo ruidos raros bajo sus propios ruidos raros.

—¿Otra vez se ha roto la Keurig? —le preguntó, claramente incómoda todavía—. Maldito trasto. Tengo una amiga en J. F. Publishing que me cuenta que su máquina Nespresso nunca se estropea, no como esta. Quizá podríamos pedirle a Richard que la cambiase.

Nella gruñó. Después soltó la cuchara en el fregadero y se dirigió al pasillo.

—Oye, Nella… Siento de nuevo la confusión —dijo Sophie a su espalda.

Nella no se giró ni dejó de caminar.

—Muy bien, Gina —contestó con brusquedad después de haber lanzado el golpe final. De inmediato aceleró, indiferente a las gotas de té caliente que salpicaban su mano a cada paso.

Cuando entró en la reunión para las portadas unos minutos después, no le sorprendió encontrar a Hazel sentada en el que se suponía que era su asiento, mirando el teléfono de Vera.

—¡Ese pincel! Vera, es muy mono. ¿Y cuántos años dices que cumple mañana el pequeño Brenner?

—Cinco. —Vera se inclinó para ver qué foto estaba mirando Hazel, como si no hubiera sido ella quien la hubiera tomado, y sonrió.

—¡Es precioso! ¿Y cuánto tiempo hace que lo tienes?

Vera sonrió de oreja a oreja.

—Tres años. Y, aun así, cada día con él es una nueva aventura.

Nella evaluó la horrible perspectiva para hallar una ubicación. No había llegado con la antelación suficiente. Amy, Josh y Richard ya habían ocupado sus asientos habituales en la cabecera de la mesa o cerca de esta; Vera estaba a la izquierda de Amy; al otro lado de Vera, Hazel. El único asiento vacío cerca de la acción estaba del lado de enfrente; frente a Hazel y junto al cascarrabias Leonard.

Nella se acercó a la silla mientras Leonard estaba encorvado sobre su cuaderno, cubriéndose la mitad de la cara con una mano y apretando un lápiz con la otra. No parecía desear que lo molestaran; quizás estuviera dormido. Mientras se sentaba a su lado, Nella le preguntó en voz baja: *Qué tal va, Len*. Necesitaba desesperadamente un contacto humano normal y, maldita sea, iba a conseguirlo.

Leonard la fulminó con la mirada. Nella tragó saliva, fijándose en sus ojos inyectados en sangre y en el furioso garabato sobre el papel que tenía delante.

—¿A ti qué te parece? —le espetó—. En este sitio hacen que me mate trabajando, como siempre. Así vamos.

Nella asintió con compasión.

Vera levantó la mirada.

—Oh, ¡Nella! ¡Hola!

—Hola, Vera —la saludó Nella, tan alegremente como pudo. El atuendo de hoy era un vestido largo y amplio de arpillera, sin mangas, sobre un jersey blanco roto. Su vestido era súper mono: parecía calentito, muy 1993, algo que Nella podría comprarse si pensara que podía permitírselo, aunque seguramente no podría. Pero tenía la certeza de que, como el flequillo recién cortado que se detenía en mitad de su frente, era otra influencia más de Hazel. La última vez que Vera había llevado algo que no se ceñía a la perfección a su cintura diminuta, había sufrido neumonía.

La propia Vera parecía consciente de este hecho; no dejaba de pasar las manos por los tirantes del vestido como si quisiera asegurarse de que la tela seguía allí.

—Me alegro de que hayas venido. No estabas en tu mesa hace un par de minutos, así que decidí ser un poco egoísta y preguntarle a Hazel si podía robarle parte de su tiempo para esta reunión.

Nella había oído aquella canción antes. Vera y ella habían esquivado el contacto personal durante semanas, comunicándose sobre todo por e-mail y por teléfono. Siempre que Nella se acercaba a la puerta abierta de Vera, o le pedía que hiciera algo, o estaba hablando con Hazel, o estaba hablándole sobre Hazel a otro colega. Los halagos a su nuevo vestuario, que gradualmente había pasado del negro y el azul marino a incluir algunos tonos tierra e incluso estampados que bordeaban la fantasía, se debían a Hazel. ¿Esas mechas caoba oscuro en su cabello, visibles solo bajo un tipo de luz muy concreto pero aun así visibles? Cosa de Hazel también.

Nella nunca antes había visto a su jefa tan unida a una empleada ordinaria de Wagner.

—¿Egoísta? —le preguntó Hazel a Vera, con los ojos todavía posados en una fotografía de Brenner—. No es egoísta para nada. Estoy entusiasmada de estar aquí.

—Yo también —dijo Nella, con los dientes apretados.

Vera golpeó la mesa con la palma.

—¡Ese es el espíritu! Recuerdo cuando comencé a trabajar aquí. Siempre acudía a todas las reuniones para decidir portada que podía.

—Eso es verdad. A todas —añadió Amy desde la cabecera de la mesa—. Ella empezó un par de años después que yo y recuerdo que siempre me robaba el asiento. Sinceramente, quería matarla.

Richard se rio, echando la cabeza hacia atrás.

—Eso también es verdad —dijo, no tanto a Hazel y a Nella como a Amy y a Vera—. Todavía recuerdo el día en el que Amy entró en mi despacho y me preguntó: «¿Dónde has encontrado a Velma? Ya puedes enviarla de vuelta al sitio de donde la hayas sacado».

—Argh, sí —dijo Amy, sonrojándose un poco—. No fue mi mejor momento. Pero ahora, ¡míranos! Somos las *mejores* amigas.

—Las *mejores* amigas —asintió Vera con frialdad.

—Uhm… —Hazel dejó el teléfono de Vera sobre la mesa—. Parece que un poco de competición puede ser bueno, ¿eh?

—Tienes razón —dijo Amy.

Josh por fin dejó de buscar motas perdidas de granola entre sus dientes con la cámara frontal de su móvil.

—Seguramente no estaría aquí sin ella.

Nella miró el reloj mientras Amy daba una palmada y se quitaba sus gafas tintadas.

—Vale. ¿Todo el mundo está listo para comenzar? Esto va a ser rápido. Len, recibiste la nota de Alexander sobre el cambio de horario de esta reunión, ¿verdad?

Leonard se aventuró a mirar a Amy y asintió con la cabeza, pero no dijo nada. El diseñador, que era miembro de la vieja guardia entre los empleados de Wagner, había dirigido el departamento de Diseño durante casi cuatro décadas e incluso había ganado numerosos premios por su innovador trabajo en las cubiertas de algunos libros que se habían convertido en clásicos. Pero parecía real y profundamente infeliz; llevaba un limitado número de sonrisas en su bolsillo (al menos cuando estaba en la oficina) y solo las sacaba en ocasiones muy concretas. Nella estaba bastante segura de que se guardaba la mayor parte de sus sonrisas para él, cuando estaba solo en su despacho con la puerta cerrada, haciendo girar sus engranajes creativos.

Nella examinó a Leonard un poco más; se fijó en su sencilla camisa de cuadros, en el lápiz de golf detrás de su oreja, en el cabello gris que habría crecido parcheado en su cuero cabelludo si no se rapara regularmente. En su cabeza, que casi siempre llevaba baja. Estaba segura de que trabajaba tres veces más que ella, o tal vez más. También estaba segura de que no tenía hijos. ¿Por qué no se jubilaba? ¿Solo estaba aguantando hasta que físicamente no pudiera más? ¿Cómo podía alguien estar tan establecido y ser tan evidentemente desdichado?

Amy rompió el silencio incómodo que había caído sobre la reunión desde que había planteado su pregunta.

—Genial. Vera, ¡esta mañana tenemos para ti algunas propuestas de portada realmente increíbles! Van a encantarte, te lo prometo. Len, cielo, ¿quieres enseñarnos qué tienes para *Agujas y alfileres*?

—¡Sí! ¡Enséñame lo que tienes, Leonard! —Vera le guiñó un ojo, una oferta de paz después del drama por el que lo había hecho pasar con Sam Lewis. A Nella le parecía antinatural, pero Leonard se veía ligeramente menos encorvado.

—Claro. —Sacó un sobre de manila que tenía en su regazo y extrajo tres pliegos de papel brillante. Se levantó y los colocó sobre la mesa, girándolos para que estuvieran de cara a Vera y ligeramente angulados hacia Richard.

—Bueno, he tomado acercamientos distintos —dijo Leonard, balanceándose un poco a la izquierda y un poco a la derecha—. Estos dos siguen un estilo similar al de sus últimos libros: minimalista, con dicotomías llamativas de color, sans serif. Si queremos seguir con el estilo que empezamos a darle en 2011, podríamos ir por esta ruta. Creo que los lectores que están acostumbrados a que sus novelas tengan un carácter definido, y los lectores a los que les gusta que sus libros parezcan formar parte de un grupo, se decantarán por algo sencillo como esto: palabras en rojo sandía sobre un fondo negro.

Deberíamos poner las palabras en verde chartreuse, pensó Nella amargamente.

—Bien —dijo Vera.

—El fondo negro sin duda funciona bien con este tema. Es desolador. Es desesperanzador. *Es la crisis de opioides* —añadió Josh. Nella miró su regazo—. Y después tenemos esta otra opción, por si Colin decide que quiere desmantelar por completo el formato que usamos en sus últimos libros. Esto no se parece en nada a la ruta que tradicionalmente hemos tomado con sus obras, pero creo que valdría la pena explorarlo.

Nella miró el pliego de papel que Leonard estaba señalando. El fondo era una representación en acuarela de la bandera americana, con ilustraciones de distintos rostros entrelazados con las franjas rojas y blancas, de modo que solo se podían ver fragmentos de las caras.

De inmediato, Nella se sintió atraída hacia la tercera: lo fragmentada, lo inconexa que parecía. Se inclinó hacia delante para examinar las caras más de cerca, un indicador decente, reconoció, de que alguien podría sentirse tentado de hacer lo mismo en una librería. Pero de repente se echó hacia atrás en su asiento tan rápido como se había movido hacia delante.

Fue cuando la vio: la cara marrón oscuro. La nariz amplia. Los labios gruesos. Los ojos muy abiertos, casi asustados. Los mechones salvajes de cabello negro recogidos en nudos «Bantú». Todo presentado en trozos y repartido entre las franjas, pero colocado delante y en el centro.

Shartricia.

Vacilante, Nella miró la portada de nuevo para confirmar que su instinto había sido correcto. Ningún otro personaje de la novela había sido representado en un lugar tan destacado. Shartricia era la más real, la más llamativa.

Nella miró a Hazel, al otro lado de la mesa. En respuesta, su compañera levantó la ceja en la que tenía el piercing.

—Creemos que sería inteligente adoptar un nuevo enfoque aquí —explicó Amy mientras Vera miraba las dos portadas no tradicionales con cierta vacilación—. La epidemia de opioides ha sido muy debilitante para este país. Ha pintado a muchos estadounidenses como poco menos que humanos. Pensamos que, si los consumidores se topan con este libro y ven en su propia portada la variedad de gente sobre la que Colin escribe, se sentirán inclinados a pasar más tiempo valorándolo.

—Entiendo. —Vera asintió, aunque no parecía demasiado convencida. Sus ojos seguían clavados en la portada—. Bueno, debo decir que realmente es un... punto de vista distinto. Mucho más artístico que el de las demás.

—Y las portadas artísticas a veces pueden ser un riesgo —dijo Josh—. Pero yo realmente apuesto por esta... Desde una perspectiva de marketing, al menos. ¿Alguien ha leído el reciente artículo de *Book-Center* sobre los pocos personajes de color que hay en las portadas? —Nella levantó la mano justo en la línea de visión de Josh, pero él la ignoró—. Esta va a resaltar entre las demás. Sin duda será un señuelo para un público más extenso, como lo discutimos en nuestra reunión de marketing. Pero también mira con resolución al pasado, obligándonos a evaluar las raíces racistas de nuestro país.

¿Tú crees?, pensó Nella, rascándose la comezón que le había provocado el arrogante discurso de Josh. Miró de nuevo a Hazel, al otro lado de la mesa. Pero, esta vez, Hazel estaba mirando a Amy.

—En realidad... ¿Puedo?

Todos los ojos se movieron hacia Hazel.

Sí, pensó Nella. *Por favor, hazlo. Expón esta caricatura racista como lo que es.*

—Creo que es brillante —dijo Hazel.

—¿En serio? —Vera parecía tan sorprendida como Nella.

—Sí. Creo que has dado en el clavo, Leonard.

—Bueno, ¿tú elegirías este libro, si lo vieras sobre una mesa en una librería?

Fue Richard quien habló. El interés afilaba sus ojos azules.

—Sin duda, es impactante. Leonard, creo que has hecho un trabajo fenomenal, como Amy ha dicho.

Richard asintió. Vera se alegró visiblemente. Incluso Leonard, que siempre era como el burro Ígor, parecía liberado de su prisión personal.

Nella se estremeció mientras miraba la portada, buscando algún elemento subversivo que pudiera habérsele pasado, algo que pudiera hacer que la gente hablara de raza, diversidad y clases sociales. Pero lo único que había allí era la caricatura de Colin. Viva y a todo color.

No puedes hacer esto, pensó, enfadada. *No puedes poner una imagen como esta en la portada de un libro sin proporcionar un contexto.*

Vio a los niños, blancos, negros y mestizos, caminando junto a la mesa de novedades en Barnes & Noble y tomando el libro, atraídos por sus colores brillantes. Vio los pequeños engranajes girando en las cabezas de esos niños durante dos segundos, o lo que tardarían las imágenes en quedar grabadas en sus cerebros jóvenes e impresionables. Y vio a esos mismos niños regresando con sus familias, afectados para siempre por la problemática imagen racista de Shartricia, sin ser conscientes de ello.

Los nudos «Bantu». Esos ojos. Esos labios.

Esa gente.

—¿Alguna otra idea? —preguntó Amy.

—Sois algo inconcebible, la *puta* repanocha.

Nella no se había dado cuenta de que estaba pensando eso, y mucho menos de que lo había dicho. Pero lo había hecho, a juzgar por la corriente de atención que de repente corrió en su dirección.

—¿Has dicho algo, Nella?

A Amy le temblaba el labio superior. Leonard parecía horrorizado. Vera se rodeó la nuca con las manos mientras la vergüenza coloreaba sus mejillas. Incluso a Hazel, siempre imperturbable, parecía que la frase la había tomado desprevenida.

Richard, no obstante, tenía las manos entrelazadas sobre la mesa mientras esperaba a que Nella respondiera a la pregunta de Amy.

—Yo... No. —¿Siempre hacía tanto calor en aquella habitación? Comenzó a abanicarse con la mano distraídamente—. Solo decía que este trabajo es la puta repanocha. Esto va a coronar las listas de las diez mejores portadas, Leonard. Realmente te has lucido con esta.

—Así es. —Vera se aclaró la garganta, dispuesta a pasar página—. Bueno, pensaré en ello un poco más. Len, ¿puedes enviarme la versión en alta resolución de las portadas cuando tengas un momento? Todas, por favor.

—Por supuesto.

Las plumas de Leonard todavía parecían erizadas mientras recogía las muestras, les ponía un clip y las guardaba.

—Vera, cuéntanos qué opina Colin. Puedo pedirle a Hilary que le envíe las cifras de venta de libros que tienen portadas con estilos similares, si crees que eso podría tranquilizarlo un poco.

—Lo conoces muy bien —dijo Vera con una pequeña sonrisa.

—Oh, *todos* lo conocemos —dijo Richard. Todos excepto Nella se rieron con complicidad. Todo iba bien en el mundo de nuevo.

—De acuerdo, genial. ¡Gran trabajo, gente! —Amy se puso las gafas, suspendiendo así la reunión. Todos reunieron rápidamente sus cosas. A un par de metros, Hazel estaba preguntándole a Vera cómo planeaban su marido y ella celebrar el quinto cumpleaños de Brenner.

Nella bajó la mirada y fingió escribir en su cuaderno en blanco. Quería que todos se marcharan antes que ella para no tener que escuchar la conversación entre Vera y Hazel sobre los mejores sitios donde comprar pasteles para perros, o a Josh explicando con lujo de detalles el dichoso artículo de *BookCenter*. Además, siempre le resultaba profundamente tranquilizador sentarse en el silencio de una sala de reuniones después de que todos se hubieran marchado, aunque solo fuera un momento.

Después de unos treinta segundos, se sintió lista para regresar a su mesa y quizá incluso para llamar a mantenimiento, para ver si alguien podía ir a arreglar la Keurig. Pero cuando levantó la mirada se dio cuenta de que Richard seguía sentado a la cabecera de la mesa, escribiendo en su teléfono móvil.

—Oh —murmuró Nella, profundamente avergonzada—. Lo siento. No...

Colocó las palmas sobre la mesa, lista para marcharse. Pero antes de pudiera salir rápidamente, Richard dejó su teléfono móvil boca abajo y dirigió su atención justo al espacio entre los ojos de Nella.

—No, *yo* lo siento. Por favor, siéntate, Nella. ¿Tienes unos minutos para charlar? ¿Sí? Esperaba que pudiéramos hablar de algunas cosas, sobre todo porque hemos terminado con esta reunión muy rápido.

—Uhm... —Nella miró la puerta. Alguien la había cerrado sin que se hubiera dado cuenta—. Claro. Tengo tiempo de sobra para charlar.

—¡Genial! —Richard guardó el teléfono en el bolsillo delantero de los pantalones—. Solo quería que nos pusiéramos al día rápidamente. Ver cómo van las cosas.

—Las cosas van bastante bien —dijo, sin estar segura de a qué se refería él con «cosas». Buscó en su cerebro algo nuevo que pudiera compartir—. Seguramente ya lo sabes, pero finalmente conseguimos que Sam Lewis aceptara una portada. Fue un gran alivio. Gracias por manejar ese barco. Sé lo difícil que puede ser; su agente lo consiente demasiado. Oh, y hablando de... creo que ya lo sabes, pero Darrin nos envió un nuevo proyecto esta mañana que confía en que irá rápido. Es sobre un pequeño pueblo en Dakota del Norte donde nadie cree en usar...

—Eso es genial. Escucha, Nella, voy a ir al grano.

Nella parpadeó. ¿Habría descubierto que había estado escuchando junto a su puerta y que sabía que estaba engañando a su mujer? ¿O habría oído lo que *en realidad* había dicho en la reunión?

Richard apartó la silla algunos centímetros de la mesa para poder cruzar su larga pierna izquierda sobre el muslo derecho.

—Hazel me mencionó algo en privado hace poco. Algo que te ha estado ocurriendo aquí y que es, debo decirlo, profundamente perturbador. Y quería saber si te gustaría hablar de ello. La decisión es tuya.

Nella se irguió en su asiento.

—¿Perturbador?

—Sí. Bueno, sé que esto podría hacer que te sintieras incómoda, que es por lo que no he querido involucrar a Vera. No a menos que me digas explícitamente que quieres que lo haga.

—No estoy segura de qué... —Nella se detuvo. El alivio la inundó, seguido de inquietud y de ira. Hazel había abierto la bocaza de nuevo—. Te refieres a las notas.

Richard apoyó el codo en su muslo y la cara en la palma de la mano. La miró con expectación, en aquella postura, durante una insoportable cantidad de tiempo.

—¿Puedes contarme qué decían esas notas exactamente? ¿Lo recuerdas?

Nella cerró los ojos. Había pasado mucho desde que las había leído; incluso desde que tuvo tiempo para pensar en ellas. Pero ¿cómo podría olvidarlas?

—La primera decía: «Márchate de Wagner. Ya». Y la otra decía algo parecido a: «Cuanto más tiempo te quedes, más duro será. Márchate».

Se guardó lo del número de teléfono a propósito, consciente de la mala pinta que tenía que tuviera un número de teléfono y no lo hubiera denunciado a la policía.

Richard negó con la cabeza.

—¿Y no estaban firmadas?

—No —dijo, sorprendida y un poco complacida por lo disgustado que sonaba Richard—. Sin firmar. Las dejaron en mi mesa.

—¡Por Dios! —dijo Richard, golpeando el tablero con el puño—. Cobardes hijos de puta.

Nella miró su rostro rosado y contraído, intrigada por aquella nueva y desconocida versión del editor en jefe de Wagner. Nunca lo había oído decir tacos y la palabrota no encajaba del todo con su jersey de cachemir de color aguacate.

—¿Le has contado a alguien lo de esas cartas? —le preguntó—. Aparte de a Hazel, por supuesto.

Nella negó con la cabeza.

—¿No? ¿No lo has contado en Twitter ni nada de eso? ¿Ni se lo has dicho a alguna amiga que pudiera haber escrito al respecto?

—Perdona, ¿qué? —le preguntó Nella, sinceramente confundida—. No, no se lo he dicho a nadie. ¿Qué te ha contado Hazel?

—No importa, no te preocupes por eso —dijo Richard rápidamente, más relajado—. ¿Puedo verlas?

—¿Ver qué?

—Las cartas. Me gustaría verlas.

—Bueno, son más «notas» que «cartas».

Richard la miró con curiosidad. Parecía que quería hacer algún comentario sobre la diferencia, o sobre su necesidad de hacer esa distinción, pero no dijo nada.

—Han pasado casi dos meses desde que recibí la última, y la verdad es que me he librado de ellas —añadió Nella, deslizando una de sus piernas sobre la otra mientras la mentira se colaba sin interrupciones entre sus dientes. En realidad, había guardado las notas en el bolsillo de un chubasquero que estaba colgado al fondo de su armario, pero esta explicación parecía mucho más fácil.

—Bueno, en cualquier caso, quiero que sepas que aquí en Wagner tenemos tolerancia cero hacia ese tipo de comportamientos. ¿Lo comprendes?

—Sí.

—Natalie está investigándolo mientras hablamos. A partir de mañana, hablará con el personal de mensajería, uno por uno.

—Oh. Gracias, Richard. Te lo agradezco, de verdad.

Nella soltó su bolígrafo, que se había dado cuenta de que no dejaba de abrir y cerrar nerviosamente en su regazo. Pensó en C. J., con su enorme y humilde sonrisa y su encanto aterciopelado. El departamento de Mensajería estaba lleno de C. J.: gente amable y servicial que mantenía la cabeza baja y los ojos en otra parte. Aunque provenían de distintos orígenes, la piel de casi todos los miembros de la mensajería correspondía a alguna parte de la zona marrón de la rueda cromática. Y todos la conocían. Quizá no tan bien como C. J., pero lo suficientemente bien como para saludarla.

—Pero, con el debido respeto, no creo que nadie del departamento de Mensajería sea responsable de esas notas.

Richard se encogió de hombros.

—Quizá no. Pero es posible que recuerden quién les entregó esos sobres para ti.

—Supongo que es posible.

—Bueno, entonces... —Richard se detuvo para quitarse las gafas de montura de carey y sostenerlas a la luz. Frotó algo en los cristales con el pulgar antes de ponérselas de nuevo—. Me alegro de que hayamos tenido esta charla, y de que sepas que estamos en ello. ¿Te parece bien?

—Me parece bien —asintió Nella—. Gracias.

—De nada. Y, una cosa más, entre tú y yo: se van a producir algunos cambios por aquí.

Nella se tensó.

—¿Cambios? —le preguntó, y su mente acudió de repente a esa lista de nombres negros que había encontrado en la impresora.

—Cambios. El mes que viene, Natalie enviará un correo electrónico a todo el personal de Wagner para reintroducir una serie de reuniones de diversidad. Serán obligatorias para todos los empleados.

Cosa de Hazel.

—Eso es maravilloso —dijo robóticamente, intentando suprimir su molestia, aunque realmente *era* maravilloso.

—¿Verdad? Será un modo excelente para que... *hablemos* unos con otros. —Richard puso las manos sobre la mesa y se levantó—. ¿Ves lo que quiero decir? Creo que no se habla lo suficiente aquí. Estamos hablando, claro, pero no estamos *hablando*. Si estuviéramos *hablando*, creo que no recibirías notas como las que has recibido. ¿Entiendes?

Nella se encogió de hombros. Algo en su fijación con las notas y con el hablar estaba haciendo que se sintiera inquieta. Su fijación por conseguir que estuviera de acuerdo con él tampoco la hacía sentir demasiado bien.

—Lo entiendo.

—Además, tengo otro cambio para ti. Es una noticia aún mayor que me gustaría que mantuvieras en secreto. ¿Me lo prometes?

—Claro.

Empezaba a sentir el cuello agarrotado de tanto asentir, pero siguió haciéndolo de todos modos.

—El intenso e inimitable Jesse Watson va a venir a la oficina para reunirse con algunos de nosotros la semana que viene. Y me gustaría que tú fueras una de las personas que lo recibieran.

Durante la fracción más diminuta, Nella se olvidó de inhalar y exhalar a una velocidad razonable. ¿El «intenso» Jesse Watson?

—¿Va a...? ¿Va a venir *aquí*?

—Efectivamente. Has oído hablar de él, ¿verdad?

Nella asintió.

—Sí. Solo que pensaba que estaba... uhm... tomándose un descanso de la vida pública.

—Lo estaba. Lo ha hecho. Al parecer, Hazel y él tienen conocidos en común. Qué pequeño es el mundo, ¿verdad? Y ella dedujo que su pausa provenía de su deseo de escribir por fin un libro. Ha sido su intención durante bastante tiempo y, bueno... una cosa guio a la otra y ahora tenemos una reunión con él antes de que el resto de las editoriales hayan tenido siquiera la oportunidad de pensar en contactarlo.

Pues claro que la maldita Hazel lo conoce, pensó Nella con petulancia y de un modo infantil. Por un momento, ese fue el único dato que cosechó de la declaración de Richard.

—Qué pequeño es el mundo, sí.

Richard la estudió durante unos minutos, intentando leer su rostro sin expresión.

—Si no te importa que sea tan claro, diría que estás totalmente estupefacta, Nella. Te gustaría conocerlo, ¿no? Seguramente, un hombre así, de su calibre...

—Claro. Me encantaría conocerlo. Solo es que Jesse parece... Cómo lo digo...

—Sé exactamente lo que estás pensando —dijo Richard, con una pequeña sonrisa cómplice extendiéndose por su rostro—. Crees que es demasiado joven y moderno para nosotros. Lo pillo.

Más bien demasiado negro, pensó, recordando la vez que Vera lo había llamado «terrorista emocional». Le sorprendía que Richard no opinara lo mismo, pero, claro, su interés por Jesse apoyaba su teoría de la amante negra.

—Lo sé... Todo esto no es nada convencional. Todas las controversias que rodean a este joven... —Richard negó con la cabeza—. Es muy joven. Muy sincero. Pero como yo digo: por aquí se van a dar un montón de cambios. Y, quién sabe... podríamos tener un *best-seller* entre manos con este tipo. Y tú... —Richard señaló a Nella—. Tú, Nella Rogers, tienes la oportunidad de formar parte de esto. Te unirás a nosotros, ¿verdad?

—Claro —dijo Nella amablemente. Se sentía mucho más revitalizada por aquella conversación de lo que había esperado—. ¿Podría trabajar en el libro yo misma? Como... ¿editora?

Richard asintió.

—Vera y yo hemos hablado de la posibilidad. Y ambos estamos de acuerdo en que has hecho más que suficiente para demostrar tu valía.

¡Por fin! No le estaba *diciendo* que la hubiera ascendido, pero ya podía verse entrando en su cuenta de LinkedIn y actualizando su título de «asistente editorial». Solo tenía unos veinte contactos, pero eso cambiaría. Quizás añadiría a Lena solo para recordarle que existía... y para recordarle cómo se escribía su nombre.

Sonrió.

—Estoy... Guau. Sería un honor. ¡Gracias, Richard!

—*No obstante...* —dijo Richard, enderezándose el cuello del jersey—, sería un descuido no darle también a Hazel una oportunidad. Ya que ella nos lo ha presentado, para empezar.

La sonrisa de Nella desapareció. No habría estado más sorprendida si Richard hubiera levantado una de las sillas y se la hubiera lanzado a la cara. *Pero ¡si Hazel prácticamente acaba de llegar!*, quería gritar. *¡Yo*

tomé la iniciativa y le envié un correo electrónico a Jesse, y he deseado esto
toda mi vida!

Durante un instante fugaz y lleno de ira, se imaginó levantando la
silla ella misma. Pero apartó la fantasía, asustada por si se hacía realidad como su arrebato de unos minutos antes.

—Entonces... ¿Qué? ¿Seremos coeditoras?

—No nos preocupemos demasiado con «editor esto» y «editor lo
otro» —dijo Richard—. Ya veremos cómo va la reunión, ¿de acuerdo? Ya veremos cómo nos tantea Jesse. Hay una oportunidad de que
quiera a un editor más curtido; quizá yo mismo, quizá Vera. O tal
vez se decida por otra editorial. Y hay una posibilidad de que no esté
listo para escribir un libro. Ya sabes cómo son estas cosas. Siempre
impredecibles.

Nella intentó mantener su expresión tan imparcial como le fue posible, aunque el tono lánguido de su jefe sobre algo como prosperar en
la profesión la irritaba. Nada tenía que ser tan impredecible. Richard
tenía el poder de elegirla a ella o a Hazel; era así de sencillo.

Richard se levantó con una autocomplaciente sensación de haber
cumplido con su deber.

—Bueno... Tengo que correr a otra reunión —dijo, poniéndose en
pie—, pero espero que este rato te haya sido útil. Quería que supieras
todo lo que ha estado ocurriendo entre bambalinas.

Nella apretó los puños en su regazo mientras observaba a Richard
caminando hacia la puerta, deseando que se moviera más rápido. Tenía
que irse, ya, para que ella pudiera enfurecerse en paz. Él tenía la mano
en el pomo cuando se detuvo y se giró para mirarla de nuevo.

—Oh. Y una última cosa, Nella. Todavía recuerdo que me dijiste
que querías ser la próxima Kendra Rae... y creo que estás en el buen
camino.

Nella tragó saliva.

—¿Sí?

—No puedo evitar pensar en ella cuando veo cuánto has estado
trabajando —dijo Richard—. Lo atenta que estás al detalle. Y te diré
que... —Negó con la cabeza cerrando los ojos, pensativo—. Tuve una

charla con Vera el otro día sobre tu posible ascenso, dentro de algunas semanas.

—¿Sí? —preguntó Nella, incapaz de esconder su asombro. Teniendo en cuenta el pedestal en el que Richard había puesto a Hazel, a la misma altura que ella, y las últimas semanas en Wagner, no había tenido la sensación de que nadie pensara que estaba haciendo un buen trabajo, a pesar de toda la vida social a la que había renunciado y de lo rápidamente que respondía al teléfono (un impresionante noventa por ciento a mitad del primer tono). Incluso había arreglado sin que nadie lo supiera algunos errores catastróficos de producción y había evitado que Vera llegara a enterarse. Se sentía (si podía ser tan orgullosa) como la heroína olvidada del mundo editorial.

Pero esas medidas no podían compararse con la entrega de una disculpa mecanografiada para Colin Franklin. Tal acto le había exigido una cantidad extrema de fuerza de voluntad, ya que no le parecía necesaria... Pero lo había hecho. Solo porque Vera se lo había pedido.

Aunque Vera apenas había parpadeado al ver su rama de olivo. No era propio de Nella esperar recompensas por meter la cola entre las piernas (nada de: *¡Bien! Has dejado tu orgullo a un lado para hacer este proyecto más tolerable para todo el mundo excepto para ti misma*), pero había esperado la proverbial palmadita en la espalda; un «gracias», al menos. En lugar de eso, Vera le había dicho: «Genial», y después le entregó otro manuscrito de cuatrocientas páginas para leer en menos de cuarenta y ocho horas.

Después de meses dándolo todo en aquel trabajo, todavía se sentía como si estuviera condenada, atrapada para siempre en el purgatorio de los asistentes, igual que Donald. Veía su futuro extendiéndose ante ella, justo allí, manchado y precario y lleno de *Mientras no estabas*, y odiaba el poco control que tenía sobre todo aquello.

Pero ahora allí estaba Richard, con su sonrisa deslumbrante, diciéndole que había pensado que sí, que merecía un ascenso. Y también merecía (probablemente) trabajar con Jesse. Si no directamente, al menos reuniéndose con él.

Todavía estaba buscando algo que decir cuando Richard habló de nuevo.

—¿Sabes? Vemos un montón de cosas increíbles en tu futuro, Nella. También te *valoramos* como parte del equipo, y sería una pena que nos dejaras solo porque hay una manzana podrida entre nosotros.

Nella frunció el ceño, confundida.

—¿Qué? ¿Dejaros?

—A ver... No digo que *queremos* que te marches —dijo Richard rápidamente—. Solo digo que recibir cartas, *notas* como esas, podría hacer que quisieras hacerlo. Eso es todo.

—Oh... Pero yo no...

—Solo prométeme que me avisarás si recibes alguna otra carta amenazadora. ¿De acuerdo?

—Uhm... —Nella se movió, incómoda, en su asiento—. De acuerdo.

—Y, por favor, si recibes alguna más, no la tires. Entrégamela. Si ella... Perdón, si *esa persona* contacta contigo de algún otro modo, por e-mail, por mensaje de texto, lo que sea, podríamos usarlo en nuestra investigación. —Richard se rio solo—. «Investigación». ¿Acaso me estás escuchando? El señor *Se ha escrito un crimen* en persona... Pero ya sabes a qué me refiero. ¿De acuerdo?

—Claro. Sé a qué te refieres. —Nella también se levantó.

—Bien. —Richard caminó hasta ella y le dio un apretón de manos—. Estaremos en contacto pronto para ese asunto del ascenso; solo tenemos que organizarnos antes de avanzar con el cambio de título oficial.

Nella se animó, a pesar de que la mano fría y húmeda de Richard le estaba exprimiendo la suya.

—Suena genial.

—Siempre es agradable charlar contigo, Nella. Y recuerda: esta conversación... lo de Jesse, las cartas, el ascenso...

—Queda entre nosotros.

Richard hizo una reverencia.

—Hasta la próxima vez.

Nella siguió asintiendo incluso después de haberse quedado sola con sus pensamientos. Se detuvo a mitad de una bajada de cabeza, ligeramente avergonzada y dolorida mientras se masajeaba un par de veces el agarrotamiento que ahora se extendía desde su cuello hasta su omóplato derecho. Después sacó su teléfono móvil y buscó «Wagner Books» en Google. Afortunadamente no encontró páginas de opinión sobre su empresa, solo algunas menciones en redes sociales sobre libros que habían sido publicados recientemente.

Nella exhaló con lentitud y la oleada de alivio la inundó como un rayo de sol. Pero esa luz, lo sabía, sería fugaz, así que guardó una alerta en Google con su nombre. Solo por si acaso.

14

—¿Nala? —El camarero la miró fijamente, con los ojos muy abiertos debajo de su flequillo y el rotulador listo para escribir en el vaso de papel—. ¿Como la de *El Rey León*? ¡Mola!

Nella cambió el peso al otro pie.

—No exactamente. Nella.

—¿Bella? Perdón. —Comenzó a escribir.

—No. Casi como Bella. Pero con una N.

Él la miró, parpadeando.

—De acuerdo. *Mella*, entonces —dijo tachando la B—. Ese también es un nombre genial. Supongo.

—En realidad…

Nella hizo una pausa. Nadie podría oírla por encima de la música navideña que, en su parecer, no tenía por qué sonar a mediados de octubre. A su espalda, un cochecito de bebé no dejaba de golpearle la parte posterior de las piernas, empujándola hacia el mostrador. No estaba segura de por qué estaba invirtiendo tanto tiempo en aquel asunto del nombre cuando el camarero ya había apuntado su pedido. El único trabajo del hombre era defender ese Starbucks del centro de los turistas pesados y de los locos que iban a trabajar los sábados.

Nella, que formaba parte del último grupo, cedió.

—Mella está bien. Gracias.

Se apartó del camino para evitar otro posible golpe del cochecito y buscó un lugar seguro para esperar su café con leche. No recordaba la última vez que había visto la cafetería tan llena... Pero
aquel era un día especialmente frío, las vacaciones se acercaban y el
Macy's de la plaza Herald estaba a solo seis manzanas de distancia.
Suponía que esto era lo que se merecía por haber salido de Brooklyn
un sábado.

—¡Logan! ¡Un té chai con leche sin espuma en tamaño venti, en la
barra, para Logan!

Una mujer rubia y bajita con un abrigo de piel beige se acercó para
reclamar el vaso. Agitó sus accesorios vigorosamente al salir, al parecer
enfadada por haber tenido que esperar para conseguir algo en el centro
durante el fin de semana.

Nella sacó su tableta y comenzó a leer, para no convertirse en
una de esas personas que sentían que malgastaban su preciado tiempo. No había terminado una página cuando sintió un golpecito en
el hombro.

—¿Disculpe, señorita?

Nella se dio la vuelta. Un hombre negro, alto y de hombros an-
chos, con un chaquetón verde y un café helado en la mano la estaba
mirando. Decidió, en cuestión de segundos, que tendría unos treinta
años; tenía los ojos amables y un rostro con barba bastante atractivo.
Además, llevaba un gorro negro calado hasta las orejas en lugar de dejarlo colgando de su cabeza como un hípster descuidado. No estaba
segura de si lo conocía de algún lado, aunque se parecía muchísimo a
Marvin Gaye en la época de *What's Going On*.

Cuando quedó claro que él no iba a decir nada, Nella sonrió y le
preguntó, sin entusiasmo:

—¿Sí?

—Perdón —dijo él con timidez, pasándose una mano por la nuca—.
Es que eres... muy *guapa*. Guau.

El calor reptó bajo el cuello alto del jersey de Nella.

—Oh —contestó, como si la gente le dijera eso en la cafetería todo
el tiempo—. ¿Gracias?

Él ladeó la cabeza y dejó de sonreír solo el tiempo suficiente para tomar un sorbo de su café helado. Sus dientes blancos reaparecieron tan pronto como la pajita salió de su boca.

—De nada. Entonces, ehm… Solo quería decirte… Bueno, que eres preciosa. Y que creo que se te ha caído esto.

Nella extendió la mano. Él le dejó una servilleta de Starbucks en la palma.

—Que tengas un buen día —le dijo el hombre con un guiño. Luego se giró y se dirigió a la puerta.

—¿Gracias? —repitió Nella. Miró la servilleta de papel, lista para arrugarla y tirarla a la basura. Pero entonces vio nueve dígitos y tres guiones.

¿Ese tipo acaba de invitarme a salir con una servilleta de Starbucks? Se sentía un poco horrorizada y también emocionada ante la idea. Buscó al hombre negro y alto de nuevo. Caminó hacia la puerta y la abrió, pasando de forma respetuosa entre una familia de turistas. A Malaika le encantaría esa historia, lo sabía. También se la contaría a Owen, aunque quizá restaría importancia a su atractivo. Solo un poco.

Nella volvió a mirar la servilleta, esperando reírse por última vez antes de volver a su lectura, pero lo que vio le heló la sangre. Por alguna razón, antes no se había fijado en las palabras escritas en mayúscula encima del número de teléfono:

WAGNER NO ES SEGURO. SE TE ESTÁ ACABANDO EL TIEMPO.

Nella se quedó mirando los tres primeros dígitos del número de teléfono, preparada para ver el número al que había llamado el mes anterior. Pero el prefijo era diferente: 617. Era el prefijo de Massachusetts, un hecho que había memorizado involuntariamente tras un breve romance con un graduado del Instituto Tecnológico de Massachusetts en sus primeros días en Nueva York.

Entonces, esta *no era* la misma persona con la que se había desahogado el mes anterior. Supuestamente.

A menos que la persona que la estaba siguiendo hubiera cambiado de número de teléfono.

Estiró el cuello para ver si el doble de Marvin Gaye seguía fuera, observándola. ¿Sería *él* la persona que la había estado siguiendo todo el tiempo? Lo único que veía eran ríos de turistas abrigados caminando por la acera, de la mano, balanceando sus bolsas de la compra y mirando las pantallas de sus teléfonos móviles. El hombre negro había desaparecido.

Nella se dio la vuelta, inundada por un alivio que casi de inmediato se convirtió en miedo. *Quería* ver a alguien vigilándola. *Quería* respuestas. Habían pasado semanas desde que había recibido la última nota y había sido bastante ingenua como para pensar que, tras llamar a ese número de teléfono, las cartas dejarían de llegar. Pero ahora que había recibido otra (no, «recibido» no; prácticamente se la habían *arrojado* a la cara), se sentía como una gran tonta.

La situación empezaba a ser ridícula. El tipo no era un acosador racista. Era el tipo a quien llamabas cuando necesitabas protegerte *de* un acosador racista. En realidad, parecía que estaba... *advirtiéndole.*

Nella sacó su teléfono móvil y escribió un mensaje de texto a toda velocidad. Tenía que ser más rápida que su otro yo, que la Nella que tenía sentido común, la Nella que le recordaría que había visto demasiadas películas de terror y demasiados episodios de *Dateline* en los que una chica era acosada, como para meterse por voluntad propia en una trampa.

¿Quién eres?

El mensaje se volvió azul. Casi de inmediato, aparecieron debajo tres puntos grises señalando una respuesta.

Te lo diré si te encuentras conmigo en cuarenta y cinco minutos. En la calle 100 con Broadway.

¿No podías hablar conmigo en Starbucks?, respondió Nella.

Había demasiados ojos y oídos. Y ese era mi amigo, no yo. En la calle 100 con Broadway. ¿Vale?

Una estupidez. Sería una estupidez ir allí. Nella no podía creer que le hubiera enviado un mensaje de texto a un extraño sin tratar de averiguar primero cómo ocultar su número. El que la estaba siguiendo se había tomado muchas molestias para conseguir su número de teléfono, y ahora lo tenía. Había perdido cualquier ventaja que pudiera haber tenido. Reunirse con esa persona no solo sería estúpido, sería una *idiotez*.

Y, aun así…

Se mordió el labio. Escribió varias letras, las borró y luego escribió algunas más. *¿Al menos podrías decirme de qué va todo esto?*, escribió al final.

Una vez más, los puntos grises se materializaron de inmediato. Pero luego desaparecieron.

—Venga —susurró Nella. Sacudió violentamente su teléfono móvil, como si eso fuera a ayudarla a obtener una respuesta. Los puntos no aparecieron. No tuvo suerte.

Nella lanzó su teléfono dentro de su bolso, lista para salir a la acera y tomar una necesaria bocanada de aire otoñal. Tenía los dedos en el pomo cuando sintió la pequeña vibración de un nuevo mensaje:

No se llama Hazel.

Shani

20 de octubre de 2018

Mientras me dirigía a Broadway tratando de abrirme paso entre la multitud de turistas zigzagueantes, una turbulenta sucesión de pensamientos apresó mi cerebro: *No tengo que ser una heroína. Tampoco tengo por qué solucionar lo de Nella. Puedo irme a casa ahora mismo, perder de vista a todo el mundo e incluso escribir un puñetero artículo sacándolo todo a la luz.*

Debería haberme sentido agradecida. Se lo *debía* a Lynn. Lo único que hacía que Boston fuera soportable era Cooper's; sin ese trabajo, me hubiera encerrado en mi apartamento con una botella de Jack y un tazón de cereales Resse's Puffs.

Pero ya había tenido suficiente. ¿Cómo iba a quedarme de brazos cruzados mientras Nella cometía el mismo error que tantas otras chicas negras, sobre todo ahora que había conocido a Kendra Rae?

Vi que la luz roja dejaba de parpadear, me detuve en el límite del paso de peatones y recordé la expresión suplicante que había visto en el rostro de Kendra Rae horas antes. Había sido suficiente para convencerme de que no dejara Nueva York. No todavía.

Pero fue esa misma expresión (la que me empujó a rebelarme y a contactar a Nella esta mañana, a pesar de las órdenes de Lynn), la que hacía que quisiera subirme en el próximo autobús de regreso a Boston: sus preocupados ojos marrones, caídos en los rabillos; las comisuras de sus labios, también curvadas hacia abajo. Aunque Kendra Rae estaba muy bien (*estupenda*, en realidad) para su edad, le faltaba chispa. Algo se había apagado en su interior, y ese algo la había obligado a pasar más de treinta y cinco años escondiéndose.

Podía ver el titular, algo ingenioso sobre el río de afroamericanos que fluía bajo la superficie brillante y plástica de los blancos y corporativos Estados Unidos. Ese artículo podría ser mi puerta de entrada para contar la historia de Kendra Rae: una historia de traición, no solo por parte de una amiga, sino por parte de toda una industria.

El semáforo mostró al hombre blanco. Me obligué a seguir caminando, pero sentía las piernas pesadas como el plomo. A mi espalda, una joven hispana que debía pensar que yo iba muy despacio murmuró una grosería al adelantarme. Había cometido el mayor pecado en la ciudad de Nueva York.

La idea hizo que me riera a carcajadas… Sola. Pecados. ¿Qué sabía yo sobre pecados? Nada.

Sin embargo, Kendra Rae… *Esa* mujer sabía de pecados. Ella había cometido uno de los peores: tratar de ser ella misma, siendo negra. Sin remordimientos. Alguien que hablaba de frente. Alguien que rechazaba lo que se esperaba de ella como mujer negra en un negocio predominantemente blanco.

El concepto seguía fascinándome. Qué *jefa*. ¿Quién le dice a un entrevistador que no volverá a trabajar con escritores blancos justo cuando su estrella empieza a ascender?

Cuando me entregó el recorte del artículo, sonreía. Como si estuviera orgullosa. No pude hacer otra cosa que sonreír yo también mientras comenzaba a leer en voz alta: «Estoy cansada de trabajar con escritores blancos. Lo detesto. Ya estamos hartas de ellos. No pretendo ofender, pero no necesito que un académico blanco me hable de la Gran Migración Afroamericana. No necesito que un judío me cuente por qué Miles fue el mejor músico de jazz que ha existido, o por qué los negros comen alubias carillas, pan de maíz y berza el día de Año Nuevo. No necesito nada de eso».

Miré a Kendra Rae cuando terminé de leer. El trozo de periódico, marrón y descolorido, amenazaba con desintegrarse en mis manos.

Mientras yo leía, ella tomó una copia de *Corazón ardiente* del estante y se puso a leerla, pasando las páginas con la uña corta, limpia y sin pintar del dedo índice. Estaba tan absorta que no se había dado cuenta de que yo estaba lista para hablar de nuevo, así que inhalé y dije en voz baja, para no asustarla:

—¿Esto fue sacado de contexto?

—En realidad, no. —Kendra Rae no levantó la mirada.

—Oh. Bueno... Resulta bastante suave, comparado con el estándar actual... Pero supongo que a los lectores de entonces no les gustó.

Lynn se rio sarcásticamente.

—No les gustó nada. Y en Warner Books tampoco lo apreció nadie. —Se acercó al sofá con dos tazas humeantes y las puso sobre la pequeña mesa de café—. Háblale de Diana, si quieres.

—Espera. ¿*Diana Gordon* también está involucrada en esto?

No podía imaginarme a la hermosa y enigmática autora que aparecía en las vallas publicitarias anunciando la última adaptación cinematográfica de su *best-seller* involucrada en una operación tan perversa.

—Nos conocíamos desde hacía mucho. Fuimos amigas desde que éramos más jóvenes que vosotras. La noche que me fui, escuché a Diana hablando por teléfono sobre algo que había dicho Imani.

—Imani es otra amiga de la infancia —le dijo Lynn.

—¿Crees que ella...?

Kendra Rae frunció los labios y negó con la cabeza.

—¿Ese cambio que has estado viendo en los nuestros? Creo que alguien también la cambió a *ella*. —Tomó un sorbo rápido de café—. Creo que fue Richard; él era el hombre con el que Diana estaba hablando por teléfono. Esa es la única explicación que se me ocurre de por qué intentaría hacerme eso. Y de por qué no quería que la vieran conmigo en público después de lo que dije.

—Richard Wagner era el jefe de Kenny —me explicó Lynn antes de que yo pudiera preguntar—. Y ahora es el jefe de Nella. Tenía el presentimiento de que había algo detrás de la conexión entre Diana y Richard; él siempre acude a sus eventos y aparece en sus agradecimientos con demasiada frecuencia.

Pestañeé. Hazel era tóxica, eso lo sabía. Pero no sabía que Richard Wagner y Diana también lo eran. ¿Y mis jefes? ¿Anna había tenido algo que ver con lo que pasó en Cooper's? ¿Todos estaban en el ajo menos yo?

—¿Por qué no me lo contaste antes?

—Porque no estuve segura hasta que Kendra Rae me confirmó la relación. Además, no quería que fueras y le dijeras algo a Nella solo para descubrir que ella *también* está en el otro bando. Ella *todavía* no puede saber nada —se apresuró a decir Lynn.

—No confiabas en mí —le dije, dolida.

—Por favor, Shani. Ya sabes cómo funciona esto: solo conoces lo necesario. Te lo digo ahora porque debes saberlo.

Me giré para mirar a Kendra Rae. Aquel no era el momento.

—¿Y vosotras creéis que es él quien está detrás de todo este asunto?

—No me sorprendería lo más mínimo —dijo Kendra Rae.

Volví a pensar en Diana. Solo había leído una de sus novelas, ya que la mayoría estaba de acuerdo en que sus tramas se volvían más forzadas con cada libro que sacaba. Pero la que yo había leído (una historia de amistad entre mujeres negras que se extendía durante más de cuarenta años) era tan cruda y conmovedora que me había hecho llorar en el autobús.

—Pero ¿por qué haría eso Diana? —le pregunté, con voz esperanzada e infantil—. ¿No has dicho que era tu mejor amiga?

El mayor de los pecados.

Ella no había usado esas palabras para describir lo que Diana había intentado hacerle, pero yo no necesitaba saberlo todo para entender lo que veía en sus ojos. Para saber que su mejor amiga, la exitosa autora Diana Gordon, había cometido el mayor de los pecados.

Una furgoneta le tocó la bocina a un repartidor de Seamless que se había salido del carril bici. Miré el letrero de la calle más cercana con esas cinco palabras resonando en mi cerebro. De alguna forma había logrado llegar a la calle 100 sin darme cuenta. Ya era muy tarde para dar marcha atrás, aunque me sintiera mareada. Y asustada. ¿Y si, algún día, acudía a la barbería de Joe y Lynn había cambiado? ¿Qué haría *entonces*? ¿Lo sabría de inmediato?

No podía sentarme a esperar que eso le pasara a otra persona. *Tenía* que contárselo a Nella. Además, Lynn ya había dicho que no confiaba en mí.

Inspeccioné la acera pero Nella no estaba a la vista, así que me apoyé en la luna del escaparate de la tienda de la esquina para no estorbar el paso. Me desabroché la gabardina negra en un débil intento por refrescarme un poco, pero era demasiado tarde. El espacio entre mis pechos estaba completamente empapado de sudor. Sentía como si mis entrañas se estuvieran comiendo a sí mismas.

Estoy perdiendo la cabeza, pensé, pero me di cuenta de inmediato de que eso no era cierto. Por fin la había *encontrado*. Me sentía más lúcida de lo que me había sentido en meses.

Estaba planeando cómo venderle mi artículo a Nella cuando mi teléfono comenzó a vibrar. Pensando que era ella, lo saqué con rapidez, lista para decir: «Estaré allí pronto». Pero no era Nella. Era Lynn. Llamándome.

Su voz sonaba lejana.

—¡Shani! ¿Qué demonios estás haciendo?

Mierda.

—Nada. Solo…

—¿Intentas reunirte con Nella, después de todo lo que te hemos dicho? ¿Qué *demonios*? —repitió.

Giré sobre mis talones, desorientada.

—¿Qué? ¿Cómo sabes eso? —le pregunté, aunque supe de inmediato que Will se había ido de la lengua. Nunca, ni en un millón de años, me apoyaría a mí antes que a Lynn. Lynn era su sangre—. ¿Tienes a alguien siguiéndome?

—Sí —gruñó Lynn—, y tienes suerte de que lo haga. Tienes que desaparecer ahora mismo. Repito, *desaparece*. Te quedas sola en esto.

Mierda.

—¡No! —exclamé, con un sollozo abriéndose camino por mi garganta—. No puedes dejarme así, Lynn. ¡Por favor!

—¡Desaparece! —gritó Lynn de nuevo—. Kenny está a la vuelta de la esquina. Solo…

Reacia, pero sin ninguna otra opción, tiré mi teléfono móvil en una papelera cercana y giré para echar a correr. Pero, en algún momento durante la llamada, un automóvil se había detenido. No oí el suave chasquido de la puerta al abrirse ni los pasos ligeros sobre el pavimento. Solo sentí la mano firme que me agarró el brazo y tiró de mí con fuerza hacia el asiento trasero.

15

Nella sabía que había llegado diez minutos antes al lugar del encuentro, pero volvió a revisar su teléfono de todas formas. Era una costumbre cuando estaba nerviosa. También lo era la forma en la que seguía caminando de un lado a otro en la acera, pasando diez segundos aquí, luego quince allá. Mirando al sur y después al norte mientras el viento helado le lanzaba mechones rizados a los ojos.

Unos tipos bastante aburridos como para fijarse en ella desde la ventana del restaurante probablemente habrán asumido que tramaba algo malo, o tal vez que estaba un poco loca. Y Nella no lo habría discutido. Se *sentía* como una loca. La gente pasaba a su lado y ella miraba a todos a los ojos, desesperada. Muchos la ignoraban. La mayoría la miraba mal. Un hombre con una bandana descolorida aparentemente inofensiva escupió en la acera frente a ella y gruñó: «Fuera de mi camino, zorra».

Nella tomó esta última interacción como una señal. Le envió un mensaje de texto a Malaika para hacerle saber que la persona misteriosa aún no había aparecido.

¡¡¡Bien!!! Ahora vete a casa. En serio. Esto es una locura.

Nella se quedó mirando el mensaje de Malaika un momento, asimilándolo. Una locura. Sí. ¿Qué iba a hacer, luchar contra quien la había estado atemorizando durante las últimas semanas? Recordó la expresión desconcertada de C. J. cuando le hizo aquella misma pregunta la mañana en la que le contó lo de las notas. No estaba siendo lógica. En la calle, sería una presa fácil. Si el que le había enviado esas notas *era* un monstruo manipulador, ¿no estaría jodida?

Nella volvió a observar alrededor, a la gente que tenía cerca. Luego se giró y entró rápidamente en el restaurante frente al que había estado caminando.

Las paredes amarillas del interior y el olor a carne de hamburguesa no la ayudaron a calmarse, pero de todos modos se acercó a uno de los taburetes altos delante de la ventana y se sentó. A su derecha, un par de chicos que habían estado mirándola fijamente volvieron a concentrarse en sus hamburguesas y en si Rob había recibido ya alguna respuesta de su casero.

Nella suspiró y se preparó para al menos ocho minutos más de aquella conversación, manteniendo los ojos fijos en el punto donde ella misma había estado.

Pero no pasó tanto tiempo. Menos de un minuto después, vio pasar a una joven negra en dirección a la esquina entre la calle 100 y Broadway. Era alta, casi un metro ochenta, y su piel tenía un inusual tono cobrizo.

Una extraña sensación de familiaridad golpeó a Nella. Aquella era la mujer con la que había hablado por mensaje. *Tenía* que serlo. No solo se había detenido justo donde Nella había estado hasta hacía unos minutos; además, parecía más decidida que el resto de las personas que la rodeaban. Llevaba un abrigo negro y largo que lo ocultaba todo excepto las perneras de sus pantalones negros y el par de botas Doc Martens negras. Parecía como si fuera de camino a encontrarse con Bobby Seale.

También parecía capaz de darle a Nella una paliza si quería.

—Hola, señorita. ¿Qué tal se encuentra hoy?

Nella apartó los ojos de la acera. Un hombre blanco mayor con delantal estaba limpiando el asiento vacío junto a ella, con una gran sonrisa que decía: «¿No has pedido nada todavía?».

—Hola —respondió, después de clavar la vista de nuevo en la chica del exterior—. Estoy bien, gracias.

—Hoy tenemos un especial de sábado hasta las cuatro de la tarde —le informó—. Todavía tiene veinte minutos antes de que se acabe.

—Gracias. Estoy esperando a una amiga. Debería llegar pronto.

—Por supuesto. ¿Le gustaría ver el menú mientras tanto?

—Yo… —Nella volvió a mirar la acera para asegurarse de que la chica siguiera allí. Se sintió frustrada, y luego aliviada, cuando vio que efectivamente estaba allí—. Claro —dijo con un suspiro.

—Estupendo. Volveré enseguida. Cuando lo desee, puede pedir en el mostrador.

En cuanto el hombre desapareció, Nella volvió a mirar por la ventana y estuvo a punto de caerse del taburete. La chica había retrocedido hacia la acera, alejándose de la calzada y aproximándose al restaurante. Estaba tan cerca que, si no hubiera habido un vidrio entre ellas, habría podido extender la mano y tocar la cicatriz rosada que la desconocida tenía en la parte de atrás de la cabeza.

Nella se inclinó un poco hacia adelante para verla mejor. Aquella cicatriz, con forma de luna pequeña… La había visto antes.

Se quedaron así un rato más: Nella mirándole la cabeza y la desconocida contemplando la calle. Al final, después de lo que pareció una eternidad, la chica sacó su teléfono móvil. Nella tomó su propio teléfono, esperando recibir un mensaje de texto. Pero, para su sorpresa, permaneció en silencio.

—Perdón por la espera, señorita. —El hombre del delantal reapareció con un par de menús. Los colocó delante de Nella con tanto cuidado que le dolió el corazón—. Para usted.

Nella inclinó la cabeza amablemente. Aun así, mantuvo la mirada al frente, tratando de identificar la cicatriz de la cabeza de la chica, e intentando adivinar con quién podría estar hablando. ¿Un cómplice? ¿La propia Hazel?

Revitalizada y lista por fin para obtener respuestas, se bajó del taburete y caminó hacia la puerta. Mantuvo los ojos fijos en la cicatriz hasta que, de repente, la cicatriz empezó a moverse.

Nella se detuvo justo en la puerta del restaurante, sorprendida, mientras veía a la chica tirando su teléfono móvil a la papelera.

Entonces, de la nada, apareció una mano.

Una mano negra, unida a lo que parecía una mujer negra, vestida con lo que parecía ropa deportiva.

Una mano negra que agarró a la chica por el brazo y tiró de ella hacia la calle y, después, al asiento trasero de un sedán negro.

Y entonces, como si nada, la mano, la cicatriz y la chica desaparecieron.

PARTE IV

Diana

22 de octubre de 2018
Locke Hall, Universidad de Howard
Washington, D. C.

Durante un tiempo, creí que se había suicidado.

No sé si lo pensaba por su bien o por el mío; solo sé que, durante meses, después de su desaparición en diciembre del 83, soñé que se mataba en distintos sitios: en la costa de Connecticut, adonde Dick estaba seguro de que se había ido, o en la costa de Carolina del Sur, donde siempre quiso vivir. No importaba dónde hubiera terminado. Yo imaginaba que habría agua cerca. Y la imaginaba muerta.

Mi madre me desheredaría si se enterara, Dios la tenga en su gloria, pero realmente creo que habría sido más fácil así. Si lo hubiera hecho, eso significaría que no habría visto cuánto había cedido. Significaría que no habría leído las banalidades que había escrito no solo porque quería comer, sino porque quería comer *bien*. Significaría que no habría sufrido al ver la película de sobremesa basada en *Corazón ardiente* que nunca debí firmar.

Eché la cabeza hacia atrás, considerando la noticia que Dick me acababa de dar. Kenny seguía viva. Me había visto destruirme, a mí misma y a mi carrera. Peor aún: había leído lo que conté en aquella entrevista en 1984, un año después de su desaparición. «Kendra Rae Phillips ha sido mi amiga y mi hermana durante muchos años. Y, a pesar de que la quiero mucho, realmente creo que tiene graves problemas de estabilidad mental. Por favor, perdonad a mi amiga por cualquier dolor o daño que haya podido causar. Todos los escritores son importantes. Todas las historias son importantes».

Dick podría estar equivocado. *Debería llamarlo para asegurarme*, pensé. Pero él había *sonado* muy seguro. Aunque llevara treinta y tantos años pensando que Kenny estaba muerta, Dick y yo *habíamos* estado buscándola. Era de esperar, que al final la encontraríamos.

La pregunta era: ¿ahora qué?

Un silbido escapó de los altavoces de mi ordenador. Imani me había enviado un correo electrónico con el asunto: «Me parto, ¿has visto esto?».

Lo abrí porque necesitaba reírme y resoplé cuando la página terminó de cargar: *El editor en jefe de Warner Books dona un montón de pasta para iniciativas por la diversidad.* Dick lo estaba haciendo otra vez. Siempre le habían preocupado las apariencias. Esa era la única razón por la que había insistido tanto en mantenerse alerta con respecto a Kendra Rae. Ella sabía demasiado. Era una carga.

Estudié la foto de Dick y de la líder en condicionamiento a la que habíamos trasladado desde Cooper's a Wagner no hacía mucho. Los dos parecían bastante cómodos y, por un egoísta segundo, me arrepentí de no haber ido a Nueva York para el evento a pesar de que Dick me había rogado que fuera. Me dijo que echaba de menos el olor de mi piel, pero lo que yo oí en realidad fue: «Ahora que tu marido te ha dejado por fin, no tenemos que seguir escondiéndonos». Así era Dick, siempre aprovechando las oportunidades.

Tiré de uno de los pequeños mechones de pelo cerca de mi oreja mientras continuaba analizando la imagen. Dick llevaba la camisa un poco desabrochada, justo como yo le había dicho que debía ponérsela siempre que acudiera a algún evento, porque lo hacía parecer menos pijo. Cuando conocí a Dick a principios de los ochenta, se abotonaba la camisa hasta arriba, tan apretada que parecía que se le iba a caer la cabeza.

Aun así, sentí un cosquilleo cuando ese pijo me dijo que pensaba que *Corazón ardiente* era increíble, y prácticamente me desmayé cuando me dijo que creía que mi libro (*mi* libro) podía cambiar el mundo. Por debajo de la mesa, uno de sus zapatos negros y carísimos me rozó el tobillo.

No me importó. Solo aparté el pie cuando él añadió, mientras daba sorbos a su coñac: «Sin embargo, creo que sería mejor para ambos que lo trabajaras con Kendra Rae».

Al notar mi desaliento, comenzó a hablar de que los autores negros estaban de moda. Citó a Alex Haley y a Alice Walker. «*Todo* lo negro está de moda. Mira lo que han conseguido Michael y Quincy. Entonces, ¿por qué no te asignamos una editora negra?».

No iban a ponerme a cualquier editora negra. Era mi mejor amiga, alguien en quien confiaba y que conocía desde hacía años. Aun así, había sido escéptica porque a mí también me preocupaban las apariencias. Por eso me había esforzado tanto para que Dick cambiara de opinión. No tenía nada personal contra Kenny, pero ella acababa de comenzar en la industria editorial. Solo había trabajado en tres libros, cuyos títulos ni siquiera recuerdo. ¿Cómo no iba a querer llegar a la cima con alguien como Dick, alguien que se había convertido en una leyenda a los treinta años y que conocía todos los secretos de la edición? Cuando estuviera arriba, haría que Kenny subiera conmigo.

Sin embargo, no fue eso lo que sucedió. Para mi sorpresa, Dick tenía razón. Kenny y yo estábamos bien solas. No solo bien; era increíble. Todo comenzó a encajar: la historia, la publicidad, el posicionamiento. Kenny tomó *Corazón ardiente* y lo elevó a alturas nuevas y fantásticas, unas alturas que yo ni siquiera había imaginado cuando comencé a escribir en Howard. «Estás pensando a corto plazo con este borrador, Di», me escribió Kenny en su primera corrección. «Tienes que pensar a largo plazo. Escribe para ti, para nadie más. No te guardes nada con Evie. Dale más oxígeno».

Lo hice. Y, después de un par de revisiones más, conseguimos crear un libro que los lectores devoraron. Era difícil encontrar una copia de *Corazón ardiente* en las bibliotecas o en las librerías después de su lanzamiento, y cuando lo prohibieron en los institutos por su contenido explícito y ocasionalmente macabro (era la época de Reagan, después de todo), las comparaciones con *Hijo nativo* provocaron que surgieran clubes de lectura en los sitios más inesperados: en casas de blancos en los barrios residenciales, pero también en casas de negros de clase media y baja. Al parecer, aquellas dos mujeres negras (una de piel más clara, otra de piel más oscura, y ambas licenciadas universitarias) habían conquistado el corazón de Estados Unidos.

Cerré el artículo y abrí la última hoja de cálculo de jóvenes negras que necesitaban ayuda. Me di cuenta de que eran profesoras en una universidad femenina de Atlanta. La idea era poco atractiva (las universidades femeninas eran un territorio nuevo para nosotros y no teníamos tanta experiencia trabajando con mujeres de cuarenta y tantos como con veinteañeras y treintañeras), pero si Dick no le había dicho al decano que no, yo tampoco podría hacerlo.

Presioné IMPRIMIR, giré mi silla y miré por la ventana, reconfortada por los sonidos mecánicos de los engranajes ocultos y el movimiento del papel. Pero, en lugar de ver las brillantes aguas azules y frías de la presa McMillan, vi a Kenny como la última vez: su enfermizo rostro oscuro, sus ojos perdidos y vidriosos. Su voz apagada y monótona. Se suponía que el efecto debía ser solo temperamental; Imani me lo había prometido. Pero supongo que ambas éramos terriblemente optimistas entonces. No sabíamos que tardaría años en crear una fórmula menos agresiva.

Un pitido me indicó que la impresión había terminado; la más reciente de muchas. A veces, cuando Dick me asignaba tareas que parecían especialmente difíciles, pensaba en dejarlo todo. Pensaba en decirle que se buscara un nuevo contacto, algo que nunca sería capaz de hacer porque Imani siempre había sido buena manteniendo en secreto sus asuntos del laboratorio. Pero ¿cómo iba a hacerle eso? Dick se ocupó de mí cuando Kenny desapareció. Me puso en contacto con una nueva editorial para que pudiera empezar de cero. Me ayudó a conseguir entrevistas, adaptaciones televisivas y cinematográficas.

Y lo más importante: él lo había financiado todo. Cuando conseguí convencerlo de que funcionaría.

—Lo sé, lo sé —dije al teléfono aquella noche de invierno de 1983, pendiente de los ronquidos de Elroy en la habitación contigua—. Todo esto suena improbable.

—Imposible, más bien. Para volver a la normalidad, Kendra Rae tendrá que hacer de tripas corazón, disculparse por lo que dijo y agradecer todo lo que hemos logrado. Tengo cuatro… No, *cinco* autores que me han dicho que harán una pausa hasta que Kendra Rae se desdiga. Uno de ellos también es negro, por si te interesa saberlo.

—Kenny no va a *decir* que lo siente —le dije, sin morder el anzuelo. No quería saber quién era el autor traidor—. Haría cualquier cosa, literalmente, antes que disculparse, aunque eso significase ser excluida por la industria. Ambos lo sabemos. Y ambos sabemos por qué dijo lo que dijo, ¿verdad? Tú mismo has reconocido lo agobiante que puede ser ese sitio. Si tú estuvieras en su lugar…

—No lo estaría. Yo nunca mordería la mano que me da de comer. Se lo tiene bien merecido, la hija de puta.

—*Por Dios*, Dick. Ha recibido amenazas de muerte. Todo el mundo la juzga y lo está pasando mal…

—Oh, ¿*ella* lo está pasando mal? ¿Después de toda la mierda que soltó sobre el «gélido clima racial» de Wagner, piensas que *ella* es la que lo está pasando mal?

Por eso lo había llamado por teléfono: sabía que solo la mención de su nombre lo enfadaría y también que su respuesta me haría desear golpearlo con fuerza. No era que no tuviera empatía. No. Era que Richard usaba la empatía como un arma, solo cuando le convenía. Esto lo sabía de primera mano.

Pero ¿podía juzgarlo por eso? Que yo me pasara los días susurrándole al oído lo culpable que me sentía dejando que Kenny se las arreglara sola no compensaba que lo hubiera hecho. Yo no había hablado en su contra, pero tampoco la había defendido porque sabía que lo mejor para mí era no involucrarme.

—Está bien —dijo Dick—. Si no se va a disculpar, entonces ya sabes lo que tienes que hacer.

—Ya hemos hablado de eso. No voy a criticarla públicamente.

—¿Por qué no?

—Eso no funcionaría. Algunos negros me considerarían una traidora y no comprarían mi libro. Mira —le dije, pragmática—, ¿quieres acabar con el circo mediático o no?

Imaginé a Dick metiéndose el meñique en la oreja y girando un poco el dedo, un tic al que nunca me había acostumbrado, ni siquiera después de vérselo hacer en tantas ocasiones diferentes, por tantos motivos distintos, siempre con una expresión inescrutable.

—Bien —dijo al final, después de una larga pausa—. ¿Qué diablos quieres hacer?

Procedí a contarle que había vuelto a Newark y me había encontrado con Imani, una amiga de la infancia que también asistió a Howard, en el pasillo de los congelados de Wegmans. Le pregunté qué había hecho después de graduarse, ya que perdimos el contacto, y me contó que acababa de doctorarse en Química en la Universidad George Washington. Había comenzado a trabajar en una empresa de cosméticos un par de meses antes.

Ese había sido su sueño, y el sueño que sus padres tenían para ella, cuando hablábamos de nuestros planes de futuro en las escaleras de la casa de Kenny. Estaba muy orgullosa de ella. *Mucho.* La felicité e Imani también me dio la enhorabuena por *Corazón ardiente*, mi sueño personal en aquellas escaleras.

Entonces comencé a llorar. Allí mismo, en el pasillo de los congelados.

Luego le enseñé un artículo sobre la controversia que se había generado con Kenny. Imani no sabía nada, pero tampoco le extrañó. «Y yo que pensaba que todos los problemas pertenecían al ámbito de la ciencia...», me dijo.

Y entonces, después de asegurarse de que estábamos solas en el pasillo, me habló de un nuevo proyecto en el que había comenzado a trabajar fuera de su horario laboral. Un proyecto que haría que la vida de las mujeres negras del país fuera un poco más fácil.

—No entiendo por qué una persona negra querría hacer eso —dijo Dick—. ¿Ya no está de moda el Orgullo Negro?

—*Por supuesto* que está de moda —le espeté—. Y la creación de Imani no cambiará nada de eso. Se supone que solo ayuda... a mantener intacto el orgullo. Ayuda a las mujeres negras a vadear las olas del racismo sin la sensación de tener que esforzarse tanto en nadar.

—¿Las olas del racismo? Suena a algo...

—Que podría decir Kendra Rae. Sí, lo sé.

Empezaba a arrepentirme de habérselo contado. Estaba a punto de decirle que lo olvidara cuando inspiró profundamente y exhaló con lentitud.

—¿Y se supone que esto arreglará todo? —me preguntó en voz baja.

—Eso espero.

—Uhm... No sé, Di. Es un reto, y puede que ese químico no funcione. Sobre todo, en una de las mujeres más obstinadas del planeta —añadió Dick, con la voz cargada de amargura. Yo sabía que lo había convencido. Tendría el cheque en la mano en menos de una semana; tal vez antes, si Elroy iba a visitar a sus padres tal como había planeado.

—No es que quiera acallarla. Solo voy a ayudarla a que se relaje un poco, eso es todo —susurré—. A encontrar el equilibrio de nuevo. Confía en mí: es mejor que esté relajada a que esté tensa.

Ayudarla a que se relaje. Eso también fue lo que le dije a Imani que quería hacer. Eso era lo que había planeado hacer desde el principio, aplacar las manías de Kenny durante un tiempo, solo lo suficiente para que todo el mundo estuviera contento y pudiéramos volver a la normalidad. Pensaríamos a largo plazo, tal como ella me había pedido que hiciera. Al final, llegaríamos a la cima y tal vez abriríamos nuestra propia editorial. Puede, incluso, que fuera una editorial para autores negros. Se lo debía a Kenny.

Pero entonces desapareció. Unas semanas más tarde, Dick me habló del amigo de un amigo que estaba teniendo problemas con un escritor negro que estaba difundiendo rumores sobre su jefe blanco en una revista en Tulsa. Unos días después de eso, una profesora negra de la Universidad de Washington denunció que en la fiesta de Navidad se habían referido a ella con la palabra con N varias veces. Rechacé ambas peticiones de Dick, y más tarde descubrí que ambos habían sido despedidos, con familias que alimentar y sin que nadie quisiera contratarlos.

Así que, cuando me hizo la siguiente petición… Bueno, no pude salvar a Kenny, pero quizá podría salvar a otros.

Tomé las páginas de la impresora y los nombres de las profesoras de la universidad femenina me dieron escalofríos. «Quinnasha, Rayquelle, Kasselia», leí, negando con la cabeza.

—Por Dios. ¿Seguimos poniéndoles estos nombres a nuestros hijos y aun así nos preguntamos por qué no consiguen trabajo?

—Oh, no. ¿A quién tenemos ahora? ¿Más «involuntarias»?

Levanté la mirada y vi la alta silueta de Imani junto a la puerta.

—Parece que últimamente no recibimos otra cosa —le dije.

—Uhm. —Imani se cruzó de brazos—. Bueno, si me preguntaras a *mí*, y sé que no lo has hecho, yo dormiría mucho mejor por la noche si no fueran «involuntarias».

—Y *yo* dormiría mucho mejor si el último lote que preparaste no las volviera tan competitivas —le espeté—. Me preocupa mucho la frecuencia con la que nuestras líderes en condicionamiento terminan siendo las últimas supervivientes negras en la oficina. Ese no es el propósito de esta manteca.

—Lo sé, lo sé, lo sé. ¿Cuántas veces tengo que decirte que lo siento? Es un desafortunado efecto secundario. Pero he estado trabajando en ello y creo que en el último lote he encontrado el equilibrio perfecto. Menos *Terminator* esta vez.

—Bien. Gracias. —Le entregué la lista que había impreso—. Esta es la última.

—¿Quinnasha? —Imani levantó la voz más que sus cejas—. ¿Qué diablos ha pasado con las Mavis, Cheryl y Estelle?

Ambas nos reímos.

—Bueno, ¿qué te parece? ¿Quién es la líder en condicionamiento más cercana que podemos infiltrar en esa universidad?

Imani se tocó la barbilla, larga y estrecha, con una uña larga de color melocotón.

—Apelaré a mis contactos en Spelman. A ver qué dicen.

—Genial —asentí—. Avísame cuando sepas algo, ¿vale?

—Ajá. Oh, antes de que se me olvide... —Imani metió la mano en su bolsillo y sacó dos bolsitas Ziploc llenas hasta la mitad de una sustancia blanca y untuosa—. Para ti. Recién hecho. Te invito a almorzar si adivinas qué flor he añadido a esta remesa.

Las dejó sobre mi escritorio y se dirigió a la puerta.

—Eres una diosa. —Sin perder tiempo, abrí la bolsa y olfateé su contenido—. Uf, sí, *por favor*. ¿Madreselva?

—¡Bingo! —exclamó Imani, riéndose—. Dios, he mejorado mucho desde la primera, ¿verdad? ¿Te acuerdas de lo mal que olía esa cosa?

De repente, Kenny apareció de nuevo en mi mente. Pero esta vez no era su rostro lo que estaba viendo, sino su cabello oscuro y espeso dividido en ocho partes mientras yo le aplicaba la fórmula, fría y cremosa, con la mano derecha cubierta por un guante. «Estoy segura de que este lote no escocerá», me prometió Imani cuando me trajo el frasco el día anterior.

De todos modos, había hecho una prueba poniendo un poco en mi meñique. Solo para ver.

—¿Estás bien? —le pregunté, esperando que no se quejara del olor.

—Uhm. No sé si planeas hacerme trenzas, ponerme bigudíes o qué, pero no me hagas parecer una idiota, Di. Confío en ti.

Le prometí que no lo haría. Luego, acerqué una mano enguantada a su cabello, tomé un mechón por la raíz y recé una pequeña plegaria.

16

Nella nunca había disfrutado demasiado escuchando a Pitbull. No en el baile de graduación y tampoco en las noches que pasó en las fiestas de las fraternidades, tomando alcohol y moviendo la cabeza al ritmo de «I Know You Want Me» como si eso inyectara una fuerza vital en su sistema.

Ahora, mientras resoplaba y sudaba junto a Malaika en Échalo Fuera Fitness, Nella lo odiaba con cada parte de su ser. Pero tenía mucho que echar fuera: las notas, su arrebato en la reunión sobre la portada, la portada de la negra estereotipada que le había provocado el arrebato...

Y luego estaba el posible crimen del que había sido testigo dos días antes. Aunque la música fuera horrible, tener que esforzarse para enderezar la espalda y subir las rodillas al ritmo le permitía distraerse temporalmente de su extraña realidad. También la hacía sentirse mejor el hecho de que Malaika, que se pasaba la mayor parte del día rodeada de fanáticos del *fitness*, estuviera sufriendo tanto como ella.

—Antes de que... digas nada —resopló su amiga, quedándose sin fuerza en la decimocuarta sentadilla con salto—, deja que te pida... perdón por eso.

Nella frunció el ceño mientras el sudor le caía en los ojos.

—También tengo que decir que... me lo debías —jadeó Malaika—. Es como... si llevara años... sin verte.

—Lo… sé… El tiempo vuela… cuando te acosan… en el trabajo —dijo Nella—. Aunque no tanto… cuando escuchas… a Pitbull.

Malaika intentó disculparse.

—Beyoncé Cardio… estaba llena… cuando miré… el horario… esta mañana. Esta era… la única clase con plazas libres.

—Me pregunto… por qué —dijo Nella, notando la sensación de ardor en sus muslos y el sudor que se había acumulado alrededor de su cintura, aunque suponía que una clase con Beyoncé sería todavía más dura. Después de todo, esa mujer tenía muslos de acero.

También los tenía Isaac, el instructor *fitness* de perfecto bronceado que agitó el puño dos veces al ritmo de la música y dobló las rodillas.

—Y ahora… ¡SENTADILLAS! ¡VAMOS! ¡ABAJO!

Nella obedeció. Bajó el torso, casi delicadamente, y se tomó un «descanso» para examinar al resto de la clase. La sala de doce por seis metros estaba casi vacía: solo ocho o nueve mujeres y un hombre mayor de aspecto extremadamente serio habían decidido pasar la tarde del lunes ejercitándose con un instructor demoníaco en el distrito Flatiron, en vez de hacer algo sensato como reabastecer sus reservas de vino o resolver un crucigrama. Tal vez *eso* era lo que Nella debería estar haciendo. ¿Y si el secuestrador irrumpía en el gimnasio para atraparla mientras estaba en mitad de una sentadilla? ¿Y si estaba esperándola fuera, preparado para atacar tan pronto como Malaika y ella se separaran?

¿Y si no *era* un secuestrador?

Nella nunca había visto un secuestro en la vida real; al menos, que ella supiera. A través de la puerta de cristal de la hamburguesería, no había podido ver la expresión de la chica con la cabeza rapada. Tampoco pudo ver si le agarraban el brazo con fuerza. Solo sabía que la mano pertenecía a uno de los suyos, a un negro. También sabía que, aparentemente, lo ocurrido no había preocupado lo suficiente a ningún transeúnte para que se decidiera a decir o a hacer algo. Eso significaba que la chica de la cabeza rapada quizá *no había* gritado… lo que significaba que quizá sabía que no estaba en peligro.

Nella puso fin a sus pensamientos. No, claro que ningún transeúnte había dicho nada. Esto era Nueva York. Y la chica era negra.

Sin importar qué hubiera pasado, el nombre de la joven seguía siendo un misterio, así que no había mucho que denunciar. Estaba segura de eso; había pensado en llamar al número de colaboración ciudadana muchas veces mientras se duchaba.

«Esto es lo que sé: una mujer joven con la cabeza rapada me envió unas notas extrañas en septiembre. Luego comenzó a enviarme mensajes de texto contándome cosas raras sobre mi compañera que, por cierto, también es muy extraña. Se suponía que iba a reunirme con la chica de la cabeza rapada, pero se la llevaron en un coche… aunque no antes de que ella tirara su teléfono móvil a la papelera. Minutos después de que el automóvil desapareciera, otro desconocido con capucha recuperó el teléfono de la papelera y salió corriendo». Podría dejar el hipotético relato ahí.

Pero había más.

Horas después del secuestro, mientras estaba acostada en su cama recordando lo que acababa de ver, recibió una llamada del teléfono móvil que habían recogido de la papelera.

Pensó en rechazarla, pero Owen no volvería a casa hasta dentro de una hora y tenía tiempo.

Se llevó el teléfono a la oreja, pensando que quizá sería el doble de Marvin Gaye de Starbucks. Pero la voz tensa que escuchó parecía pertenecer a la abuela de alguien.

«Nella. Has respondido. Gracias».

Hubo una pausa.

«Lamento que hayas tenido que ver todo eso. No estábamos preparados para… Algunas personas han estado vigilándote, cuidando de ti, pero supongo que no ha sido suficiente. Les dije que tuvieran cuidado», agregó, más para sí misma que para Nella.

«¿Qué personas? ¿Quién eres? ¿Y qué le ha pasado a la chica a la que se llevaron en el automóvil? ¿Sabes algo de eso? ¿Y su amigo, el tipo negro con barba? ¿Dónde está?».

«No puedo responder ninguna de esas preguntas. Solo quiero que sepas que estamos intentando ayudarte. Estoy trabajando en ello. Necesito que lo sepas, y necesito que mantengas esta conversación en secreto, ¿de acuerdo? No se lo cuentes a nadie en el trabajo».

«¿Estás trabajando en ello?», se escuchó un ruido sordo en el rellano, seguramente un vecino subiendo su bicicleta por las escaleras. «¿Cómo sé que no eres la persona sobre la que me advirtieron? ¿Y cuál es el verdadero nombre de Hazel?».

La línea quedó en silencio.

«Se supone que no deberías saber eso», dijo la voz, exasperada.

«Uhm. De acuerdo... Tienes dos opciones. Puedes pensar que estoy loca o puedes descubrir quién es Hazel en realidad».

«Pero...».

«Investiga un poco».

La llamada terminó.

Después de eso, Nella pensó en machacar su teléfono móvil con una cacerola y esconderse debajo de su manta favorita. Pero antes de que pudiera hacer algo, el teléfono volvió a sonar. La mujer le había enviado una imagen con las palabras: «Tomada el verano pasado. Sigue investigando».

Cuando amplió la fotografía, vio a una joven negra con el cabello corto y una sudadera en la que se leía COOPER'S MAGAZINE. Cuando aumentó el brillo de la pantalla al máximo, pudo ver con toda claridad los ojos marrones de la chica. Estaban llenos de alegría y algo más, quizás ambición, y aunque no tenía un piercing en la ceja ni rastas largas, Nella reconoció la nariz de Lena Horne y su destello victorioso.

Estaba sujetando el teléfono con tanta fuerza que se le habían entumecido las puntas de los dedos. La llamada, la foto... Era demasiado y al mismo tiempo no era suficiente para acallar la pequeña y furtiva sensación de curiosidad. ¿Qué había sido de la mujer rapada con pinta de Pantera Negra? ¿Quién estaba vigilando a Nella y por qué?

¿Y quién diablos era Hazel-May McCall *en realidad*?

—La vida es dura ahí afuera, ¿verdad? —gritó Isaac, señalando la pequeña ventana del gimnasio—. ¿No es dura ahí afuera? Puede que esto sea duro, pero lo de ahí afuera es incluso *peor*. Quiero que me deis todo lo que tenéis. Sentadillas. ¡Vamos!

—Oh, Dios. —Malaika se agachó una vez, y luego otra—. No tenía idea de que esto se convertiría en una sesión de terapia.

Nella emitió un gemido de protesta tan místico que apenas lo reconoció como suyo.

—Aunque puede que a ti te venga bien —continuó Malaika—. Sobre todo después de lo que te pasó el sábado.

Nella intentó reírse, pero no tenía aliento y sonó más parecido a una regurgitación.

—¿A qué te refieres con «después de lo que te pasó»?

—Ya sabes, cuando te quedaste paralizada. Cuando estabas así de cerca de descubrir quién había estado acosándote, literalmente *así* de cerca, además, y la dejaste escapar.

Nella puso los ojos en blanco.

—¿Tenemos que hablar otra vez de esto? ¿Ahora? ¿Mientras escuchamos música de mierda de los cuarenta? He venido aquí a sacarlo, no a meterlo otra vez.

Las sentadillas de Malaika ya no eran perfectas y ahora solo parecía que tenía ganas de ir al baño.

—Sí, tenemos que hablar otra vez de esto. Mierda, Nella… Se suponía que debías apuntar la matrícula del coche. Se *suponía* que debías subirte a otro coche y seguir al de la chica rapada. Pero no la seguiste, y ahora estás de nuevo en la casilla de salida.

—Bueno… No exactamente.

Mantén esta conversación en secreto, le había pedido la mujer por teléfono, pero ¿qué esperaba que hiciera, que se guardara toda aquella información?

—Antes de desaparecer, la chica rapada me dijo que Hazel no es su verdadero nombre. Y cuando desapareció, recibí una llamada del teléfono que ella tiró a la papelera.

Malaika se detuvo en seco.

—Espera. ¿Qué?

—*Lo sé.*

—¿Por qué no me lo has contado antes? ¿Qué te dijeron en la llamada?

—Que tenía que investigar a Hazel por mi cuenta. Hurgar un poco.

—¿Y eso fue todo?

—No… También me dijo que han estado siguiéndome, pero que me están protegiendo.

—¿Qué *coño* dices? —jadeó Malaika.

—Lo sé, lo sé. Pero la mujer parecía sincera.

—Ni siquiera sé qué decir, Nella. Esto cada vez da más miedo.

—¿Cómo crees que me siento yo? ¡Me están siguiendo, joder!

Malaika la ignoró.

—Creo que deberías tener cuidado, eso es todo —le dijo—. ¿Y si las personas que han estado siguiéndote son malas? ¿Y si es alguien que está en esta clase ahora mismo?

Nella echó otro vistazo a su alrededor y sus ojos se posaron en el hombre que convulsionaba en la parte delantera de la sala.

—Lo dudo. Y no sabemos quiénes *son* los malos —le recordó.

—Lo único que sé es que deberías poner en cuarentena lo que te diga esa persona. ¿Por qué te cuenta todo eso de repente? ¿Por qué no hablaron contigo en lugar de enviarte esas notas tan crípticas?

—No lo sé. No pude preguntarle —admitió Nella, irritada por los cuestionamientos de Malaika. Ya estaba bastante confundida por todas las preocupaciones que rondaban en su cabeza como para añadir las de Malaika a la lista—. Pero creo que por fin empiezo a descubrir algo. ¿No estás de acuerdo en que eso es algo bueno?

—¿Conseguiste encontrar algo en Internet sobre cicatrices rosas con forma de medialuna? Porque suena bastante a secta —continuó Malaika, aunque debió oírse a sí misma porque añadió con rapidez—: De acuerdo, está bien. Es algo bueno. Estoy preocupada por ti, eso es todo. Y no me gusta que le hagan daño a mi mejor amiga.

Nella sintió una punzada tan aguda que seguramente obedecería a la culpa, no a un calambre. La incomodidad que había surgido entre Vera y ella desde la llegada de Hazel estaba afectando su vida personal, y lo peor era que apenas se había dado cuenta del impacto que había tenido en Malaika; no hasta ahora, cuando no su mente no estaba ocupada por e-mails del trabajo o nuevos manuscritos. Últimamente, Nella apenas había tenido tiempo de ver a nadie. Se sentía obligada a rechazar todas las actividades que no estuvieran relacionadas con el trabajo porque siempre había algo que hacer. De hecho, tenía tanto trabajo que a veces se olvidaba de responder a los mensajes de Malaika.

Luego estaba Owen, con quien Nella no había pasado tiempo de verdad en semanas. Cenaban juntos, pero lo hacían mientras ella leía el último manuscrito por encima de la comida china, india o tailandesa, y Owen miraba un correo electrónico tras otro en su teléfono móvil. Nella no creía que él se hubiera dado cuenta. Al principio de su relación había sido ella la que había tenido que luchar por *su* atención, la que siempre tenía que arrebatarle el teléfono o el periódico de las manos mientras ponía la mesa. Owen leía mucho; eso la había atraído, al principio, y cuando su empresa despegó unos meses después de que empezaran a salir, su afición aumentó considerablemente. «Ya sabes que la justicia social no descansa para cenar», bromeaba él cuando ella le quitaba la tableta, la arrojaba al sofá al otro lado de la habitación y le pedía que sacara un par de cervezas del frigorífico.

Owen no había hecho lo mismo con Nella cuando ella se puso en modo ayudante furiosa. La dejaba leer sus manuscritos en paz mientras comían, o le decía que *no se preocupara* si prefería no ver un episodio de *Los Soprano* porque tenía que terminar algo para Vera. Incluso le había perdonado que se perdiera la reunión con sus madres. Pero Owen no era tonto. Se le daba bien leer a la gente, otra cualidad que Nella había admirado en él, y una noche de la semana anterior, mientras le quitaba la película protectora de plástico grasiento al arroz frito con albahaca, por fin se decidió a decir algo al respecto.

—Es por la chica nueva, ¿no? —le preguntó, bastante directo.

Nella había empezado a comer el *bok choy* al vapor sin esperarlo, con la tableta delante para seguir leyendo la reinterpretación contemporánea y *queer* de *El señor de las moscas* que Vera le había pedido que revisara aquella tarde. Era tan buena como su agente le había prometido, quizás incluso mejor, así que no pudo evitar sentirse un poco molesta cuando Owen la interrumpió.

—No sé muy bien a qué te refieres —le dijo Nella, usando el tenedor para pinchar una judía verde que se había caído sobre la mesa. Ese día se había saltado el almuerzo otra vez y no quería desperdiciar ninguna verdura.

—Me *refiero* a que te estás matando a trabajar por la chica nueva. ¿Estoy en lo cierto? —Owen le pasó el envase de arroz frito y comenzó a empujar la comida en su plato con el tenedor de plástico.

Era un acto que producía un sonido fuerte y chirriante que Nella podía sentir en sus entrañas. Pero en vez de decirle que dejara de hacerlo, apretó los dientes y se sirvió arroz esperando que el chirrido cesara.

—Hazel no tiene nada que ver con esto. Me di cuenta de que había estado holgazaneando. Me había acomodado demasiado en Wagner, y necesitaba acelerar el paso.

—*Tonterías*. Venga ya. Esa nueva chica negra te tie' *frita*.

Nella tuvo que contenerse para no reírse.

—Primero, no puedes usar la jerga de mi gente en mi contra —bromeó—. Y segundo, Hazel ya no es nueva. Lleva tres meses en Wagner.

—¿No decías que te habías sentido «la chica nueva» durante los primeros seis meses?

—Eso fue diferente. Entonces, yo era la única chica negra. La única *persona* negra —se corrigió.

—Es lo que estoy diciendo. Que ella te ha usurpado el puesto.

—Estoy segura de que ya nadie usa el verbo «usurpar».

—Los chicos con los que trabajo lo hacen.

Nella le ofreció la risa que sabía que había estado buscando. La mayoría de los compañeros de trabajo de Owen pensaban que «Hey Ya!» era la mejor canción de Outkast.

—Admítelo —dijo Owen, apretando los labios en una línea—. Te gustaba ser la única chica negra de Wagner. ¿No es verdad?

Nella había mordido una mazorquita de maíz y se quedó mirándolo en silencio.

—Oye, nena, no te preocupes. Puedes ser sincera conmigo, porque lo entiendo. Lo entiendo completamente. Vale, *no lo entiendo* del todo —agregó con timidez, sintiendo la fuerza de la mirada de Nella—.

Pero ya sabes a qué me refiero. No está mal ser el único en algo. Siempre que soy el único hombre heterosexual del *brunch* con tus amigos...

—Lo que rara vez ocurre...

—... me siento un poco... No sé, ¿excepcional? Porque todo el mundo quiere siempre mi opinión. «¿Qué significa *este* mensaje?». «¿Por qué ha usado dos signos de exclamación?».

Se había pellizcado la nariz para imitar a Alexandra, una obsesa de las aplicaciones de citas que había conocido a través de Malaika unos años antes.

—Entiendo lo que quieres decir. Pero, cari... ¿*De verdad* estás comparando que tú formes parte de la «minoría» en ciertas situaciones con que yo forme parte de la minoría en otras? ¿En serio? Porque... No.

Owen soltó su tenedor.

—Lo que quiero decir es que...

—Es radicalmente distinto de lo que yo estoy diciendo.

Levantó las manos, visiblemente herido y sin duda preguntándose cómo aquella conversación, que había comenzado con una especulación inofensiva, había dado un giro así.

—Vaya, Nell. No. ¿Quién ha dicho nada sobre comparar? Sabes que no es eso lo que intentaba... Yo solo quería...

Nella lo interrumpió.

—Cariño, no pasa nada. Sé lo que querías decir.

—¿Seguro? Porque yo *nunca*...

—Segura —insistió, aunque tardó un momento en darse cuenta de que no estaba mirando a su novio sino su plato de comida, que se estaba enfriando. Se contuvo, extendió una mano vacilante y tomó la de Owen con tanto cariño como pudo. Había hecho aquello docenas de veces en el pasado, en momentos en los que de repente se enfrascaban en una conversación incómoda sobre raza, y el gesto siempre aliviaba las tensiones que habían surgido entre ellos.

Sin embargo, las otras conversaciones habían parecido diferentes. Habían sido formuladas en tonos más dulces y estaban acompañadas de alcohol, un poco de marihuana o el oscuro asiento trasero de un

Uber nocturno. En esas ocasiones, Nella no había tenido problema alguno para decirle a Owen que a veces se sentía culpable por no haber disfrutado del «amor negro», y él admitía que sus abuelos maternos de Missouri eran conservadores y fieles defensores del *Make America Great Again*.

Bajo la luz brillante de la diminuta cocina, esta conversación sobre ser una minoría o una «minoría» parecía demasiado.

—Te quiero —le dijo Nella, para no tener que decir nada más. Luego tomó su tableta de nuevo.

—¿Qué? ¿Eso es todo? ¿En serio?

—¿Había algo más que querías decir?

Owen la miró fijamente.

—No —dijo al final, levantando su teléfono—. Da igual.

Se quedaron allí sentados casi media hora, hasta que Owen se levantó, agarró su plato y lo tiró a la basura.

—Owen, lo siento. —Nella se había girado en su silla para mirarlo—. Es que quiero ese ascenso. Y estoy muy cerca. Te conté lo que me dijo Richard la semana pasada, ¿verdad?

—Oh, algo sobre que tienes un «futuro brillante» y que estás «en el buen camino para ser la próxima Kendra Rae»… Sí, creo que me acuerdo —replicó Owen. Aunque no la estaba mirando, Nella podía ver la ligera sonrisa que cruzaba su rostro.

—Y puede que sí *sea* Hazel quien está volviéndome loca —continuó—. No sé. Es que… es difícil.

Owen se limpió las manos en los pantalones cortos de Adidas que usaba para estar en casa aunque estuvieran a menos diez o a veinte grados fuera, y se acercó a Nella. Empezó a masajearle el cuello con sus dedos mágicos en una especie de tregua.

—¿Has intentado conocerla? Conocerla *de verdad*.

—Almorzamos juntas cuando comenzó a trabajar en Wagner. Y fui a eso en Curl Central.

—No es lo mismo. Invítala a salir contigo y con Malaika. Conócela. —Se encogió de hombros—. No sé, creo que podría venirte bien en tu bando. Con todos los contactos que probablemente debe tener…

Nella lo miró.

—¿Cómo sabes que tiene contactos?

Owen frunció el ceño.

—Cuando nos conocimos en Curl Central me dio la impresión de que conocía a mucha gente. —Retrocedió un poco, como si la viera por primera vez—. ¿Estás bien?

—Estoy bien. Pero ¿puedo preguntarte algo?

Él asintió. Parecía preocupado por el rumbo que estaba tomando la conversación.

—No puedo creer que esté diciendo esto, pero... conociste a Hazel en Curl Central, ¿verdad?

Owen la miró, parpadeando.

—¿Qué?

—¿No sabías de ella antes de esa noche? ¿No hablabas con ella por Internet antes de conocerme?

—¿Qué estás diciendo?

—Estoy diciendo que una vez se refirió a ti por tu nombre. «¡Trae a Owen a Curl Central!», me dijo, pero yo nunca le había dicho cómo te llamabas. Así que me preguntaba si...

—Yo no conocía a Hazel —dijo Owen a la defensiva, con un destello en sus ojos azules—. Seguramente se lo mencionaste de pasada y se te olvidó.

—Sé que no lo hice. Apenas le había hablado de ti —replicó. Owen hizo una mueca—. Porque nunca surgió el tema —añadió, como si eso lo mejorara.

Owen le apartó las manos del cuello.

—¿Has pensado que la mayoría de tus compañeros me conoce por las fiestas de Navidad? Alguien podría haberle hablado de mí, ya que tú siempre has estado demasiado ocupada para mencionarme.

Cualquier posibilidad de que Nella le contara todo lo que había pasado en el trabajo se esfumó tan pronto como él salió de la cocina. Ella no lo siguió. Se quedó sentada allí, pensando en lo impresionado que parecía Owen por los contactos de Hazel, por lo bien organizados que tenía sus asuntos frente al desorden en el que Nella mantenía los suyos.

Owen tenía razón, pensó Nella mientras copiaba las sentadillas con salto de Isaac a pesar de que se sentía como si la hubieran golpeado con una maza de carne de tamaño humano. Recibir notas misteriosas en el trabajo y no contárselo a nadie; quedar con la desconocida que se las había enviado; y ahora unirse a aquella demencial clase deportiva para... ¿para qué? ¿Para estar en forma y poder huir cuando lo necesitara? No, sus asuntos no estaban organizados. No últimamente. Últimamente se sentía como si la hubieran esparcido por los siete continentes. Y lo único que Owen sabía era que le estaba costando adaptarse a su nueva compañera negra en la oficina.

Nella se prometió que, en cuanto empezara a obtener respuestas, le explicaría por qué había estado tan tensa.

—La buena noticia —le dijo a Malaika, trotando en el punto después de tirarse al suelo para hacer un *burpee* y decidir que no iba a intentarlo otra vez—. Richard me ha dicho que van a ascenderme pronto.

—¡No jodas! Te diría que estás tratando de cambiar de tema, pero esto casi eclipsa ese secuestro que viste.

—Cierto. ¿Adivinas qué más podría venir con el ascenso?

—Soy incapaz de adivinar algo en este estado, así que dímelo.

—La oportunidad de trabajar con Jesse Watson.

Malaika dejó de moverse abruptamente, esta vez de emoción más que por cansancio.

—¡¿Qué?!

—Está pensando en publicar un libro con Wagner.

—¿Con *vosotros*? —Malaika resopló—. No te ofendas, pero que Jesse Watson publique con Warner Books es como poner mayonesa en el pan de maíz.

Nella sintió una arcada, en parte por la metáfora pero también porque habían empezado a hacer flexiones y el café con leche que había tomado aquella tarde había regresado para atormentarla.

—Bueno, por alguna razón... ejem, ejem, *Hazel*... —dijo, fingiendo toser—, por fin hemos entrado en el siglo XXI.

—¡Sí! Bienvenida —replicó Malaika, desconcertada. Se tomó su tiempo para ponerse boca abajo sin preocuparse por el hecho de que

Isaac ya hubiera hecho diez flexiones con una mano—. En este siglo contamos con muchos blancos concienciados. Y con Pitbull. —Nella se rio—. A ver, déjame adivinar: quieren que cuando él llegue cantes y bailes una canción bonita y que le digas «que Wagner es uno de los mijores sitios pa' trabajar en to' el mundo y que no t' imaginas currelando en ningún otro lugar…».

Nella había escuchado a Malaika imitar a los esclavos muchas veces, pero nunca se había sentido tan incómoda como ahora. No estaba segura de si era porque le preocupaba que sus compañeros de ejercicio la oyeran o por el hecho de que la esclava, en este caso, era la propia Nella. Apretó la mandíbula y esperó a que su amiga terminara su pequeño monólogo.

—Oh, venga ya —dijo Malaika cuando notó que a Nella no le había parecido divertido—, ambas sabemos que esa es en realidad la razón por la que te han pedido que recibieras a Jesse. Eso no quiere decir que no estés cualificada —añadió rápidamente—, pero ¿cuándo te han dejado conocer a alguien tan importante en los más de dos años que llevas trabajando allí?

—Él ya no es tan importante como antes, no desde que se retiró.

—Dios, me gustaría saber su opinión sobre el tiroteo en el Bronx del mes pasado. Y sobre toda esa mierda del KKK que está pasando en Indiana. Sobre… toda la mierda, en general.

Nella asintió, sin conocer los incidentes a los que se refería Malaika.

—Tengo que preguntártelo: ¿también han reclutado a ya-sabes-quién para esa reunión con Jesse?

Nella resopló.

—Sí. Richard incluso me dijo que quizá la dejaría editarlo.

—¿Qué? Pero ¡si acaba de llegar! ¿Y no fuiste *tú* la que le escribiste ese correo electrónico a Jesse? ¿Se lo contaste a Richard?

—Pensé que tal vez no apreciaría que hubiera actuado a sus espaldas.

—Tonterías burocráticas.

—Sí, lo sé. Es un rollo.

—Uf. ¿No me habías dicho que Hazel y tu jefe eran de repente amiguitos del alma? —le preguntó Malaika—. Parecían muy colegas en Curl Central. Es muy raro. ¿Crees que están...?

—Sigo creyendo que está liado con una mujer negra, pero... ¿*Hazel*? Argh, ya tengo el estómago revuelto, no necesito discutir esa teoría. —Nella suspiró cuando la reunión para las portadas de *Agujas y alfileres* regresó a su cerebro—. *Todo* el mundo en Wagner está obsesionado con ella. No solo él.

—Bueno, mirándolo por el lado bueno... vas a conocer a Jesse y quizás incluso trabajes en su libro, ¿no? Es emocionante. Aunque para eso tengas que trabajar con Hazel. Puede que Jesse quiera hablar contigo sobre la idea para el libro que le enviaste.

—Es posible. Richard no dijo *exactamente* que yo iba a trabajar en ello, pero parece bastante prometedor.

—Prometedor —repitió Malaika intentando parecer convencida, aunque era evidente que no lo estaba—. Bien. Y *si* te dieran el libro... Lo harías, ¿no?

—¿Por qué no iba a hacerlo?

—*Recuerdo* que cierta persona estuvo hablando de dejar el trabajo después de que cierto autor se pusiera como loco con ella. También decía que la gente de Wagner se comporta como si aquello fuera una secta, como si estuvieran dispuestos a beber cianuro por la empresa siempre que se lo sirvan en un refresco. ¿O debería decir «en un refresco light»? —se corrigió, y tomó aire para reírse de su propio chiste.

—Cierto. Pero ahora que tengo esta oportunidad...

Isaac aplaudió. Por primera vez, el sonido de sus palmadas no asustó a Nella. En realidad era un alivio tener más tiempo para pensar una respuesta.

—Ahora, en plancha. ¡Mantened los brazos rectos y usad los músculos abdominales!

—De acuerdo, es oficial —bufó Nella, reconfortada porque podía dejar de moverse aunque eso significara trabajar más músculos—. Este tipo es un maldito monstruo.

—¡Seguid así! —gritó Isaac.

A su lado, Malaika susurró una palabrota mientras sus brazos temblaban precariamente. Treinta segundos después, cuando volvió a hablar, seguían con la plancha.

—Tal como yo lo veo, tienes dos opciones —le dijo—. Creo que es obvio lo que *debes* hacer. O, al menos, lo que deberías *querer* hacer. ¿No estabas pensando en dejarlo? ¿No odiabas ese sitio? Deberías ir a la reunión y liar una bien gorda. Cuéntale a Jesse que le hablaste a Vera de él hace siglos pero que todos lo consideraron demasiado negro como para darle una oportunidad. Háblale de Shartricia y de cómo te ha pisoteado Hazel para quedar bien con todo el mundo. Y luego saca un radiocasete, súbete a la mesa y enséñales el dedo a todos al ritmo de «Fight the Power».

Malaika siempre había dicho que no le importaba ser el paño de lágrimas de Nella y de sus quejas sobre Wagner, y Nella se sentía agradecida. Owen solo soportaba hasta cierto punto las conversaciones sobre microagresiones; después de quince minutos de conjeturas sobre lo que significaba este o aquel otro correo electrónico sin firmar de Vera, sus ojos se volvían vidriosos. Como el jefe de Malaika era igualmente frustrante, ella siempre le ofrecía palabras sabias que Nella valoraba tanto como el oro.

Por eso, el consejo de Malaika sobre desquitarse no debería haberla pillado por sorpresa. Era justo lo que su amiga le había dicho desde el primer día, desde que Nella empezó a quejarse de su trabajo: «Si eres tan infeliz, mándalo todo a la mierda. Vete». Nella siempre se mostraba de acuerdo y decía que algún día lo haría. Se había prometido que no se convertiría en Leonard o en Maisy, o incluso en Vera. Pero todas las veces, después de reírse con Malaika imaginando todas las formas diferentes en las que podría dimitir, afirmaba que todavía no había llegado a ese punto. Todavía no estaba tan mal.

En esta ocasión, el consejo de Malaika le parecía fuera de lugar. La idea de poner en juego su carrera quemando todos los puentes en Wagner, después de que Richard le dijera que estaba cerca del ascenso, era francamente absurda. La desconcertó tanto que pasó los siguientes sesenta segundos tratando de mantener el ritmo de la mujer cincuentona que tenía justo delante y que estaba poniéndolas en ridículo, para no decir lo que sentía en su corazón: que con Hazel o sin ella, con Shartricia o sin ella, no estaba lista para rendirse. Tenía que haber otra manera.

Malaika debió notar su inquietud, porque después de la siguiente serie de planchas se aclaró la garganta tan fuerte que Nella pudo oírla por encima de Pitbull.

—Esa era la primera opción —le aclaró, en un tono serio que Nella no le había oído utilizar en mucho tiempo—, pero ambas sabemos que no es posible. Lo que en realidad deberías hacer es prepararte como una loca y después ir a esa reunión y asombrar a Jesse Watson, a tu jefa y al jefe de tu jefa. Consigue que Jesse quiera trabajar contigo y *solo* contigo. Y luego descubre si de verdad está saliendo con esa chica del pelo morado que apareció en su foto de perfil hace unos meses. Si no, dale mi número. —Nella sonrió. Malaika inhaló profundamente antes de continuar—: En serio, asiste a esa reunión y sé amable con Jesse. Conecta con él. Hazlo tan bien que, cuando la reunión termine, te ruegue que trabajes con *él*. Que si no eres tú, si Richard intenta imponer a otro editor, no firme el contrato con Wagner.

—Pero Hazel...

—La señorita Hazel-Orino-Colonia-May ha construido su reputación en torno a ser la «buena chica negra» de Wagner, ¿verdad? ¿Qué crees que pensarían tus jefes si de repente se volviera súper... negra?

—¡Las chicas del fondo! —gritó Isaac—. ¡Espabilad!

Nella miró el suelo con el ceño fruncido antes de tumbarse sobre su espalda. No había pensado en eso antes, pero suponía que a Hazel *sí* le sería difícil mantener dos caras, frente a Vera *y* a Jesse. Jesse la calaría tan pronto como aterrizara en la pista del John F. Kennedy; cuando la viera compartiendo trucos de peinado con Vera, le dejaría claro lo que era.

Nella se tumbó sobre su estómago y luego se apoyó sobre las manos.

—Entonces, ¿piensas que debería ir a la reunión con Jesse?

—Creo que has trabajado muy duro para no asistir. Pero ve preparada. Aguanta hasta que obtengas lo que quieres. Saca tu yo más negro y consigue que Jesse te adore. O, al menos, que te quiera más que a Hazel.

A Nella comenzaron a arderle los hombros mientras intentaba mantener la espalda recta y los abdominales contraídos.

—¿Y si todo esto de Jesse Watson es solo una zanahoria? ¿Y si al otro lado no hay nada más que… más zanahorias?

—Si es el caso —dijo Malaika, quedándose en el punto donde se había derrumbado—, al menos tendrás tu zanahoria. Quizá deberías empezar a pensar en hacer algunos cambios. En llevarte la zanahoria a otra editorial. ¿La gente de la industria editorial no hace eso todo el tiempo? ¿No me hablaste de un asistente cabreado que había ayudado tanto a uno de los autores de su jefe que, cuando cambió de trabajo, este se fue con él?

Joey Ragowski. A juzgar por cómo le había contado Vera la historia (con la voz cargada de cautela), aquello se consideraba la máxima traición de un asistente. Estaba cerca, o eso suponía, de llamar «racista» a un autor en su cara.

—No es una opción demasiado atractiva —replicó—, pero sin duda es mejor que la primera.

—Lo sé. Me cuesta imaginar tener que empezar de cero con un nuevo Igor. Pero al menos tendrías a la atractiva zanahoria Jesse Watson en la mano. —Malaika se rio—. Reclama lo que es tuyo. Todos sabemos que te lo mereces, pero primero tienes que currártelo.

17

Malaika dio un fuerte pisotón.

—Te dije que tú tenías que currártelo —se quejó—, no que ambas tuviéramos que hacerlo.

—¿Qué puedo decir? Me inspiraste. —Nella se inclinó hacia adelante y miró la hilera de botones plateados junto a la puerta principal de Hazel—. ¿Qué número dije que era?

—El número dos.

Nella presionó el número una vez, esperó un segundo y volvió a presionarlo.

—Me dijo que llamara a este, aunque el edificio entero es suyo. O eso creo.

Lo sabía a ciencia cierta, pero no se atrevía a decirlo. Estaba demasiado absorta, envidiando la casa de Hazel. Era justo lo que había esperado; es decir, era justo lo que ella siempre había deseado y jamás podría pagar: una casa de piedra, grande y preciosa, habitada por Hazel, su novio y Juanita, a cinco minutos de la parada de Classon de la línea G, a tres minutos a pie de Curl Central, y a un minuto de una tienda negra de segunda mano que también era bar y que Nella siempre había querido visitar.

Un año antes, mientras Owen y Nella paseaban de la mano por Clinton Hill, un poco mareados por las sobreprecidas sidras que habían tomado, ella le preguntó en broma cuántas descargas de la aplicación serían necesarias para permitirse comprar en ese vecindario.

«Creo que tendríamos que abrir un canal de YouTube y que yo tendría que aprender a hacer trenzas», le contestó Owen. Nella se rio y le apretó el brazo, sin duda muy alegre, en parte por la sidra pero también porque aquello significaba que Owen veía de verdad los vídeos cursis de parejas interraciales que ella le enviaba. Lo hacía para reírse, pero también era una forma de decir: «Oye, mira esto. ¿No te alegra que no seamos estas personas?».

Pero ahora, mientras se levantaba la falda para subir las empinadas escaleras de la casa de Hazel, que parecía inspirada en la familia Huxtable, sin tropezar, caerse y romperse la cara, Nella recordó por qué la gente quería convertirse en «esa gente». Ella también quería un vestíbulo con un perchero y una bicicleta. No necesitaba ninguna de esas cosas, pero le gustaba la idea de tener al menos la opción.

—Bueno, ¿qué estás esperando? —le preguntó Malaika, apoyándose en la barandilla—. Cuanto antes subamos, antes descubriremos el nombre real de esa cerda, antes le arrancaremos esas rastas falsas y podremos largarnos de aquí.

—La versión abreviada del plan. Me gusta —bromeó Nella, aunque empezaba a preguntarse si haber invitado a su amiga habría sido un error. Le había costado mucho más convencer a Malaika de que asistiera a aquella fiesta del cabello natural de lo que le había costado llevarla a la lectura de las Jóvenes Negras Literarias, y su resistencia era palpable. Mientras cenaban, un niño puertorriqueño que no podía tener más de ocho años entró al sitio de burritos con un chándal azul marino de Adidas y una cadena de oro; Malaika no dijo una palabra, aunque normalmente lo hubiera felicitado por su atuendo. Y cuando se cruzaron con un tipo blanco que iba por la calle tarareando «99 Problems», Mailaka no se detuvo para ver si rapeaba con la palabra con N.

Nella le dio un empujoncito suave.

—Oye, me lo debes por lo de Pitbull, ¿recuerdas?

—Estoy bastante segura de que tú me lo debías a mí, así que ahora volverás a estar en deuda conmigo. Aunque creo que esto va a contar doble. Sí. Ahora me lo doble-debes.

—Esto va a ser tan coñazo para mí como para ti. Pero recuerda lo que hemos hablado: fingiremos que no tenemos ningún problema con Hazel, para poder deshacernos del problema que *es* Hazel.

—Eso es justo lo que acabo de decir, pero vale.

—Bueno, lo que sea. De acuerdo.

Nella extendió la mano y presionó ambos timbres. Hazel se materializó frente a ellas, con las rastas recogidas sobre su cabeza.

Nella relajó los músculos del cuello. No sabía qué habría hecho si les hubiera abierto la puerta una criada. Seguramente se hubiera marchado a casa, a llorar sobre otra triste cena de comida china barata.

—¡Hazel! Hola.

—¡Nell, has venido!

Hazel se apresuró a abrazarla, como si no hubieran estado sentadas una frente a otra apenas tres horas antes. Mientras, podía sentir la antipatía que rezumaba su amiga, que esperaba ser recibida a cierta distancia. Aun así, hizo un esfuerzo; agarró el brazo de Malaika y le dijo a Hazel cuánto las emocionaba estar en aquel vestíbulo.

—Es encantador —añadió Malaika, sin emoción.

—¡Gracias! Melanie, ¿verdad?

—Casi, un poco más negro. Malaika.

—Cierto. Trabajas para ese tipo enorme que hace ejercicio, ¿verdad?

—Igor Ivanov.

—Exacto. Me encanta su Instagram —dijo Hazel, arreglándose el dobladillo de la camiseta negra. Nella nunca la había visto tan informal, con leggins morados y un par de calcetines gruesos de color verde lima. Se sentía demasiado arreglada. En realidad, había sido una tontería dejarse la misma blusa de encaje crema que había llevado al trabajo, pues seguramente terminaría llena de pelo y de manteca para el cabello. Pero era muy tarde para preocuparse por eso—. Es una pena que no llegáramos a conocernos en Curl Central hace unas semanas.

—Sí. Bueno. —Malaika se aclaró la garganta. Nella también lo hizo, sintiéndose como una niña tonta que ha reunido a sus padres divorciados para una temida función escolar. Estiró el cuello para mirar por encima del hombro de Hazel. Al final del pasillo había una cortina amarilla que parecía servir de puerta de otra habitación—. Ahí debe estar la fiesta. Y también Anita Baker, o eso parece.

Hazel levantó la mirada.

—Uhm. Ese es el recibidor. Le he dicho a Manny que esa tiene que ser una de las primeras canciones que suenen en nuestra boda —dijo, caminando hacia la música.

Nella prácticamente sintió cómo cambiaba el ambiente cuando Malaika inspiró.

—Qué buena elección. ¿Manny está aquí? —le preguntó, esperanzada.

—No, le he dicho que es una noche de chicas. Ha salido con sus colegas.

Maldita sea. Se suponía que Manny iba a ser su puerta de acceso. Pensó en excusarse para ir al baño y enviar un mensaje a la persona con la que había hablado por teléfono, diciéndole que iban a tener que desviarse del plan. Pero no confiaba en que Malaika no se metiera en problemas si la dejaba sola.

Además, iba a conocer a un puñado de mujeres a las que podría interrogar. Podía oírlas, riéndose bajo la canción de Anita.

—Las noches de chicas son mis favoritas —dijo.

—Estaba desilusionado, por supuesto —añadió Hazel, guiándolas junto a una enorme planta de plástico y una mesa de madera antigua con tres fotografías enmarcadas. Nella miró con atención la más grande: una foto en blanco y negro de quince por veinte centímetros en la que cuatro personas negras de menos de veinticinco años sonreían a la cámara. Solo pudo echar un vistazo rápido a las otras dos, aunque era obvio por su estado descolorido que también pertenecían a otra época. Hazel no aparecía en ninguna de ellas—. Tiene el cabello largo y rizado y se lo cuida muy bien. Incluso mejor que yo el mío, en realidad.

—¿Mejor que el tuyo? Eso *sí* que me resulta difícil de creer —dijo Malaika a su espalda.

Nella se quedó helada. Ahí estaba: la indirecta número uno. Había sido una estupidez mostrarle a Malaika la foto de Hazel sin rastas, pero ya estaba hecho. Cuando se aseguró de que Hazel seguía concentrada dirigiéndolas a la sala de estar, se giró para lanzarle una mirada a Malaika. *Para*, articuló.

Malaika pretendió no verla, fingiendo interés en un espejo de aspecto antiguo que colgaba en el lado izquierdo del pasillo.

—¿Qué?

Nella sintió un escalofrío y se volvió de cara al frente. Hazel se había detenido y las miraba con curiosidad. Anita terminó y comenzó una canción más animada de En Vogue.

—Estaba mirando este intrincado marco de bronce. Este espejo es *muy* bonito.

—Oh, ¿esa cosa vieja? Gracias, Mal. Perteneció a la abuela de Manny. Esta fue su casa desde los setenta; su hija nos la dejó cuando falleció.

Malaika asintió con solemnidad.

—Qué bien. «Malaika», por favor. No me llames «Mal». Gracias.

—Oh, vaya, ¡mira eso! ¿Esos son los abuelos de Manny? —exclamó Nella, señalando la foto en blanco y negro de la pareja sonriente que había estado mirando unos segundos antes.

—No, son los míos —contestó Hazel—. Esa fotografía la tomaron el día antes de ir a Washington para la manifestación por King. Mis cuatro abuelos marcharon juntos, lo que me parece asombroso.

Durante una fracción de segundo, Nella se olvidó de respirar.

—Qué guay.

Hazel ladeó un poco la cabeza. Nella prácticamente podía ver los engranajes girando en la cabeza de la chica, tal como lo hacían en la suya. ¿En qué año le había dicho Hazel que murió su abuelo mientras se manifestaba por el transporte público, cuando almorzaron en Nico's hace tantos meses? ¿En 1961?

Y aquella manifestación fue en el año... 1963. Su padre solía hacerle preguntas sobre estas cosas cuando era adolescente, prácticamente en la misma época en la que le regaló el ejemplar de *Corazón ardiente*.

—Mi abuela volvió a casarse —dijo Hazel casi de inmediato—. Este es mi abuelastro, pero es una palabra tan complicada...

Pero era demasiado tarde.

—Sí —dijo Nella, asintiendo con satisfacción—. Es tan admirable que consiguiera salir adelante.

Malaika miró a su amiga y a su enemiga, confundida, pero Hazel la ignoró y siguió caminando.

Nella exhaló una bocanada de aire que no sabía que estaba conteniendo.

—¿Cuántas seremos esta noche?

—En total seremos siete.

—Genial. ¿Amigas de la universidad o...?

—Un poco de todo —dijo Hazel—. Nos conocimos en distintos sitios. Ya sabes, al final vas haciendo amigos por el camino: en la universidad, en los diferentes trabajos, en distintos lugares...

—Uhm. Es increíble que mantengas el contacto con ellas a pesar de haberte mudado tanto.

—Sí, lo es. ¿Sabes? Para estas cosas prefiero que seamos menos, unas tres —dijo Hazel, guiándolas por fin a través de una marquesina de antes de la guerra—. Así todo el mundo puede recibir un poco más de atención. Pero, cuando lancé el anzuelo, todo el mundo mordió. Y hablando de todo el mundo... —Se detuvo en la puerta para presentarlas a las mujeres que ya estaban sentadas bajo el resplandor amarillo anaranjado en la sala de estar—. Chicas, os presento a Nella y a Malaika. Nell, Mal —se apartó para que ellas también pudieran entrar en la habitación—. Estas son las chicas.

—Es *Malaika* —dijo con severidad. Al mismo tiempo, Nella escuchó una carcajada proveniente de la butaca verde con estampado paisley en la esquina derecha de la habitación, que prácticamente se estaba tragando a una chica con una melena afro como la de Elaine Brown que había estado ojeando una revista antes de que ellas entraran. En el suelo, una chica más curvilínea con la piel del color de las palmas de Nella puso los ojos en blanco y le dio un codazo a Juanita, que estaba sentada detrás de ella en el sofá y tenía las manos en su cabello. Juanita sacudió su cabeza y continuó masajeando el cuero cabelludo de la chica.

Nella se mordió el labio ansiosamente. Levantó una mano y movió la muñeca de un modo extraño, como en los concursos de belleza; se comportaba así siempre que se sentía fuera de lugar y no sabía qué hacer con las manos.

—Hola a todas.

La chica de la butaca estampada seguía riéndose cuando Juanita habló:

—Bueno, Hazel. ¿Ni siquiera tenemos nombre? Por Dios.

—«Ahí vais todas», nos ha dicho —añadió la chica del suelo, antes de alejarse de Juanita para levantarse y estrechar la mano de Nella y de Malaika—. Soy Ebonee.

—Kiara —dijo la chica que tenía el pelo como Elaine Brown, agitando la revista. A Nella no se le escapó que era una edición de *Harper Bazaar* ni tampoco el hecho de que tenía un bolígrafo en la mano, como si estuviera apuntando algo.

—Recordáis a Juanita, ¿verdad?

—Por supuesto. Me alegro de verte de nuevo —dijo Nella. Malaika asintió y emitió un débil *hola*.

Hazel miró la habitación mientras Nella y Malaika se sentaban en los dos cojines que habían colocado a cada lado de Ebonee.

—¿Dónde está Camille?

—Ha salido un momento —dijo Juanita—. Ha dicho que tenía que llamar a su novio porque había salido del trabajo y le gusta hablar con ella durante al menos la mitad del trayecto a casa.

Malaika tomó un puñado de nachos de maíz azul que había sobre una pequeña mesa cuadrada que parecía de Ikea; el único mueble, notó Nella con interés, que parecía ser de Ikea. Todo lo demás se veía antiguo, usado y cuidado durante mucho tiempo. El cojín verde y beige que había escogido para sentarse era tan mullido como seguramente era el sillón de Kiara, y los cuadros de las paredes (un montón de figuras negras que se suponía que representaban a humanos en distintos estados anímicos sobre fondos de colores llamativos) evocaban otra época. Entre dos de estos cuadros había un polvoriento aunque resistente castaño de Guayana de casi dos metros de altura que ya habría estado por allí cuando Bush fue presidente. Tal vez incluso el primer Bush.

—¿El novio de Camille sale de trabajar a las ocho y media de la tarde? —les preguntó Malaika, incrédula, como si conociera a Camille de toda la vida—. ¿En qué trabaja?

—En una aseguradora. —Hazel se sentó en el espacio libre junto a la hermana de Manny—. Pero vive en... ¿Dónde vive, Eb?

—En algún sitio al oeste. Colorado, creo.

—¿No vivía en Montana? —preguntó Juanita.

Ebonee resopló.

—Como si fuera a acordarme. ¿No es prácticamente lo mismo?

—Vive en Missoula —intervino Kiara, pasando una página de la revista.

Nella casi se atraganta con su patata frita.

—¿En Missoula?

—Ajá. Al menos, el bombón del que me enseñó fotos en su teléfono vive en Missoula. Y parece recién salido de un anuncio de Patagonia. —Kiara se encogió de hombros, dos montículos musculosos bajo su camiseta de tirantes violeta.

—¿Has estado allí? —le preguntó Hazel a Nella, sorprendida.

Esta negó con la cabeza.

—No, solo... ¿Camille también es de allí?

—Lo creas o no, sí. Es parte del pequeño cinco por ciento de negros que crecieron allí.

—Eso *sí* es algo —dijo Malaika.

Nella miró a su amiga, que parecía tranquila ahora que había comprobado que las compañeras de Hazel tenían bocas normales en lugar de múltiples filas de dientes afilados, como había supuesto antes de llegar. Pero cuando Malaika la miró a los ojos, su tranquilidad se transformó rápidamente en preocupación. Frunció el ceño como si le preguntara: «¿Estás bien?».

Nella no estaba bien. Todo lo contrario.

Tragó saliva y miró a Hazel, que había sacado una bolsa de detrás del sofá llena de largos y coloridos trozos de tela.

—Compré un montón de estos el fin de semana pasado... Ya sabes, en esa tienda de telas africanas donde compré el pañuelo de India

—dijo Hazel, escogiendo un pañuelo negro con hileras e hileras de pequeños rombos blancos y rojos—. Los tenían rebajados, dos por veinticinco. Echa un vistazo y escoge uno que te guste.

—Son preciosos —dijo Malaika, tomando la bolsa para pasársela a Nella—. Nell, ese rojo y negro te quedaría genial.

Nella tomó la bolsa con nerviosismo, todavía pensando en Missoula y recibiendo miradas extrañas por parte de Malaika. Pensó en llevarse a su amiga a una esquina para decirle que quizá no había sido buena idea ir allí, pero mantener una conversación privada en una fiesta tan pequeña sería de mala educación, en el mejor de los casos, y sospechoso en el peor.

Nella sacó el pañuelo que Malaika le había indicado y lo sostuvo a contraluz.

—Creo que este es el ganador —dijo, dejando la bolsa entre sus pies.

—Buena elección. Acércate. Te lo probaré de varios modos y luego puedes decirme cuáles quieres aprender a hacer.

—Estupendo.

Nella se quitó la goma elástica negra del cabello y se deslizó sobre el cojín hasta que pudo apoyar los hombros en las rodillas de Hazel. Esto desbloqueó un recuerdo que subió por los músculos de su espalda. Mientras Hazel le metía las manos en el cabello, tanteándolo y después recorriéndolo, Nella no pudo evitar recordar cuántas veces había hecho exactamente lo mismo con su madre, cuando era pequeña, y también con su abuela, cada vez que su padre la llevaba de visita y la mujer quería que su nieta tuviera las trenzas recién hechas. Siempre lo había odiado: cuando le hacían trenzas africanas, cuando le alisaban el pelo con técnicas caseras (el año en el que su madre le dijo que tenían que empezar a recortarlo), cuando tenía que sentarse mientras su madre veía sus aburridas telenovelas, cuando su abuela insistía en acercarle tanto el rizador a la frente que podía sentir el chisporroteo de su piel, aunque su abuela siempre le prometía que no la rozaría. Nella tenía la cabeza sensible; siempre la había tenido. E inquieta.

Pero también había habido algo profundo en esos momentos. Algo intangible. Ese algo estaba en la mirada que le echaron sus amigas cuando les contó cuántas horas había pasado sentada entre las piernas de su madre durante el maratón de *227* que habían emitido en TV One aquel fin de semana (y después, qué era *227*); estaba en la naturaleza de aquel prolongado contacto físico que la mayoría de los adolescentes que no eran negros no tenían con sus madres. Y eran las pequeñas cosas como este contacto (por muchas horas que pasaran tocándole el pelo) lo que le habían enseñado las mujeres de su familia. Rutinas de cuidado del cabello, pasadas de unas a otras. Paciencia, hasta que la fina línea de la impaciencia se asentaba como un mal olor. Perfeccionismo.

Al crecer, Nella había adaptado e incorporado algunos de estos elementos a su propia rutina de cuidados para el cabello. Pero lo único que no creía haber seguido era precisamente lo que más la atraía cuando comenzó a arreglarse el pelo: el contacto. ¿No era eso parte de lo que la había convencido de dejarse el cabello natural? ¿La posibilidad de arreglárselo sola?

Aun así, ella relajó los hombros mientras le pasaron un peine, y su aprensión se desvaneció por completo cuando notó un par de horquillas aquí y allá. Se olvidó de que la habían confundido con la otra chica negra de la oficina. Se olvidó de la chica a la que habían metido en el asiento trasero de un coche. Y se olvidó de la horrible portada llena de clichés. Se relajó tanto, en realidad, que ni siquiera se estremeció cuando sintió algo frío y cremoso en su cuero cabelludo. De hecho, lo recibió como si la sustancia siempre hubiera sido parte de su cuerpo.

—¿Qué es eso?

Nella se sobresaltó al oír la voz de Malaika tan cerca de su oreja. Abrió los ojos (¿los había cerrado?, no recordaba haberlo hecho) y miró en silencio a su amiga, que estaba acercando la nariz para olerle el pelo.

—Es una manteca capilar que llevo un tiempo usando. Se llama Suavecito. Creo que le di a Nella un frasco cuando vinisteis a Curl Central.

—Oh, sí —murmuró Nella, con la vista fija en el frasco azul que Hazel tenía abierto en la mano—. Esa es la manteca que huele como el Brown Buttah.

—Sí. Siempre me gusta acondicionarme el cuero cabelludo antes de ponerme el pañuelo —le explicó Hazel—. Para mantener la hidratación. Tú has estado usándola, ¿verdad, Nell?

—*Por supuesto* que sí.

Malaika no se tragó la mentira y le lanzó una mirada inquisitiva.

—Bueno, es que el olor es increíble —dijo, estirando el brazo para tomar el frasco—. ¿Puedo ver la etiqueta? Nella no me contó que estaba probando algo nuevo.

Kiara levantó los ojos de su revista y miró a Malaika y luego a Nella, pero no dijo nada.

Pasó un segundo. Al final, Hazel tomó el frasco y se lo entregó.

—Claro. Pero no tiene etiqueta.

—¿Eres una de esas personas que siempre lee el etiquetado, Malaika? —le preguntó Ebonee.

—Efectivamente, lo soy.

—Kiara también lo hace. Prácticamente tengo que llevármela a rastras del supermercado. Somos compañeras de piso —le explicó Ebonee.

—Oye —dijo Kiara, soltando la revista en señal de protesta—. Me gusta saber qué me meto en el cuerpo. No hay nada malo en ello.

—Es verdad —dijo Nella—. Oye, una pregunta un poco *random*, ¿estás suscrita a *Harper Bazaar*? He pensado en suscribirme yo también.

Kiara negó con la cabeza.

—Me la llevé del pasillo de las cajas en Whole Foods. Yo también lo había pensado, porque me lo sugirió mi profesor de escritura creativa el semestre pasado, pero es demasiado cara para mi bolsillo. Además, ya recibo el *New Yorker*, la revista *New York*, el *Atlantic*... —Se detuvo, mirándose los dedos con los que estaba contando sus suscripciones mientras intentaba recordar las demás—. Y un par más, pero no recuerdo cuáles. La mayoría fueron regalos de mi familia.

—Ya. Al final se te acumulan —dijo Nella—. Yo trabajo en una editorial y tengo la suerte de tener descuento en el *Publishers Weekly*. Una de las muchas gratificaciones para compensar el sueldo bajo —añadió, poniendo los ojos en blanco.

—Bueno… El sueldo podría ser peor —dijo Hazel, frotando un poco más de manteca en un mechón de cabello que había apartado—. En la revista en la que estaba antes me pagaban menos y tenía que trabajar casi el doble.

—Eso fue en Boston, ¿no? El coste de la vida es diferente allí.

—No quiere decir que sea mejor.

—¿En qué editorial trabajas? —preguntó Kiara a Nella, dejando la revista en el suelo.

—En Wagner —le contestó Nella.

—Trabajamos juntas —le aclaró Hazel al unísono.

—Ah —dijo Kiara, asintiendo con lentitud mientras le hacía una señal a Ebonee para que le pasara el cuenco de Wheat Thins—. Tiene sentido. Dios, ahí publican los mejores libros. Debe encantarte. Y Richard Wagner es un dios.

—No está mal.

Malaika enarcó una ceja.

—¿En serio? ¿No me dijiste que…?

—Debes ser *brillante* —intervino Ebonee, mirando a Nella—. Por lo que he oído, es bastante difícil conseguir un trabajo allí.

—Incluso conseguir un puesto de becario parece más difícil que lograr que Lauren Hill llegue a tiempo —dijo Kiara, metiéndose una galleta en la boca—. ¡Enhorabuena! Es toda una hazaña. Deberías sentirte orgullosa.

—Gracias —dijo Nella, sonriendo. Una oleada de orgullo comenzó a atravesarla mientras se contenía para no contarles lo que Richard le había dicho: «Veo cuánto has estado trabajando. Te valoramos»—. Llevo allí más de dos años y parece que pronto tendré un poco más de responsabilidad. ¡Quizás incluso edite!

Nella sintió un ligero tirón en uno de sus mechones pero, cuando levantó la mirada, las manos de Hazel estaban en su regazo, y no en su cabeza.

—Y… Uhm. ¿Vosotras qué hacéis? Si no os importa que os pregunte, claro —añadió rápidamente, recordando que aquella era una noche de chicas y no un evento para hacer contactos laborales.

—No pasa nada. Yo acabo de terminar Filología —dijo Kiara. Parecía joven, no solo por su cara de niña sino porque debía haberse pasado cuarenta y cinco minutos delante del espejo, a juzgar por el delineador que rodeaba sus pestañas, por la base que cubría su piel y por sus labios mate perfectamente maquillados—. Ahora estoy buscando trabajo. Así es como conocí a Hazel.

—Yo igual —replicó Ebonee, indicándole que le devolviera los Wheat Thins—. Fuimos juntas a la Universidad de Nueva York, aunque yo terminé hace un par de años. El año pasado fui becaria en *Paris Review*.

—Pero estamos casi *seguras* de que le ofrecerán un puesto de asistente antes de que termine el año —se jactó Hazel—. Lo siento, no puedo evitar alardear. Eb, eres una campeona.

—Guau. Hay un montón de gente de la industria literaria aquí —observó Malaika—. Nell, ¿no me dices siempre que el mundo editorial es muy blanco?

Nella levantó una ceja. Ella había estado pensando lo mismo.

—Muy blanco —dijo, un poco tensa—. Sería genial contar con todas vosotras.

—Sería la *bomba* —asintió Hazel—. Nosotras dos solas no podemos hacer mucho.

—Bueno, lo mío no son los libros ni la escritura ni nada de eso —dijo Juanita con orgullo—. Estoy sacándome el título de técnico capilar.

—¡Qué bien! —Malaika volvió a mirar el frasco que le habían dado—. Tú que entiendes de cabello, dime qué pasa con la pringue esa que Hazel está aplicándole a Nella. ¿Es casero? ¿Por *eso* no tiene etiqueta?

—Esa es exactamente la razón —admitió Juanita—. Y, oye, puedo peinarte cuando termine con Eb. ¿Tienes alguna idea de lo que te gustaría hacerte?

Malaika hizo girar el frasco en sus manos, buscando respuestas que no iba a encontrar en un tarro sin etiqueta.

—¡Genial! Gracias, pero nada con manteca. Tal vez trenzas, ahora que empieza a hacer frío…

—Juanita hace unas trenzas protectoras bestiales —dijo Ebonee.

—Eso es verdad —replicó.

Nella escuchó un murmullo de asentimiento a su espalda, y después Hazel añadió:

—Y el Suavecito realmente mantiene la hidratación. Yo te lo recomiendo.

Malaika se encogió de hombros y le devolvió el frasco.

—Gracias por la oferta, pero voy a pasar.

—¿Por qué? —le preguntó Juanita.

—No me gusta usar productos para el cabello sin saber los ingredientes. Me pasa con cualquier producto, en realidad, pero sobre todo si es para el pelo.

—Sí. Malaika se toma *realmente* en serio este tipo de cosas.

Hazel comenzó a envolverle la cabeza con el pañuelo, así que Nella no pudo mirar a su amiga, pero no necesitaba hacerlo para saber que le estaba dedicando Esa Mirada de nuevo. Malaika tenía razón en usar solo productos para el cabello en los que confiara. Aun así, Nella no se decidía a apoyarla.

Juanita gruñó cuando Ebonee se inclinó para examinar el cabello de Malaika.

—Te debe ser bastante difícil seguir esa regla, a menos que compres en tiendas como... ¿Target?

Casi todas se estremecieron visiblemente.

—SheaMoisture me jodió el pelo —dijo Kiara—. Me estropeó todas las puntas. Terminé abandonando Target por completo.

—Oye, yo usé SheaMoisture durante años antes de empezar a usar Brown Buttah —dijo Nella al final—. No está *tan* mal.

—Cada cabello es diferente. Yo solo sé que el mío es sensible —dijo Malaika con frialdad—. Hace un par de años compré un producto sin etiqueta en una feria para el cuidado del cabello natural en el Bronx. Me jodió el pelo, y ese fue el punto y final para mí. Decidí que no lo volvería a hacer. Solo confío en lo que lleva mi propia manteca casera. —Se giró hacia Hazel—. A menos que puedas decirme qué lleva la tuya. Quizá entonces cambiaría de opinión.

Hazel tensó los extremos del pañuelo alrededor del nacimiento del cabello de Nella. Estaba demasiado apretado, pero ella no dijo nada.

—Es una receta secreta —dijo Hazel, sonriendo—. Lo prepara la madre de la amiga de una amiga de una amiga, y no le dice a nadie lo que contiene. Nunca. Lo siento.

Malaika le devolvió el frasco.

—No te preocupes. —Parecía tan tranquila y liviana como la lluvia de verano, pero Nella presentía una tormenta formándose en su mirada—. Nell, ese pañuelo te queda genial.

—¿Sí?

Kiara bajó la revista.

—Te queda de muerte. Tienes una estructura facial estupenda para llevar pañuelo.

—¿En serio? Nunca había usado uno —dijo Nella, sintiéndose halagada por el cumplido (a pesar de lo que le decía la razón)—. Al menos, para salir. Solo para dormir.

—Déjame ver.

Nella se dio la vuelta para que Hazel pudiera apreciar su trabajo. La chica asintió.

—Deberías usarlos siempre —le dijo—. Y ten en cuenta que, mientras los lleves, estarás haciéndote un acondicionamiento profundo. Juanita, ¿tienes un espejo de mano?

—Ah. —Juanita se golpeó el muslo con el puño—. *Sabía* que me había olvidado algo. Creo que lo dejé en el coche. Podría ir a buscarlo cuando termine con Ebonee.

—Podría hacerle una foto —dijo Malaika, buscando el teléfono móvil en su bolso. Pero Nella la detuvo antes de que pudiera encontrarlo.

—No —replicó con brusquedad, sosteniendo la mirada de Malaika hasta que se dio cuenta—. En realidad tengo que ir al baño. Podría mirarme en ese espejo.

—Claro. Está arriba, a la izquierda —dijo Hazel, señalando la puerta por la que habían entrado.

Nella le dio las gracias y se levantó del cojín ignorando la mirada suplicante de Malaika para que no se fuera. Después salió de la sala de estar justo cuando Kiara hacía una broma sobre lo que Camille y su novio probablemente estarían haciendo por teléfono.

Camille, de Missoula.

No podía ser una coincidencia. La lista de nombres que encontró en la impresora unas semanas antes no podía ser una lista de invitados o de autores.

Ya sabes, al final vas haciendo amigos por el camino, había dicho Hazel. Como si las coleccionara, como si fueran un puñado de Tamagotchis negros.

Nella apresuró el paso y subió las escaleras de dos en dos. Cuando llegó a la planta de arriba, vio tres puertas. La de la izquierda estaba abierta, y la luz tenue de una vela era visible a través de la rendija. Las otras dos puertas estaban cerradas.

El tiempo pasaba. Había calculado que tenía alrededor de cinco minutos para explorar, siete si Malaika conseguía distraerlas. Nella contempló el resplandor una última vez. Luego, sin pensárselo más, agarró el pomo de la puerta derecha y lo giró.

18

Nella prácticamente tuvo que obligarse a entrar a la habitación de Hazel. Nunca le había gustado curiosear en los espacios ajenos. Para ser sincera, rara vez había tenido la oportunidad. Como era hija única, todas las habitaciones de su casa habían sido accesibles, ya que sus padres la dejaban ver películas en el dormitorio matrimonial cuando era pequeña. Pero, incluso mayor y más curiosa, se abstenía de entrar en una habitación que no fuera el baño y allí evitaba abrir la puerta del armarito sobre el lavabo.

La razón no era que tuviera un fuerte código moral. Era porque había visto *La matanza de Texas* cuando era demasiado pequeña. Sabía lo que te podía pasar si te aventurabas en una casa que no era tuya: en el peor de los casos, un tipo grande con una máscara aparecía y te arrastraba hasta una habitación para asesinarte; en el mejor, te esperaba una persecución de media hora en la que, literalmente, correrías como si te fuera la vida en ello.

Nella no estaba segura de qué esperaba cuando abrió la puerta de la habitación de Hazel; no un hombre con un cuchillo, pero sí algo igualmente inquietante, como fotografías suyas tomadas desde lejos. No tenía ninguna razón para creer que a Hazel de verdad no le importaba. Puede que hubiera engañado al resto de los trabajadores de Wagner, pero ella la tenía calada.

Entró rápidamente y se aseguró de girar el pomo antes de cerrar la puerta a su espalda. No creía que pudieran oír el chasquido metálico por encima de «Smooth Operator» de Sade, pero Hazel había conseguido ir siempre un paso por delante, desde el día que se conocieron. ¿Por qué ahora iba a ser diferente?

Buscó a tientas en la pared hasta que por fin encontró el interruptor de la luz. La encendió, con psicópatas empuñando motosierras aún presentes en su cerebro. La luz no le reveló una cámara de tortura sino lo que parecía una habitación ordinaria que pertenecía a dos veinteañeros: una televisión inteligente Samsung, un altavoz Sonos, una Wii y un rúter wifi. Frente a la televisión, en el centro de la habitación, había una cama de matrimonio con un edredón marrón que Nella sabía que era de Target, ya que ella misma estuvo a punto de comprarlo antes de que Owen encontrara otra opción en blanco y gris en la sección de liquidación.

Nella se acercó a la cama para ver mejor la habitación. Le quedaban cinco minutos antes de que empezaran a hacer preguntas, tal vez menos si Malaika perdía la paciencia y se le daba por hablar de las rastas de Hazel.

No. Tenía que dejar de pensar en todas las cosas que podían salir mal y comenzar a pensar en dónde podría ocultar algo. Dependía, suponía, de cuánto supiera Manny. Si él sabía que su nombre no era Hazel, tal vez no tendría que buscar demasiado. Si no sabía... Bueno. Esperaba tener tiempo suficiente para encontrarlo.

Nella corrió la cortina marrón en el extremo más alejado de la habitación. Detrás había hileras e hileras de ropa, con telas y estampados distintos, extraños y oscuros, que parecían haber sido diseñados en otra década. Extendió la mano y agarró el brazo de una chaqueta azul celeste, y luego el bolsillo de una prenda larguísima de arpillera perfecta para un festival afropunk. No sabía si era un mono o un vestido largo, aunque la idea de que fuera lo primero hizo que le picaran los muslos.

Lo soltó para revisar el otro lado del armario, donde encontró unos pantalones de chándal masculinos en verde bosque, unos shorts de deporte en verde chillón y una camiseta de los Green Bay Packers. *Puede que tu novio tenga un buen pelo y que sea un artista cojonudo*, pensó, encendiendo una luz para asegurarse de que los zapatos del suelo eran solo eso, zapatos, *pero parece que solo tiene un estilo: el básico.*

Aun así, contó los pares de Nike y Adidas antes de decidir que había visto suficiente. Se apartó y contempló otros escondites obvios, buscando algún tipo de escritorio o un ordenador portátil abandonado. No había muchos muebles. Entonces se dio cuenta, por primera vez, de que no había muchas cosas en la habitación de Hazel y de Manny. No había libros, ni fotografías de la boda de algún amigo. No había una cesta repleta de ropa sucia. Solo lo mínimo indispensable: un frasco de perfume junto a un tarro de crema y un tubo azul de desodorante, un tarro de su manteca para el cabello sin etiqueta y una pequeña taza llena de horquillas. Era un orden desprovisto de personalidad, no muy diferente al del escritorio de su cubículo.

Extraño.

Perpleja, Nella volvió a mirar la cama. Valía la pena intentarlo. Se arrodilló; la alfombra de peluche burdeos estaba fría bajo la punta de sus dedos cuando metió la cabeza debajo de la cama. Como nada le llamó la atención, usó su teléfono como linterna. Nada.

De acuerdo, pensó, levantándose del suelo. *Supongo que habría sido demasiado fácil.*

Se sentía a punto de dejarse llevar por el pánico, pero titubeó. Se estaba quedando sin tiempo. ¿Merecía la pena todo aquello? ¿Qué esperaba encontrar?

Miró de nuevo el dormitorio, esperando que se le apareciera la Virgen. Entonces vio las puertas de cristal debajo del televisor, con un par de tarros de lo que parecía manteca para el pelo y (lo que era más llamativo) una carpeta de manila.

Bum.

Comenzó a caminar hacia las puertas de cristal cuando su teléfono móvil comenzó a vibrar.

Por favor, que sea Owen. Por favor, que sea él para preguntarme dónde estoy. ¿Le dije adónde iba? Que sea cualquiera excepto Malaika. Cualquiera excepto...

Suben dos al baño. Código Kente.

¿Dos... al mismo tiempo? ¿Por qué dos? Aquello no era una discoteca. Era una noche de chicas.

Nella envió una simple *K* como respuesta e intentó mantener la calma. Sabía que las dos chicas que habían subido las escaleras regresarían abajo con la noticia de que no estaba en el baño. Pero también sabía que «Código Kente» significaba que nadie sospechaba nada aún, o al menos, que *parecía* que nadie sospechaba nada. Solo quería decir que tendría compañía.

Una gota de sudor se deslizó por debajo de su pañuelo hasta su frente. Luego, como si fuera una merodeadora experta, se abalanzó sobre el interruptor para que no pudieran decirle a Hazel que había olvidado apagar la luz de su habitación o, peor aún, que fueran a apagarla ellas mismas. «Tenía que atender una llamada telefónica inesperada en un lugar privado», podría decir si la atrapaban. Y si necesitaba convencerlas: «Es mi madre. Está enferma».

Con la ayuda de su linterna y dos tercios del coraje que sentía cuando entró allí, Nella se acercó a las puertas de cristal y agarró el pomo de una de ellas, asegurándose de no dejar ninguna huella en el vidrio. Luego, sacó la carpeta de manila y comenzó a ojear varios recortes de revistas.

Justo cuando estaba a punto de guardar la carpeta, cerrar las puertas y pensar alguna estrategia para salir de allí, sus dedos encontraron una página sin brillo. Y luego otra. Una revisión un poco más cuidadosa del montón le reveló que un cuarto del contenido de la carpeta eran hojas normales de papel, de tamaño carta.

Nella se contuvo para no soltar un grito histérico cuando se topó con las hileras de fotografías de carné. Todos los rostros le resultaban familiares, todos en distintos tonos marrones. Allí estaban Kiara, Ebonee y, según el nombre junto a la fotografía, Camille. A continuación había una ciudad, un número de tres dígitos (¿un sistema de clasificación?) e innumerables notas escritas a mano.

Tenía razón.

El primer instinto de Nella fue correr y decírselo a Malaika. Su amiga distraería a Hazel y entonces ella se lo contaría al resto de chicas y...

¿Qué iba a decirles? No lo sabía, y no tenía tiempo para leer aquellas notas. No en ese momento. Escuchó a su instinto y les hizo una foto para examinarlas más tarde. Luego, no muy satisfecha, siguió hojeando las páginas, cada vez más rápido, mientras escuchaba el sonido amortiguado de la cisterna a unos metros de distancia.

Había encontrado el premio gordo. Había un montón de páginas como aquella, todas llenas de chicas negras. No reconoció ninguna cara más, pero siguió buscando de todos modos, sintiéndose cada vez más validada a pesar de que había arrojado la cautela por la ventana. Porque allí estaba, sentada en el suelo de la habitación de Hazel, revisando una carpeta de documentos en la oscuridad, y encontrando respuestas a preguntas que parecían una locura.

Y entonces, para su horror, halló otra respuesta.

Las cortinas fueron lo primero que llamaron su atención: aguamarina, las de su madre. Había una chica de ojos brillantes, un poco mareada por el vino, delante de esas cortinas…

Era ella.

Nella se miró, paralizada. La fotografía había sido tomada el día en el que cumplió veinticuatro años, cuando fue a Connecticut para celebrarlo con su familia. Parecía tan feliz y despreocupada que la había puesto en el perfil de todas sus redes sociales justo después de la fiesta. Nunca le habían hecho una foto tan buena, así que era la última foto que había publicado de sí misma.

Nella recordó el mensaje que la mujer le había enviado unos días antes, minutos después de pedirle que siguiera investigando.

Ella también va a por ti.

Había una foto más detrás de la suya. Nella esperó una décima de segundo antes de pasar la página. Ya había llegado hasta allí; ¿cómo podría no hacerlo? Entonces vio una inconfundible imagen de Kendra Rae Phillips.

El terror y la confusión inundaron su pecho mientras tomaba una foto rápida de la mujer. Luego, sin detenerse a pensar, regresó a su fotografía y la capturó también; el flash de su teléfono móvil iluminó durante un instante sus labios color chocolate y los pequeños brotes afro que seguían intentando encontrar sus alas. Pero, antes de volver a guardarla en la carpeta, examinó el resto de la página. Tragó saliva, deseando sentarse en el suelo y leerla de cabo a rabo, pero también queriendo tirarla a la papelera y prenderle fuego.

Le habían dedicado una página entera, no una línea como al resto de las chicas. Debajo de la foto había una nota adhesiva rosa con algunas palabras escritas a mano: *Parece bastante complaciente, pero un refuerzo no le vendrá mal. El pedido de ocho tarros llegará el 20/10.*

Eso fue suficiente. Nella volvió a colocar la carpeta donde estaba y cerró las puertas de cristal. A continuación, caminó de puntillas hasta la puerta. Estaba a punto de salir cuando oyó la cisterna y unas voces.

—¿Crees que Nella se habrá marchado?

Nella se detuvo en seco.

—Ni idea. Es una «involuntaria», ¿verdad?

—Ajá.

—Tiene gracia. ¿Quién podría no quererlo? Mi madre habría *matado* por esa cosa cuando tenía mi edad.

—Probablemente es una de esas negras engreídas que creen que pueden arreglárselas solo con su encanto.

—Argh, esas son las *peores*. Me alegro de que Hazel esté intentando ayudarla.

¿Ayudarme? Nella se mordió el labio. Aquellas chicas no eran las víctimas de Hazel; eran sus camaradas.

Nella esperó mientras escuchaba el agua del grifo. Por un momento, pensó que ya habían bajado, pero después oyó a una de las chicas, Kiara.

—Vaya, Juanita se ha *lucido* contigo.

—¿Está guay?

—Sí, pero deja de tocártelo. Está bien así.

—Es que… Me lo ha apretado mucho. Le dije que me lo dejara un poco más suelto.

Nella no sabía si Kiara le había pedido que dejara de quejarse, porque sus pasos se alejaron por las escaleras. Cuando ya no oyó ruido, contó hasta diez una vez, y luego otra, antes de salir del dormitorio de Hazel tan rápido como había entrado.

—Fue horrible —se quejó Malaika—. Incluso peor de lo que esperaba.

Nella se mantuvo en silencio mientras se sentaba junto a Malaika en un banco sucio y frío para esperar el tren.

—Lo único que les importa es conseguir trabajo en tal o cual industria —continuó Malaika—. Y lo del cabello... Quiero decir, ¿es que no tienen otras preocupaciones? A mí también me encanta ser natural, pero no hablo de ello cada dos minutos. ¿O sí?

Nella continuó sin decir palabra.

—Y hablando de cabello... ¡Deberías haberle *visto* la cara cuando me incliné hacia adelante para tocarle una rasta! Prácticamente...

—Por favor, Mal. Para ya —le espetó Nella, y el sonido de su voz la sorprendió. Desde la puerta de la casa de Hazel hasta el metro, había estado demasiado aturdida como para hablar. Incluso le había costado caminar. Tenía la sensación de que no podía confiar en su cuerpo ni en su mente.

Nella examinó todos los rostros del andén. Cuando tuvo la certeza de que ninguna de las chicas de Hazel las había seguido, sacó su teléfono móvil.

—¿Estás *segura* de que nadie sospechó nada?

—Les enseñé un vídeo tonto sobre cabello en cuanto subiste las escaleras. Venga, ¡dime lo que has descubierto! Estuviste una eternidad allí arriba.

Nella entornó los ojos.

—¿Qué? —le espetó Malaika.

—Es que...

¿Podía confiar en Malaika? Examinó a su mejor amiga, preguntándose si Hazel habría conseguido llegar de algún modo hasta ella. Malaika le devolvió la mirada, visiblemente preocupada.

—¿Estás bien, Nell? Cualquiera diría que acabas de volver del más allá —insistió.

Nella asintió: todavía podía confiar en Malaika. *Tenía* que hacerlo.

—¿Qué has descubierto? —repitió Malaika.

—Hice tantas fotos como pude. —Nella buscó las fotografías en su galería y le entregó el teléfono móvil a Malaika—. Esas hojas estaban en su dormitorio.

—Dios. —Malaika amplió la foto para verla mejor—. ¿Esta es Ebonee?

—Son Ebonee, Camille y Kiara. Todas ellas. Mal —dijo Nella con voz temblorosa—. No pude decírtelo antes, pero yo ya había visto los nombres de todas las chicas que estaban allí esta noche.

—¿Los habías visto? ¿Dónde?

Nella le habló del papel que había encontrado en la impresora aquella mañana. Mantuvo la mirada clavada en los transeúntes.

—¿Y piensas que…?

—Bueno, en aquel momento creí que eran candidatas para reemplazarme en mi puesto de trabajo. «Candidatas diversas». Pero, ahora… Ahora no sé qué están tramando. Las oí referirse a mí como «involuntaria». Como si me estuvieran intentando… *captar*.

Malaika miró las fotografías antes de responder a su propia pregunta.

—Bueno, ¿ves? Eso explicaría *muchas* cosas. Ellas también se están bebiendo el refresco de cianuro de la secta, ¿verdad? Espera. ¿Qué son las palabras junto a las fotografías? Parecen biografías.

Estaba a punto de decir algo más cuando se calló abruptamente. Nella miró a su alrededor para ver qué había causado el silencio. Una chica de piel oscura con el cabello teñido de rosa pastel pasó en bicicleta junto a ellas, tarareando una canción en voz baja.

Nella la observó hasta que se alejó a unos cinco metros de distancia. Solo por si acaso. Cuando ya no podía escucharlas, Malaika comenzó a leer.

—«Kiara es una escritora increíble y se le da genial captar las señales sociales. Aunque es bastante tímida, con una comprensión por debajo de la media de los clásicos». —Pasó a la siguiente fotografía—.

«La manera de hablar de Ebonee es tan negra que apenas puedes entender las palabras que salen de su boca». «Camille creó muy buen ambiente en el trabajo, pero se corrió la voz de que no se sentía a gusto con la forma en la que la estábamos "tratando". Buena actitud, pero ingrata en general».

—¿Qué carajo…? ¿Qué *es* esto?

Nella le arrebató el teléfono móvil y amplió la parte de abajo.

—Esta página fue impresa el cuatro de marzo de 2017. Tiene sentido, porque Ebonee ya no habla así. A mí no me lo ha parecido, al menos.

Malaika negó con la cabeza mientras Nella pasaba las fotografías, saltándoselas hasta llegar a la página con su rostro impreso.

—Lo peor es esto. *Yo* también estoy aquí. Las entradas están fechadas en mis primeros meses en Wagner, mucho antes de que llegara Hazel.

Malaika abrió los ojos de par en par.

—¿Qué? ¡Déjame ver!

Nella levantó un dedo y se aclaró la garganta.

—«Junio de 2016. NR parece inteligente, es peculiar. Tiene un novio blanco, Owen, lo que podría ser útil. Es de Connecticut y está orgullosa de ello».

Se estremeció, pero siguió leyendo.

3/9/16. NR envió un enlace de Jesse Watson a una dirección de correo electrónico externa. Al parecer, está suscrita a su canal.

4/1/17. Tiroteo policial. Se han organizado reuniones para hablar de diversidad y NR parece satisfecha.

—En serio, ¿qué? —dijo Malaika—. ¿Satisfecha? Qué clase de estupidez…

Nella continuó, haciendo todo lo posible por separarse de la persona sobre la que estaba leyendo.

14/7/18. Artículo publicado en BookCenter sobre las tribulaciones negras en un espacio blanco. NR envió el artículo de SK; según el intercambio de e-mails, esta era la primera vez que lo leía (dijo que estaba de acuerdo con el contenido del artículo pero que ella no lo había escrito).

21/8/18. NR parece muy contenta con Hazel. Son la pareja perfecta. Tiempo estimado hasta la finalización del ciclo: ~4 meses.

—¿Finalización? ¿Finalización de qué? —escupió Malaika, provocando que la señora que estaba tirando la basura a unos metros de distancia se detuviera para mirarlas inquisitivamente.

Pero Nella bajó la voz y continuó:

—«26/9. Manteca aceptada, sin preguntas». Y en letras pequeñas: «Nota misteriosa parece tenerla de los nervios. ¿Será de KP? Considerar plan alternativo».

Malaika frunció el ceño.

—Esa fue la noche que fuimos a Curl Central, ¿no es así? Y, espera, ¿quién es KP?

—Te lo mostraré en un minuto —le dijo Nella, leyendo cada vez más rápido.

16/10/18. Aún preocupada por las notas. NR podría saber más sobre Hazel de lo que parece. ¿Trabaja para KP?

17/10/18. Se ha descubierto que quien le enviaba las notas era Shani (Cooper's). Está confirmado que NR aún no sabe nada; hemos ganado tiempo con el libro de Jesse y la charla sobre el ascenso.

—¿Hazel escribió todo esto?

Eso era lo más desconcertante. Conocía esa letra y no era de Hazel.

Nella cerró los ojos, visualizando la cursiva que había visto cientos de veces, la firma en cada contrato, en cada tarjeta navideña escrita a los autores de Wagner.

—Richard. Esta es la letra de Richard.

—¿De Richard, tu *jefe*? *Sabía* que ese hombre tenía secretos —dijo Malaika—. Pero ¿por qué es Hazel quien tiene todo esto?

Nella se tapó la cara.

—Porque está claro que ella lo está ayudando a hacerlo… Sea lo que fuere que esté haciendo. Puede que por eso esté en Wagner, para convencerme de ser «complaciente». Para… ¿hipnotizarme? No tengo ni idea. No sé qué está pasando, pero es horrible y muy importante. Más que yo y seguramente más que Hazel. Sea quien fuere.

Nella miró el oscuro abismo de las vías para despejar su mente, pero entonces vio a la chica con la cabeza rapada, la mano negra. El sedán negro. Si hubiera pasado más tiempo examinando esos archivos, probablemente también habría encontrado su nombre.

—Cuatro meses —repitió Malaika—. Eso lo escribieron… ¿cuándo? ¿Hace tres meses? ¿Qué se supone que va a pasarte el mes que viene?

—No lo sé. Pero por si aún no estás bastante perpleja… te presento a KP.

Nella buscó la última foto en su galería, la que había tomado de la página de Kendra Rae Phillips. A juzgar por la calidad de su fotografía tamaño carné, suponía que debía ser de la época en la que se publicó *Corazón ardiente*. Quizá fuera una de las últimas fotos públicas de la editora. Junto a ella había notas, también escritas a mano por Richard, con fechas que iban desde los años ochenta hasta la actualidad. Nella leyó algunas en voz alta.

—*Posible avistamiento al norte del estado, 5/1/86. 1992, ¿se ha mudado a París?*

Pero la última atrapó su atención e hizo que se detuviera.

20/10/2018, avistamiento confirmado de KP cerca de la calle 100 con Broadway. Recuperó el teléfono de Shani y volvió a desaparecer.

Algo helado atravesó las venas de Nella. Adrenalina. Miedo. Revelaciones. Era a Shani a quien habían subido al sedán negro.

Entonces, su nuevo interlocutor por mensaje, la persona que le había dicho que alguien iba a por ella…

«Tú decidiste ocuparte de Kenny como lo hiciste».

Las palabras le golpearon la mandíbula, de repente, como si le hubieran dado un puñetazo. Trató de recordar desesperadamente dónde las había escuchado. Fuera de la oficina de Richard, cuando sospechaba que estaba hablando con su amante negra.

—¿Qué tiene que ver Kendra Rae Phillips *contigo*? ¿No estaba desaparecida?

Nella miró a Malaika, que se mordisqueaba la uña del pulgar con aire pensativo. Se moría de ganas de contarle todo lo que sentía: cuánto miedo le daba ir a trabajar; que había estado hablando con alguien de quien se suponía que se habían «ocupado». Y que pronto se «ocuparían» de ella también.

Pero no lo hizo. Mantuvo la vista fija en los tornos por los que habían pasado y reflexionó. Hazel quizá había fingido que no sospechaba nada, pero Nella estaba segura de que había pasado demasiado tiempo arriba. Hazel era Hazel: si había algo con lo que estaba perfectamente en sintonía era con el tiempo.

—Entonces, ¿ahora qué? *Vas* a dejar el trabajo, ¿verdad? ¿Denunciarás a Richard Wagner por vigilarte de esta manera? *Deberías* escribir un artículo sobre ello —bufó Malaika, cada vez más indignada—. Lo tendría bien merecido, por gilipollas. Entonces tendría que explicar también todo lo demás.

Nella se quedó inmóvil, como una roca. Inhaló lentamente y exhaló aún más despacio, tratando de pensar en cómo expresar con palabras lo que sentía. Había algo podrido en Wagner y ese algo se le había quedado pegado a la suela del zapato el Maldito Día Uno. ¿Cuántas personas lo sabían? Todos, *tenían* que saberlo todos. Vera, Maisy, Amy… todos *tenían* que estar en el ajo. ¿De qué otro modo conseguiría Richard unas notas tan detalladas?

Siguiendo las vías, en el interior del túnel, Nella distinguió las luces de un tren que se acercaba lentamente para llevársela lejos de Clinton Hill. Después de algunas paradas, se cambiaría a otro tren y este la conduciría a una parte diferente y menos atractiva de Brooklyn, donde había menos negocios de negros y donde las casas de piedra rojiza se convertían en apartamentos cuadrados de tamaño mediano. Donde no había vestíbulos elegantes para poner su perchero y su bicicleta imaginarios.

—El dueño de ese teléfono te ha respaldado desde el primer día. O eso parece —dijo finalmente Malaika—. Vas a enviarle las fotografías a la persona que te ha estado mandando esos mensajes, ¿verdad?

Nella asintió y se levantó. El pañuelo rojo y negro que Hazel le había regalado le tiraba incómodamente de las cejas.

Malaika se levantó también.

—Bien. Porque *sabes* que es lo correcto. Quizá parezca una *locura*, pero ¿qué tienes que perder?

—Exacto. —Nella tenía la mirada fija en las luces del túnel.

—¡Genial! Entonces… —Malaika señaló el teléfono móvil que Nella apretaba con fuerza contra su pecho—. ¿Quieres hacerlo… ahora?

—Creo que esperaré a llegar a casa —le respondió Nella—. El tren ya casi está aquí.

—Tenemos tiempo de sobra —dijo Malaika—. Dámelo… Debes estar realmente asustada. Yo lo haré por ti.

Se acercó para tomar su teléfono, pero en su lugar agarró el brazo de Nella y recibió una mirada fulminante.

—He *dicho* que voy a *encargarme* yo, Mal. Lo haré cuando llegue a casa. Ahora me da vueltas la cabeza, estoy cansada y preferiría hablar de otra cosa durante el resto del viaje. Vamos a dejarlo por ahora. Por favor.

Malaika parecía dolida.

—De acuerdo, está bien, lo siento. Solo pensé que…

El estrépito del tren fue tan fuerte que Nella no oyó el resto.

19

26 de octubre de 2018
Wagner Books

Once y cuarenta de la mañana. Aún no había recibido ningún mensaje, ni tenía llamadas perdidas.

Nella se guardó el teléfono en el bolsillo y suspiró. ¿Habría soñado los últimos meses? Quizá. Tal vez habría una explicación para todo aquello, una que estuviera escondida a plena vista, justo debajo de su nariz.

La mañana había sido tan normal como cualquier otra. Hazel la había saludado con su usual *¿qué pasa?* cuando entró a la oficina y Nella de alguna manera se las arregló para devolverle el saludo. Vera le había preguntado si podía leer dos manuscritos para finales de la semana siguiente. Y, apenas unos minutos antes, había recibido un correo electrónico de Donald recordándole que la reunión con Jesse sería a mediodía y que tendría lugar en la sala pequeña. «La estancia más *íntima* de Wagner»; así la llamaban todos.

Nella se levantó de su escritorio, se alisó la chaqueta púrpura y comenzó la caminata de quince segundos hacia la sala de reuniones. Llegaría quince minutos antes, tiempo más que suficiente, ya que estaba segura de que Jesse se dejaría ver al menos media hora tarde. Como había dicho en su vídeo sobre el Tiempo GC: «Yo aparezco cuando aparezco».

Cuando puso el pie en la sala de reuniones, y revisó su teléfono móvil por tercera vez, se demostró que estaba equivocada.

Ahí estaba Jesse Watson, sentado en el otro extremo de la mesa con una taza azul del cuarenta aniversario de Wagner en su mano derecha y un bolígrafo en la izquierda.

—¡Oh! —exclamó.

Él apartó la vista de su cuaderno para mirarla, pronunciando palabras que sonaban incluso más aterciopeladas en persona que en sus auriculares. De inmediato, se levantó para saludarla.

—Tú debes ser Nella —le dijo—. Es un placer conocerte por fin. He oído hablar *mucho* de ti.

—Uhm… Sí. Sí. ¡Hola!

Jesse no le mencionó que había leído su correo electrónico y que le había encantado, pero no necesitaba hacerlo. Nella estaba deslumbrada: Jesse era incluso más guapo en persona que a través de la pantalla de su ordenador.

—¡Es un placer conocerte! Gracias por tomarte el tiempo para venir a Wagner.

—Oh, no hay de qué. Siempre estoy viajando, y Nueva York es uno de mis sitios favoritos.

Nella miró los asientos vacíos a su alrededor mientras Jesse volvía a sentarse. Al notar su vacilación, le señaló el asiento más cercano.

—¿No te sientas?

Ella sonrió.

—Gracias. Ojalá pudiera… —se disculpó, escogiendo un asiento a tres sillas de distancia—. Pero creo que mis jefes querrán esos asientos.

Que les den. Los blancos han llegado tarde a la fiesta durante siglos y aun así se quedan con los mejores sitios.

Pero Jesse no dijo eso. Solo se encogió de hombros.

—Oh. Entiendo.

—Y ya sabes cómo es: seguramente sea mejor que nosotros, los negros, nos dispersemos. Que nos distribuyamos uniformemente, ¿sabes a qué me refiero?

Estaba segura de haber usado la cantidad justa de sarcasmo, de haber guiñado un ojo verbalmente sin guiñar el ojo en realidad. Pero Jesse la estaba mirando como si acabara de sugerir que volaran el edificio… con ellos dentro.

Nella tragó saliva; de repente notó el nudo de su garganta y la sequedad de su lengua. Se había sentido más cómoda hablando con Richard sobre las notas de lo que se sentía en ese momento.

Richard.

Recordar su nombre la despojó de la capacidad de hablar de nuevo. Por fortuna, Vera entró en la sala en ese preciso momento, con las mejillas sonrosadas y bastante animada.

—¡Señor Watson! ¡Ha llegado! Vera Parini. Espero que nos haya encontrado fácilmente. ¿Podemos ofrecerle algo de beber? ¿Café, té, agua? —Con esta última pregunta, miró a Nella.

—Estoy bien, gracias —dijo Jesse, estrechándole la mano que ella le había puesto en la cara—. Donald se te adelantó.

—Es un gran chico, ¿verdad? —le preguntó Vera.

—Sí. Y muy gracioso.

—Es la monda —dijo Richard, que había entrado en la sala de reuniones sin que Nella se diera cuenta. La joven se rodeó con los brazos y un escalofrío se apoderó de sus huesos mientras Jesse y él se saludaban. La sensación solo disminuyó cuando llegaron Amy y su nuevo becario. Nella no recordaba su nombre, pero no parecía completamente blanco, lo que debía ser la razón (suponía) por la que lo habían invitado a la reunión.

Vera preguntó por Hazel. Nella se encogió de hombros.

—No estaba en su mesa cuando vine. ¿Le habrá surgido algo?

«Quizá ha decidido no trabajar hoy. Quizá esté demasiado ocupada fabricando nuevos lotes de manteca capilar hipnótica. Quizá…».

—¡Haze! Chica, ¿qué tal estás? —Jesse se levantó tan rápido para darle un abrazo que casi volcó su silla—. Ha pasado un tiempo.

—Ha pasado *mucho* tiempo. ¡Estoy genial! Mucho mejor ahora que te tenemos aquí.

—No hizo falta mucho para conseguirlo —dijo, señalando la silla que Nella había rechazado. Hazel se sentó sin dudarlo mientras Richard sonreía desde el otro extremo de la mesa—. Gracias por ponerte en contacto conmigo.

—Sí, ¡y gracias por ponernos en contacto también a nosotros! —exclamó Vera—. Esta va a ser una reunión alucinante.

—¡Así es! —dijo Amy, aplaudiendo—. ¿Empezamos ya?

—Sí. Pero, primero, Jesse ¿ya conoces a Nella? —le preguntó Richard—. Es una de nuestras mejores asistentes. Tiene un ojo *muy* agudo.

Nella tragó saliva y forzó una sonrisa. La advertencia de su voz no había pasado inadvertida.

—Gracias, Richard. Sí, acabamos de conocernos.

—¡En efecto! —dijo Jesse, con una sonrisa radiante. Estaba prácticamente temblando, parecía muy contento. Mucho más contento que diez minutos antes, notó Nella, como si se hubiera encendido un interruptor en su interior.

Nella desechó el pensamiento, intentando no perder la concentración en la tarea que tenía entre manos: *Gánate a Jesse. Consigue que quiera trabajar contigo. Márchate de Wagner.*

—Jesse, en general comenzamos este tipo de reuniones contándoles a los posibles autores un poco sobre lo que cada uno de nosotros hace aquí en Wagner —empezó Amy, entrelazando las manos frente a ella—, pero Richard y yo estuvimos hablando antes y pensamos que es mejor que comiences tú. ¿Te gustaría hablarnos un poco sobre la razón por la que estás aquí hoy?

Jesse asintió y se humedeció los labios como Nella lo había visto hacer innumerables veces en la pantalla.

—Por supuesto. Como ya sabréis, este último año he evitado ser el centro de atención. Todo se había vuelto demasiado abrumador. Las noticias, la política, los tuits… Era demasiado. Me pareció apropiado tomar un descanso.

—¿Lo hiciste por alguna razón en particular? —le preguntó Nella con curiosidad—. ¿Hubo algún momento clave?

—Nell, tal vez deberíamos dejar que terminase. ¿No?

Cuando Nella miró a su jefa, notó que la sonrisa de Vera era demasiado forzada.

—Sí, tienes razón —dijo, avergonzada—. Por supuesto. Lo siento.

—No pasa nada. Uhm, bueno... ¿Por dónde iba?

—Querías tomarte un descanso —le recordó Richard, fulminando a Nella por el rabillo del ojo.

—Sí. Pensé en tomarme un descanso. Y un día, estaba sentado en un parque sin hacer nada cuando se me ocurrió una idea para un libro. Para una novela gráfica, en realidad.

La idea era tan estrambótica que incluso Raúl, el becario de Amy, se irguió en su asiento.

—¿Una novela gráfica? —preguntó con curiosidad.

Jesse asintió.

—Una novela gráfica.

Al ver que nadie reprendía a Raúl por hablar fuera de turno, Nella exclamó, esperanzada:

—¡Eso suena genial! ¿Una especie de *Persépolis* socialmente concienciada que muestre los orígenes del movimiento *Black Lives Matter*?

El gurú de las redes sociales la miró y parpadeó varias veces.

—No —dijo finalmente—. Eso no.

Nella volvió a mirar su cuaderno, repasando los términos que había escrito.

—¿Brutalidad policial? O quizás el transporte público, las viviendas sociales, la sanidad...

—No estaba pensando en escribir sobre ninguna de esas cosas. Quiero hacer algo más positivo, algo con dos protagonistas que procedan de mundos diferentes. Diferentes orígenes. Uno súper relajado; el otro como súper nervioso. Pero se unen por una razón concreta... ¿tal vez podrían ser polis? Y aprenden uno del otro, a pesar de sus diferencias.

—A ver si lo he entendido. ¿Quieres escribir una especie de... adaptación en novela gráfica de *Arma letal*?

Jesse sonrió.

—Mel Gibson es mi héroe.

—¿En *serio*? —le preguntó Nella, demasiado desconcertada para ocultar su decepción.

Richard se aclaró la garganta.

—Nella...

—Es que es demasiado *raro*, eso es todo.

—¿Qué tiene de malo Mel Gibson? —preguntó Vera.

—Nella, no creo que debamos obligarlo a hacer algo que no quiere —dijo Hazel al mismo tiempo—. ¿Verdad, Jess?

—Gracias —dijo Jesse.

Nella ladeó la cabeza.

—Pero... ¿Estás...? ¿Estás seguro? ¿Crees que aquí, en Wagner, no tenemos las herramientas adecuadas para ayudarte a poner en palabras lo que de verdad te gustaría escribir? Porque, si se trata de eso, estamos perfectamente equipados para ayudarte a escribir algo contundente que podría ganar algunos premios...

—A ver... Si queréis, podemos hablar de *algunos* temas políticos hoy —dijo Jesse, levantando las manos—. Pero no quiero que ese sea el tema central de mi libro.

—Oh. De acuerdo.

Nella miró su cuaderno con los ojos entornados, sin saber qué pensar de aquello. Había pasado las últimas semanas imaginando cómo sería conocer a Jesse Watson. Había barajado todos los escenarios posibles, como si fueran las cartas del tarot: diva arrogante; hippie negro; fumeta total. Pero ninguna de aquellas personalidades era visible en la persona sentada frente a ella. Jesse parecía desvaído. Diferente. Y no solo por sus nuevas gafas con montura transparente que Nella no le había visto usar en ninguna foto o vídeo. Parecía más limpio, más ordenado. Su barba, que recordaba menos discreta y más rastafari, ahora estaba perfectamente recortada; los pequeños rizos que solía llevar ya no estaban en su cabeza. Ahora llevaba el cabello peinado, liso y solo un poco brillante. Estilizado.

Nella tragó saliva, y de repente comprendió, fue consciente de la fuerza magnética que hacía que girara la cabeza hacia Hazel. Era lo último que quería hacer, pero no tenía otra opción. Inspiró tres veces, lenta y profundamente. Luego, levantó los ojos de la mesa para mirarla. Lo que vio era justo lo que esperaba: una arrogante expresión de triunfo.

Nella comenzó a toser, de nuevo con la boca seca.

—Uhm —dijo, levantándose—. ¿Os importaría... disculparme un momento? Tengo que...

—Adelante, Nella —dijo Richard.

Vera ya estaba preguntándole a Jesse por sus libros favoritos cuando Nella se marchó apresuradamente. Se detuvo apenas lo suficiente para oírlo decir, casi con indignación:

—*La broma infinita.*

Se escuchó un grito de aprobación. Richard. Eso fue lo único que se necesitó para empujar a todo el mundo a un frenético gallinero de consenso, y los chillidos persiguieron a Nella por el pasillo.

Nella miró su reflejo en el espejo del baño, sobre el lavabo, tratando de hacer un inventario de lo que veía. La melatonina que había ingerido la noche anterior la hacía sentirse más descansada de lo que se había sentido en semanas. La chaqueta quedaba bien con los pendientes de ópalo que su padre le regaló para celebrar que hubiera conseguido trabajo en Wagner. Incluso sus rizos parecían más elásticos, saliendo en todas direcciones de su cabeza de manera ordenada e hidratada.

Pero todo parecía ir mal.

Abrió el grifo y comenzó a llenarse las palmas con agua fría. Las duchas frías normalmente no eran lo suyo, pero su frente húmeda encontró consuelo en el líquido. Le sentó bien una segunda vez, así que lo hizo una tercera. Se dirigió al dispensador de papel, con las gotas de agua nublando su visión, cuando sintió que algo le rozaba la cadera.

—Aquí tienes.

Nella parpadeó un par de veces. Cuando abrió los ojos se encontró con Hazel, con los ojos muy abiertos, sonriendo y sosteniendo un montón de papel.

Volvió a mirar el papel, el brillo cómplice de sus ojos y de nuevo el papel.

—Toma. Tienes la cara empapada.

Nella miró el papel con recelo.

—Gracias —dijo finalmente, secándose la cara.

—De nada. —Hazel se acercó al lavabo y lo inspeccionó antes de apoyarse contra él—. ¿Qué pasa, Nell? Parecías muy nerviosa en la reunión.

—Estoy bien.

Hazel la miró de arriba abajo. Nella le devolvió el gesto, notando que Hazel también se había decidido por una chaqueta para la reunión con Jesse, la misma chaqueta azul que había visto en su dormitorio la noche anterior.

—Ya sabes… Llevaba mucho tiempo esperando esta reunión. Y sé que tú también. Esa es la única razón que se me ocurre para que sigas aquí.

Nella se quedó rígida.

—¿Qué quieres decir?

—Quiero decir que no habrías venido hoy a trabajar si no hubieras querido hincarle el diente a Jesse Watson.

—¿Qué? —preguntó Nella, fingiendo ignorancia, aunque *por supuesto* ese había sido el plan que Malaika y ella habían ideado la noche anterior: conocer a Jesse. Enseñarle todo lo que Nella tenía en su teléfono. Marcharse de Wagner con Jesse sin mirar atrás—. ¿Por qué no iba a venir a trabajar hoy?

—Creo que estoy siendo muy amable. Déjame expresarlo de esta manera. —Hazel se cruzó de brazos—. Hoy no deberías haber venido a trabajar, Nella. Deberías haber renunciado. Ya no te necesitamos aquí.

Nella abrió la boca para protestar, pero Hazel añadió:

—Y no, Richard en realidad no te valora. Eso era mentira. Solo te estaba diciendo lo que tú querías oír. Te ha estado reteniendo aquí para vigilarte. Y, además, ahora que sabe que lo sabes…

—¿Sabe que sé qué?

—Basta —gruñó Hazel—. No te hagas la tonta. No actúes como si no lo supieras. Estuviste fisgoneando en mi habitación. ¿Crees que soy estúpida? En serio, ¿después de *todo* este tiempo? —Resopló—. *Quería* que encontraras esos documentos. Quería que los encontraras porque quería saber qué harías. Quería saber qué decisión tomarías. Y aquí estás.

Nella se sentía humillada. Se le revolvió el estómago mientras contemplaba su próximo movimiento, pero no tuvo tiempo de reaccionar. De repente, Hazel se abalanzó sobre su cara y le clavó una uña en la clavícula. El fuerte y abrumador olor de la manteca de cacao le quemaba las fosas nasales.

—Sé que fue un movimiento arriesgado por mi parte, porque podrías haber abierto la boca y contárselo a Shani. Pero ya nos ocupamos de eso. Y, antes de que *pienses* siquiera en decírselo a alguien... —gruñó Hazel. Su voz suave y dulce se había convertido en algo completamente irreconocible—. Nadie te creerá. Todo el mundo pensará que estás loca.

—Y yo estaría de acuerdo con ellos —dijo Nella, llevándose una mano a la sien. Había demasiadas cosas dando vueltas en su cabeza, demasiadas cosas que quería saber, pero estaba muy aturdida como para preguntar algo, además de—: ¿Esas chicas estuvieron de acuerdo?

Hazel aún no se había apartado, así que Nella pudo ver el pequeño movimiento de asombro abrirse camino hasta el piercing de su ceja.

—Las chicas. Las de tu lista. ¿Todas querían formar parte de... lo que sea que sea esto?

Hazel estudió a Nella con tanta concentración, con tanto odio, que Nella estaba segura de que la abofetearía. Pero, después de un largo, largo momento, parpadeó.

—Qué pena —dijo, pensativa.

—¿Qué?

Hazel se rio.

—Qué pena que Shani no tuviera tiempo de ponerte al corriente.

Nella resistió la tentación de protegerse mientras Hazel buscaba su bolso y sacaba dos frascos: uno azul brillante, el otro rosa fucsia.

Manteca para el cabello.

—Esto lo es *todo* —dijo Hazel. Sus movimientos se volvieron de repente un poco histriónicos, como si alguien hubiera tomado el mando a distancia y hubiera cambiado de canal a la teletienda. Lo que era extraño, ya que Nella aún podía sentir su uña en la clavícula—. Podríamos llamarlos... lubricantes sociales. Recuerdas este, ¿verdad? Suavecito. Claro que lo recuerdas, has estado usando esta cosa desde que te la di en Curl Central... Pero no lo suficiente, me parece. Por suerte, te apliqué en el cabello anoche. Hoy estás muy guapa, por cierto —añadió, guiñándole el ojo.

Nella miró el frasco con curiosidad, pero no lo tomó.

—Y este rosa, Adiós Manías... Puede que te dé este. Solo se utiliza un pellizco, solo un poco. Este ayuda a mantener tu esencia. Tu espíritu negro. Es opcional. No a todas las chicas les merece la pena usarlo, pero es bueno tenerlo a mano en situaciones como esta reunión con Jesse.

—Ve más despacio —le pidió Nella, encontrando por fin su voz—. ¿Lubricantes sociales?

—Sí. El contenido de estos frascos es indispensable —le contó Hazel—. Te ayudan a estar más dispuesta a trabajar con y para blancos. Pero lo mejor es que evitan que te sientas mal por hacerlo. No sentirás que estás renunciando a algo. No sentirás que te estás «vendiendo». No tendrás que actuar de un modo en público y de otro en privado. Esto adormece tu corteza prefrontal ventromedial, pero también te ayuda a aprovechar el tiempo más que antes. ¡No te estresas! Al adormecimiento no lo notarás demasiado. Podría ser peor; me han dicho que la fórmula original picaba horriblemente y te convertía en una idiota balbuceante.

—Nada de esto tiene sentido —dijo Nella.

—He conseguido ganarme el favor de más gente en dos semanas que la mayoría de la gente, negra o no, en un año. Ya no necesito pasar todo mi tiempo libre haciendo esfuerzos extra. Y sigo dirigiendo la iniciativa Jóvenes Negras Literarias.

—Pero aunque todo eso lo provoque un producto para el cabello, estás renunciando a ser quien eres —dijo Nella en voz baja, aunque al mismo tiempo pensaba que ella no estaba segura de *quién* era. Había muchas cosas para las que nunca tenía energía (muchas interacciones sociales en las que había metido la pata terriblemente), porque Wagner le había robado la confianza y la seguridad en sí misma.

—¿Y eso qué importa cuando no sabes quién eres? ¿Cómo es el dicho? Si un árbol cae en un bosque y no hay nadie para verlo, ¿qué más da? Algo así.

—¿*Qué importa?* —repitió Nella, riéndose—. Estás de broma, ¿verdad? Tu abuelo… —Se detuvo cuando Hazel empezó a reírse, pero continuó—: Cualquier persona mayor que nosotras se decepcionaría al descubrir tu existencia. Que algo como *esto* existe.

—No. Nos tendrían *envidia*. Piensa en lo mucho que podrían haber logrado, Nella. No habrían tenido que sentir todo ese dolor…

—No has respondido a mi pregunta sobre Camille, Ebonee y las demás. Sobre si saben lo que está sucediendo en realidad.

—Ebonee habría sido becaria en *Paris Review* un año más, quizá dos. Esto le ha venido bien. Ella lo sabe. Algunas de las otras también lo saben. Pero a otras muchas se las envían a Dick, que después me las envía a mí y a otras chicas negras para que las arreglemos. Con el tiempo, empieza a gustarles. Créeme.

—Entonces, eso es un «no». ¿No te parece un poco jodido? ¿Cambiar a estas chicas sin su consentimiento? ¿Sin su… consentimiento sobrio? —le preguntó Nella, a falta de una palabra mejor.

Hazel se encogió de hombros.

—Lo que no saben no les hará daño.

—Lo que no saben perjudicará al resto de las personas negras que no están haciendo lo que tú haces. Y perjudicará también al resto del mundo, si empiezan a pensar que todas somos negras felices y obedientes que preguntan «¿Hasta dónde?» cada vez que alguien nos pide que…

—Sin embargo, ya *creen* que todas somos Mujeres Negras Fuertes —la interrumpió Hazel—. Si van a creer ese estereotipo, y si vamos a seguir alimentando ese estereotipo, entonces también podríamos…

Nella fue la que interrumpió esta vez.

—¿Cómo vamos a cambiar *algunos* de esos estereotipos, de esos problemas, si no *sentimos* de verdad todo aquello que el mundo nos lanza? ¿Quiénes seremos, como pueblo, si no… si no…?

Hazel estaba mirando a Nella de arriba abajo, pero esta vez estaba claro que no le gustaba lo que estaba oyendo.

—¿Si no *qué*, Nella? ¿Si no sufrimos? ¿Eso es lo que quieres? ¿Agotarte? ¿Sentirte desgastada por cada microagresión que experimentas en la oficina y por cada injusticia que ves en las noticias? ¿Es ese el tipo de cosas que te hacen sentir *tú*? Lo que te estoy ofreciendo es una oportunidad de formar parte de algo que te permitirá liberarte y llegar más lejos.

Nella se rio.

—Bueno, pues no lo quiero.

—Sí, lo quieres. *Sé* que lo quieres, Nella.

—No, no lo sabes.

—Sí, lo sé. Lo *entiendo*.

Nella sabía que esas dos palabras y la expresión seria de Hazel eran solo un farol. Una estratagema. Pero cuando intentó zafarse de aquel dejo de solidaridad negra, sintió un golpe en la parte frontal de su cerebro, como si estuviera intentando subir por una pared de ladrillos con un coche, chocando contra ella una y otra y otra vez.

—Crees que estás por encima de lo que yo hago. Pero yo sé que lo deseas —continuó Hazel, inflexible—. Todo lo que hice, lo hice porque también lo deseaba. Siempre lo he deseado. Mírate, Nella. Sabes que es cierto.

Nella se negó a mirarse en el espejo.

—No somos iguales —dijo, mirando fijamente a Hazel—. *Yo* tengo convicciones. Yo expreso mi opinión. Yo no excluyo a otra gente negra. Tú solo eres una...

Nella se detuvo, no porque se sintiera incómoda diciéndoselo a la cara sino porque el dolor había regresado, aunque esta vez el coche se había transformado en un camión articulado. Le dolía tanto que su campo de visión se tiñó de un rojo brillante y cegador.

—¿Una qué? —le preguntó Hazel, con una sonrisa—. ¿Una traidora?

Nella se llevó una mano a la cabeza, tratando desesperadamente de ordenar sus pensamientos. No funcionó.

—Lo has dicho tú, no yo —dijo, mareada.

—A veces tenemos que serlo para conseguir lo que queremos. Mierda. *Mira*.

Señaló la pared de baldosas blancas que Nella estaba usando para mantener el equilibrio, aunque estaba claro que se refería a todo el tiempo que Nella había trabajado sin obtener un ascenso. Al tiempo durante el que no le habían permitido editar. Todo ese tiempo, superado en un par de meses por una versión de ella más molona, más brillante y aparentemente más negra.

—Has trabajado mucho durante mucho tiempo —continuó Hazel—. ¿No quieres simplemente descansar? ¿Que todo sea más fácil? —comenzó a hurgar en el bolso negro que colgaba de su hombro.

—No estoy...

El dolor de cabeza de Nella estaba empeorando; podía escuchar las pulsaciones en sus arterias, bombeando sangre al cerebro, retumbantes como un bombo. Pero aunque sentía la sangre moviéndose, viajando por sus venas, algo no parecía estar bien. Estar de pie no parecía estar bien. De repente fue consciente de lo lejos que estaba el suelo... demasiado lejos, en realidad, para hacerse a la idea de derrumbarse en él.

—No... No puedo...

Hazel extendió la mano. Tardó años en posarse sobre el hombro de Nella, pero cuando finalmente lo hizo, sintió como si la quemara hasta la médula.

—Sí puedes. Deja de luchar contra la corriente, Nella. Cuando dejes de luchar, cuando permitas que esta ola te cubra, te darás cuenta. Te inundará tan rápido que ni siquiera lo sentirás. No sentirás el dolor, la supremacía blanca. Leerás esos artículos, verás las imágenes de la policía e irás a trabajar a la mañana siguiente sin sentir que otra parte de ti ha muerto. El pesado yunque del trauma genético que lleva tantos años atado a tu tobillo... desaparecerá. Nadarás hasta la superficie y serás libre. Serás *tú*. Esto es la Magia Negra en su forma más pura. Solo dime que sí. Eso es lo único que tienes que hacer.

Jadeando, Nella articuló un silencioso *no*.

—¿No quieres tener éxito, Nella? ¿No quieres liberarte?

Sí, dijo una voz en su interior. Pero esa voz sonaba demasiado insignificante, demasiado apagada para ser la voz de Angela. ¿Cuándo *fue* la última vez que oyó la voz de Angela?

—Yo...

—Solo un «sí». Eso es todo lo que necesito. Solo un «sí» y se detendrá. Lo prometo.

—Sí —susurró Nella al final—. Sí.

Estaba agotada, como si alguien la hubiera levantado y la hubiera estrujado. Aun así, se sintió mejor cuando el aire terminó de atravesar sus incisivos superiores.

—Bien. —Hazel miró a Nella con la cabeza ladeada—. ¿No te sientes mucho mejor ahora?

Nella asintió suavemente. Se sentía vulnerable, como si acabara de hacerse su primera citología vaginal y no hubiera sabido cuán invasiva sería.

—Espera —dijo Nella, recordando en ese momento las palabras que Hazel había dicho un minuto antes—. ¿Qué has querido decir con «has estado usando esta cosa desde que te la di en Curl Central»?

—Te di un tarro de Suavecito en el recital poético de las Jóvenes Negras Literarias del mes pasado, y lo has estado usando desde entonces. Quiero decir... ¿No fue por eso por lo que te disculpaste con Colin Franklin? Ya has cambiado.

Comenzaba a sentirse mareada. Se sujetó al lavabo para mantener el equilibrio, intentando recordar cuándo había usado Suavecito. Entonces se acordó de la pizca que se había aplicado allí, en el baño de Wagner, y de lo poco que le había gustado. Prefería cómo se disolvía en la raíz el Brown Buttah. Irónicamente, Suavecito le había parecido poco suave; le dejó grumos blancos en el cabello que no consiguió disolver, por mucho que lo intentó. Además, el Brown Buttah también olía mejor, más sutil. Menos intenso, menos químico.

Estos pensamientos debieron reflejarse en su rostro, porque una sonrisa victoriosa se apoderó de la cara de Hazel.

—Espera. No lo *has* estado usando, ¿verdad? —Se rio—. ¡Yupi! ¡Habías empezado a cambiar sin ayuda! Qué emocionante.

—Yo... no. Yo sigo siendo...

—Afróntalo, Nell. Renunciaste a tus convicciones hace mucho tiempo —susurró Hazel. Señaló el reflejo de su compañera en el espejo—.

Mírate y piensa en ello. ¿De verdad has sido tú misma en estos últimos meses?

Esta vez, Nella se atrevió a mirarse al espejo. Lo que vio fue alguien que no había revisado Facebook en semanas, algo que no era muy inusual. Pero también vio a una chica que no recordaba cuándo fue la última vez que compartió un enlace en Twitter sobre cualquier problemática negra. Habían pasado semanas, quizá meses. Vio a una chica que había rechazado la invitación de su novio para asistir a la proyección de un documental sobre encarcelamientos injustos en el BAM, poniendo como excusa que tenía demasiado trabajo.

Se apartó de la pared, acercándose al lavabo una vez más. Una mirada más atenta le reveló a alguien que apenas veía a su mejor amiga y que, las pocas veces que lo hacía, hablaba sobre su trabajo en lugar de hacerlo sobre el vídeo del adolescente puertorriqueño que recibió ocho disparos en la cara después de que el dueño de una tienda lo acusara injustamente de robar; en lugar de hacerlo sobre el presidente de esa empresa de la lista Fortune 500 que fue expulsado la semana anterior cuando se reveló que se había disfrazado de negro en una fiesta mientras Obama todavía era presidente. Solo sobre su trabajo.

Pero quizá lo más revelador, el clavo en el ataúd de su irresponsabilidad, fue haber sido la chica que no le había enviado a Kendra Rae Phillips ni una sola prueba de que Hazel y Richard Wagner estaban jugando sucio, a pesar de tenerlas. A pesar de estar en posesión de la llave que liberaría a Kendra Rae de su encierro.

Nella miró a Hazel. Seguía contemplándola con los ojos entornados, como si viera todo lo que ella estaba viendo.

—No lo sé —gimió Nella, secándose una lágrima.

Ante eso, Hazel frunció el ceño con lástima. En su semblante no solo había tristeza, sino el conocimiento de que podía rescatar a Nella del agujero en el que se encontraba, si ella se lo permitía. Temblando, Nella le devolvió la mirada. Debería pensar en sí misma (*¿Qué iba a hacer? ¿Quién iba a ser?*), pero en lugar de eso estaba pensando en los años que Hazel había pasado haciendo aquello. ¿Hazel habría elegido convertirse, o la habrían manipulado igual que a ella?

No recordaba haberlo preguntado en voz alta, pero debió hacerlo porque Hazel asintió con seguridad.

—Yo también fui una «involuntaria». ¿Por qué crees que me sacaron de Boston y te asignaron a mí, Nell? Ya te he dicho que somos iguales. Yo te *conozco*. Querías llevarte bien con todo el mundo, igual que yo. No te derrumbaste, ni siquiera cuando te aniquilé públicamente. Me dijeron que eras dura e inteligente, y es verdad. Lo estoy viendo ahora. Tú entiendes de dónde vengo. Me entiendes. Lo sé.

Era difícil saber si la confianza que siempre había emanado Hazel era artificial, algo que el Suavecito le había inculcado, o si era un impulso que había tenido dentro desde el día en que descubrió que no sería suficiente que fuera a la universidad, que sacara buenas notas, que la contrataran. Que no sería suficiente que acudiera a trabajar, que usara la ropa adecuada. Tenías que tener la mentalidad correcta. Tenías que *vivir* esa mentalidad. Ser la mejor amiga de todo el mundo. Ser descarada. Ser confiada, pero también respetuosa. Ser espiritual, pero manteniendo los pies en la tierra. Estar despierta, pero con una parte del sueño aún en los ojos.

—Respira, Nell —la arrulló Hazel—. Respira.

Nella asintió. Llevaba mucho tiempo sin respirar.

—Bien, bien. Ahora toma esto. Te será útil cuando empieces a trabajar en una nueva editorial.

—Pero ¿por qué tengo que irme? —se escuchó gemir a sí misma.

Hazel se encogió de hombros.

—Porque solo puede haber una de nosotras por oficina. Así nos garantizamos los mejores resultados. —Tiró de una de sus rastas—. Bueno, ¿por dónde iba? Oh, sí. También te recomiendo que uses esta manteca durante una semana o dos antes de tu primer día. Tardará un poco en asentarse. Sobre todo porque no te la has estado aplicando —agregó.

Nella debió asentir, porque Hazel dio una palmada e inclinó la cabeza igual que Amy. Una satisfacción desenfrenada danzó por su rostro.

—No será una transición sencilla... aunque tampoco tan mala como podría ser. Deberíamos volver a la reunión —dijo Hazel con una sonrisa, recordándole sus primeros días allí—. Luego seguiremos hablando. ¿Te parece bien? Quizás incluso podríamos pedirle a Jesse que te diera algunos consejos.

Jesse.

«Ya he ganado», podría haber dicho Hazel unos minutos antes en la reunión. «Y no puedes hacer nada al respecto». Nella había pensado que eso significaba lo que ya sospechaba: que el gurú de las redes sociales no iba a escoger a otro editor que no fuera Hazel. Su cabello brillante, su nueva conducta dócil... Él ya no estaba.

Pero Jesse parecía más feliz. Incluso parecía... más libre.

¿Cuándo fue la última vez que Nella se sintió libre? ¿Real, verdadera y completamente libre? No podía recordarlo. ¿Fue cuando se cortó el cabello? ¿Cuando se mudó a Brooklyn? ¿Cuando se graduó en la universidad y se dio cuenta de que nunca más tendría que regresar al sur?

No. No fue ninguna de esas veces.

Mientras se miraba al espejo una última vez se dio cuenta, con gran tristeza, de que la respuesta era *nunca*.

Epílogo

Enero de 2019
Scope Magazine
Portland, Oregón

¿Qué significa esto para el resto de nosotras? ¿Para aquellas que jugamos limpio, para las que llegamos las primeras y nos vamos las últimas? ¿Para aquellas que hacemos el trabajo pesado, que nos ocupamos de la casa y de los cuidados armadas solo con nuestra dignidad?

Significa, hermanas, que debemos concentrarnos en nuestro objetivo. Debemos unirnos. Y debemos seguir resistiendo.

Pulsé GUARDAR y me recliné en la silla. Tenía buena pinta; no solo el último párrafo, sino todo el trabajo. Me había arrancado el alma y la había introducido en cada oración de aquel artículo. Y por fin estaba lista para que otro lo leyera.

Abrí un nuevo correo electrónico, mirando primero el reloj y después el cristal oscuro en la mitad superior de la puerta de Gwen. Todavía tenía tiempo de enviarle este artículo sobre las OCN y de tomarme un pequeño descanso para leer antes de comenzar a investigar para mi próximo trabajo. «O Gwen le dará prioridad a este artículo y le asignará el reportaje sobre café a algún otro novato», fantaseé mientras mis dedos volaban sobre el teclado. Si Gwen llegaba durante la próxima hora, lo tendrían corregido para las cuatro y haríamos una ronda o dos de revisiones hasta las seis; entonces Ralph, del área Legal, revisaría mis pruebas y, si les daba el visto bueno, el artículo estaría disponible online a las cinco de la mañana, justo a tiempo para los necesitados de material de lectura en su camino al trabajo.

Sonreí mientras adjuntaba el archivo al correo electrónico con un par de clics. La comunidad negra de Twitter se volvería *loca* cuando esto saliera a la luz. La NAACP, la Asociación Nacional para el Progreso de las Personas de Color, seguramente daría una rueda de prensa; CNN, un especial en *primetime*. Jesse Watson lo aprovecharía al máximo; esto probablemente sería suficiente para sacarlo de su retiro. Y en todos los espacios laborales de Estados Unidos estallaría el escándalo. Durante un periodo, tal vez años, los negros no sabrían en quién confiar. Sería duro. Pero las cosas se arreglarían solas con el tiempo. Mientras tanto, puede que mi carrera se encauzara *por fin*. No tendría que hacer más mierda de novatos, no tendría que demostrar mi valía. Cuando este artículo se hiciera viral, sería famosa, iría a todo tipo de programas de televisión y pódcasts y...

Sería famosa. *Mierda*.

Mi cursor se detuvo sobre el botón de ENVIAR mientras la lenta y constante sensación de la inminente aniquilación de la humanidad se extendía hacia mi muñeca. Cuando presionara ENVIAR, no habría vuelta atrás. Todo saldría a la luz, independientemente de si Gwen decidía publicarlo o no: capturas de pantalla de conversaciones, un registro de avistamientos de Nella. Fotos, incluso; un selfi que subí a mis historias de Instagram segundos antes de que Eva me abrazara en Pepper's, recortada para encajar junto a la fotografía que le saqué en Rise & Grind. Un relato punto por punto de cómo había logrado escapar de todo aquel asunto de las OCN sin que ninguno de los dos lados, ni Lynn ni Hazel, descubrieran mi paradero. El artículo estaba sazonado con pruebas innegables que se suponía que debían permanecer ocultas porque, como Lynn siempre nos recordaba: «Precipitarse es peligroso. Necesitamos tener pruebas absolutas y definitivas. De lo contrario, creerán que estamos delirando».

Lynn tenía razón. Pero ella no fue la razón por la que no presioné enviar inmediatamente. Lo fue Kendra Rae. *Ella* los convenció para que me dejaran marchar. «Si nos dejas en paz, nosotros te dejaremos en paz», había prometido. «Todo permanecerá en secreto». Se lo debía, y por ella mantendría la boca cerrada y esperaría más instrucciones.

Pero habían pasado tres meses. ¿Dónde *estaba*?

Cerré los ojos. Podían haber pasado muchas cosas en tres meses. A Kendra Rae le ocurrieron muchas cosas en menos de ese tiempo. La última vez que la vi, parecía lista para abortar la misión de Lynn.

—Es muy tarde para detener a Diana —me dijo después de que nuestro chófer de Uber me preguntara en qué aerolínea viajaría—. Lleva en esto mucho tiempo y no creo que la Resistencia pueda tomarle la delantera. Una vez que la caja de Pandora se ha abierto, ya no puede cerrarse.

—Le mostraremos al mundo lo que ha salido de ella —le dije—. Mentiste a las OCN sobre lo de mantenerlo en secreto, ¿no?

—No —dijo Kendra Rae—. Bueno… no exactamente. Tenemos que permanecer calladas durante un tiempo. Dejar que esto pase. Mantendremos un ojo en las Hazel del país, las veremos subir a la cima. Cuando eso suceda… les cortaremos el suministro.

Sonaba demasiado obvio. Demasiado *fácil*.

—¿En serio? ¿Qué piensa Lynn?

—Lynn no forma parte de este plan —dijo Kendra Rae con firmeza—. Ella pudo haber hecho más para evitar que se llevaran a Nella, pero no lo hizo.

No estaba segura de estar de acuerdo con eso. Me moví incómodamente en mi asiento mientras tomábamos el carril que nos conduciría a SALIDAS y un avión que despegaba aparecía en mi sucia ventanilla.

—¿Cómo les cortaremos el suministro si Diana está metida en el ajo? Y no creo que Richard Wagner vaya a…

—Conozco a otra persona. Confía en mí.

—Pero Lynn…

—Lynn iba a dejarte allí —me contó—, y si te soy sincera, no la habría culpado. Lo que hiciste fue una estupidez.

Abrí los ojos y miré el correo electrónico. Me golpeé el dedo ligeramente con el ratón. Si presionara ENVIAR, explotaría todo. Podría conseguir detectives de verdad para que no tuviéramos que seguir jugando a Carmen Sandiego. Esto podría terminar con todo.

O podría abrir un nuevo capítulo, uno que me involucrase. Este artículo podría estropear no solo lo que Kendra Rae estaba planeando, sino también mi nuevo comienzo. ¿Realmente iba a poner en peligro mi flamante trabajo por algo que no estaba garantizado al ciento por ciento? ¿Realmente iba a aceptar órdenes de alguien que no tenía en cuenta mis intereses? ¿Otra vez?

Todo mi peso se trasladó a mi dedo índice, por propia voluntad o por intervención divina. No lo sabía, pero no importaba.

El mensaje había sido enviado.

Y me sentó bien. Tremendamente bien. Tan bien como acelerar en una autopista vacía con las ventanillas bajadas y el TLC a todo volumen.

Acababa de abrir una búsqueda y de escribir el nombre de Hazel para confirmar que seguía en Nueva York trabajando en Wagner, cuando escuché el silbido de una notificación de correo electrónico: *Error de entrega.*

—¿Qué? —murmuré, comprobando otra vez la dirección de correo. Había contestado a una nota entusiasta que Gwen me había enviado como respuesta a mi presentación de unos días antes: *¡Guau! Qué locura. Prepárate para proporcionar un poco más de material para las referencias cruzadas, pero creo al 100000.00 % que esto te sucedió a ti (#YoCreoalasMujeresNegras!). Me muero de ganas de saber qué vas a hacer con esto. xo.*

Levanté la barbilla una vez más. La luz de Gwen seguía apagada. No había entrado silenciosamente, como hacía a veces cuando no tenía ganas de hablar con nadie. Estaba considerando otras razones por las que podría llegar tarde cuando Reagan, una mujer vivaz con piercings dérmicos en la mejilla derecha, pasó a mi lado. Me miró y después miró el despacho de Gwen.

—No lo sabes todavía, ¿verdad? —gritó, encantada.

Cuando Gwen me presentó a todo el mundo un par de meses antes, Reagan me dio un fuerte abrazo y gritó: «¡Por fin! Ya era hora de que cambiásemos nuestra imagen». Parecía más emocionada ahora que entonces.

—¿Qué tengo que saber? —le pregunté, mordiéndome la mejilla.

—River me dijo esta mañana que una de esas revistas para cerebritos ha dado a Gwen la oportunidad de estudiar el efecto de la histeria alimenticia colectiva en el público estadounidense —le explicó Reagan con arrogancia, como si ella misma hubiera recibido la oportunidad—. Leíste el artículo sobre el asesinato en Alabama por un bocadillo de pollo frito, ¿verdad?

Una oleada de calor subió por mi espalda y me envolvió el cuello.

—¿Qué? ¿Cuándo?

—Es difícil de decir, siempre mezclo a las víctimas relacionadas con bocadillos. Creo que el de Alabama ocurrió en...

—No. ¿Cuándo se enteró Gwen de eso?

—El viernes por la noche, al parecer. Hizo las maletas el fin de semana y dicen que ya está en Missouri.

Pensé un momento en aquella explicación.

—¿Cuándo volverá? —le pregunté amablemente.

—No está claro. Ni siquiera sabemos *si* regresará. Lleva años intentando trabajar en una publicación nacional, y ya no es tan joven —susurró Reagan.

Gruñí.

—*Mierda*. Qué mala pata. Acabo de terminar un artículo realmente importante que quería que revisara... ahora.

—Oh, vaya... Qué mala suerte. Pero ¡no te preocupes! —dijo Reagan, dándome unas palmaditas en el brazo—. River dice que ya han contratado a una editora provisional para que ocupe el lugar de Gwen. De hecho... *¿podría ser esa?*

Mis ojos siguieron a los de Reagan. Una joven negra entró desde el aparcamiento que había junto a la oficina. Llevaba una bolsa de tela en una mano y una taza de café en la otra; ya había pasado junto al ficus y el escritorio vacío del editor de Política, y ahora caminaba junto a la impresora, con el cabello corto y brillante y los ojos fijos en Reagan y en mí.

—¡Genial! Otra... —Reagan me miró y se contuvo—. Persona *joven*.

No dije nada. Estaba demasiado ocupada examinando el paso largo y seguro de aquella mujer. Caminaba directamente hacia nosotras, con demasiada confianza para ser su primer día, como si aquello le perteneciera. Como si los diez centímetros del tacón de sus zapatos no fueran para tanto, unos zapatos que nunca antes la había visto utilizar.

Y su cabello… Oh, su *cabello*. Fino y del color de las almendras tostadas. Cortado por encima de los hombros con un estilo asimétrico, perfecta y dolorosamente elegante.

—Chicas —dijo, pasando los dedos en forma despreocupada por la parte de atrás de lo que solo podía ser una peluca de malla fina—. Hola. ¿Qué tal estáis esta mañana? Soy Delilah Henson, la sustituta temporal de Gwen.

Reagan respondió con cordialidad. Yo murmuré una respuesta mientras examinaba sus cejas pintadas, su piel maquillada. El saludo trajo consigo un olor empalagoso y nauseabundo.

—¿Podríais decirme dónde está el despacho de Gwen?

Me estaba mirando a mí, pero yo había vuelto a concentrarme en el correo electrónico que no había logrado enviar. Era lo único que me mantenía anclada a mi silla. *Su correo electrónico no fue entregado porque la dirección de correo electrónico no existe.*

Reagan señaló la pequeña placa de metal donde estaba grabado el nombre de Gwen.

—¡Has venido al lugar correcto! Es justo ahí.

—Perfecto. —La mujer levantó su taza de café en agradecimiento—. Y, disculpa, una pregunta más, ¿podríais decirme dónde se sienta Shani Edmonds?

Reagan me señaló antes de que pudiera decirle que no lo hiciera.

—*Ella* también está justo aquí.

—¡Excelente! Shani, tenemos *mucho* de qué hablar. Gwen me mencionó que has estado trabajando en un artículo *muy* importante que planeabas terminar hoy. *Odiaría* que se perdiera en la transición.

—¡*Mírate*, ya estás trabajando duro! —dijo Reagan, con admiración—. Me iré para que podáis conoceros, pero, Delilah, ¿quieres que almorcemos juntas? ¡Me encantaría charlar contigo un poco más!

—¡Por supuesto! A mí también me gustaría. Dime hora, fecha y lugar y allí estaré, cielo.

Y entonces nos quedamos solas.

Tragué saliva mientras la miraba de nuevo. Sus dientes brillaban con un tono imposible de blanco; sus ojos, que eran tan oscuros y brillantes como su cabello, ocultaban la veracidad de su sonrisa. Entonces habló, con un tono pulido y practicado que me resultó demasiado familiar.

—Bueno, Shani, cuéntame… —Nella se acercó un poco más y me puso una mano fría en el hombro—. ¿Qué tal van las cosas por aquí? Puedes ser sincera conmigo, hermana.

Agradecimientos

Hay muchas personas sin las cuales este libro no hubiera sido posible. Primero, estoy enormemente agradecida al increíble equipo que me ayudó a convertir este sueño de mi infancia en realidad. A Stephanie Delman, mi encantadora agente, que creyó en este proyecto desde el comienzo: gracias por tu dedicación, por tu fe y por estar siempre a un mensaje de texto de distancia. No podría haber pedido una agente más inteligente o atenta que tú, y no podría haber pedido una agencia más alentadora que Sanford J. Greenburger. Un agradecimiento especial a mis dos feroces agentes de derechos de autor, Stefanie Diaz en Greenburger y Vanessa Kerr en Abner Stein, quienes me ayudaron a llevar *La otra chica negra* a tierras que no había soñado que vería mi novela.

Lindsay Sagnette, mi brillante editora y defensora: nuestras largas charlas y tus notas perspicaces excedieron mis sueños más locos. Gracias, siempre, por tu aliento infinito y por tu vigorizante espíritu. Fiora Elbers-Tibbitts: tu diligencia y cuánto trabajaste para mantener en marcha los engranajes de este libro, de manera eficiente y sin problemas incluso durante la pandemia, han sido esenciales. Milena Brown y Ariele Fredman: decir que sois las mejores publicistas es quedarse corto. Mil millones de gracias por difundir este libro por todos lados y de una manera tan significativa. Muchas gracias también a Libby McGuire, Dana Trocker, Gary Urda y al fenomenal equipo de ventas de Simon & Schuster, por hacer todo lo posible a la hora de publicar *La otra chica negra*, y a Jimmy Iacobelli, Jill Putorti, Tamara Arellano y Carla Benton, por el cuidado y el tiempo que dedicaron para hacer que este libro fuera precioso por dentro y por fuera.

Estoy muy agradecida al equipo de Atria, por ser tan cuidadoso y considerado con cada detalle y por sus decisiones sobre cómo se publicó este libro, incluida la concesión de una obra de arte icónica de Temi Coker para la portada. Y te estoy muy agradecida, Temi, por confiarnos tu trabajo.

Por otro lado, sería negligente por mi parte no decir que tuve la gran suerte de contar con dos editores adicionales que me ayudaron a llevar este libro a nuevos niveles: Chelcee John y mi editor en Reino Unido, Alexis Kirschbaum. Chelcee, gracias por tomarte en serio cada una de las frases de esta novela y por ser tan generosa con tu tiempo y tu talento. No puedo agradecerte lo suficiente toda tu ayuda. Alexis, tu entusiasmo era palpable incluso desde el otro lado del planeta, al igual que el entusiasmo de Amy Donegan, Emilie Chambeyron, Jasmine Horsey y el resto de los trabajadores de Bloomsbury. Ha sido un placer trabajar con vosotros y me siento muy afortunada de teneros en mi equipo.

Esta novela contiene fragmentos pequeños (de acuerdo, tal vez grandes) de mis propias experiencias: los escritos que entregué en mis talleres de no ficción en el MFA, así como mi constante asesora de tesis, Zia Jaffrey, me ayudaron a superar muchas de esas circunstancias. Gracias a todos los integrantes del programa de escritura creativa de New School que leyeron estos ensayos, a menudo crudos y muy personales. Contar con vuestros ojos y oídos fue muy valioso, al igual que lo fueron las amistades que hice allí. Alison: tus notas sobre mi primer borrador fueron fundamentales. Eres una de las escritoras y amigas más generosas que he conocido. Sincere: tu respuesta entusiasta cuando te envié el embrión de esta idea por Google Chat cuando debería haber estado trabajando fue decisiva. Gracias por ayudarme a detectar OCN y por darme el espacio necesario para ser mi yo negra sin vergüenza alguna.

Genevieve, mi exmujer laboral y querida amiga: no sé qué haría si no te tuviera para reírme, divertirme y hacer mal el café Nespresso durante mis días como editora. Gracias por tu increíble apoyo, antes y ahora. Y gracias también a todos mis antiguos colegas y a los autores que me animaron cuando dejé la editorial para escribir este libro. Imprimí vuestras amables palabras y todavía hoy las conservo.

Grisha, mi maravillosa pareja: no siempre es fácil vivir con tu pareja en un estudio, e imagino que es aún menos fácil cuando hay una pandemia fuera y tu pareja es una escritora cohibida como yo. Este libro no hubiera sido posible sin ti. Gracias por explicarme los puntos complicados de la trama y por ayudarme a pasar esos momentos en los que me preguntaba si alguien querría leer este libro. Tenías razón. Miau.

Por último, pero no menos importante, toda la gratitud del mundo para mis padres, que alimentaron mi amor por la lectura y la escritura cuando era niña y siempre me han alentado, incluso cuando renuncié a un trabajo con un buen seguro para terminar este libro. Gracias, papá, por todos los viajes en coche para las clases de karate, durante los cuales inventábamos historias de miedo juntos, y por enseñarme lo importante que es escribir personajes que se parezcan a nosotros. Gracias, mamá, por todas las veces que jugamos a la edición del cincuenta aniversario de Scrabble y por estar ahí para mí cada vez que he necesitado desahogarme o llorar.

Esto es para vosotros dos.

Ecosistema digital

Floqq
Complementa tu lectura con un curso o webinar y sigue aprendiendo.
Floqq.com

Amabook
Accede a la compra de todas nuestras novedades en diferentes formatos: papel, digital, audiolibro y/o suscripción.
www.amabook.com

Redes sociales
Sigue toda nuestra actividad. Facebook, Twitter, YouTube, Instagram.

EDICIONES URANO